JULI ZEH

Leere Herzen

Roman

.

btb

Sollte diese Publikation Links auf Webseiten Dritter enthalten,
so übernehmen wir für deren Inhalte keine Haftung,
da wir uns diese nicht zu eigen machen, sondern lediglich auf
deren Stand zum Zeitpunkt der Erstveröffentlichung verweisen.

Verlagsgruppe Random House FSC® N001967

5. Auflage
Genehmigte Taschenbuchausgabe Mai 2019
btb Verlag, in der Verlagsgruppe Random House GmbH,
Neumarkter Straße 28, 81673 München
Copyright © 2017 Luchterhand Literaturverlag in der
Verlagsgruppe Random House GmbH, München
Umschlaggestaltung: semper smile, München,
nach einem Entwurf von Buxdesign | München
unter Verwendung einer Illustration von © Ruth Botzenhardt
Druck und Einband: GGP Media GmbH, Pößneck
SK · Herstellung: sc
Printed in Germany
ISBN 978-3-442-71838-2

www.btb-verlag.de
www.facebook.com/btbverlag

Da. So seid ihr.

Full Hands Empty Hearts
It's a Suicide World
Baby

Molly Richter, »Empty Hearts«,
auf ihrem Debütalbum 2025

1

Knut und Janina kommen um fünf.

Das Wetter ist prächtig. Seit einigen Tagen besitzt die Sonne eine heftige Kraft, die man ihr nach einem typischen Braunschweiger Winter und den vernieselten Frühlingswochen kaum noch zugetraut hätte. Wie hellgelber Chiffon liegt das Licht auf den glatten Flächen der Möbel, bringt die Gläser auf dem Tisch zum Funkeln, dringt in die hintersten staubfreien Ecken. Dreimal in der Woche lässt Britta die Wohnung von Henry, einem jungen Mann aus Laos, auf Hochglanz bringen. Leider finden sich auf den Panoramafenstern stets ein paar Schlieren, die Henry übersieht.

Durch die Kinder haben sich die Tagesabläufe verschoben. Früher hätte man sich bei Einbruch der Dämmerung zum ersten Aperitif getroffen, nicht am helllichten Tag zum Abendessen. Aber das ist normal, es geht ihnen allen so, der ganzen Armee von Einzelkindereltern. Es gab Zeiten, als Britta bis Mitternacht arbeitete, bis mittags schlief und die erste feste Nahrung des Tages am frühen Nachmittag zu sich nahm, meistens ein Sandwich, das Babak, der ebenfalls kein Morgenmensch ist, in die Praxis mitbrachte. Aber dem hat Baby-Vera vor sieben Jahren ein Ende gesetzt. Nur manchmal spürt Britta noch einen leichten Schwindel, fast wie Erschrecken, Symptome eines existenziellen Jetlags.

»Der Mist klebt nicht«, ruft Richard aus der Küche, ohne jemand Bestimmten zu meinen.

Im Flur nimmt Britta eine Flasche Rotwein entgegen, die Knut mitgebracht hat, eine nette Geste, obwohl sie den ganzen Keller voll mit Edwards haben, einem chilenischen Cabernet von 2020, den sie mögen und an den sie sich gewöhnt haben. Den Rioja mit Schleife am Hals werden sie bei Gelegenheit weiterverschenken.

»Sticky Fingers.« Lachend reckt Richard seine klebrigen Hände in die Luft und bietet den Gästen zur Begrüßung den Ellbogen. »Ich mache alles genau wie im Rezept. Trotzdem sieht das Zeug aus wie Biomüll.«

Vor ihm liegen zerfetzter Seetang und Klumpen aus klebrigem Reis, die seinen Wickelversuchen zum Opfer gefallen sind. Richard hat sich in den Kopf gesetzt, das Sushi an diesem Abend selbst zu machen, und Britta mischt sich in solche Pläne nicht ein. Die Küche ist Richards Reich. Sie wird die Gäste bei Laune halten und dafür sorgen, dass die Kinder so oder so um sieben etwas zu essen bekommen, ganz egal, was.

»Alter, sieht spitze aus, wir essen das direkt mit flachen Löffeln von deiner Granit-Arbeitsplatte«, sagt Knut.

Es handelt sich um polierten Beton, aber Britta hält den Mund. Knut ist ein Weichei und wahrscheinlich nicht einmal besonders intelligent, aber Britta mag ihn für seine gute Laune und dafür, dass sich seine Tochter Cora so gut mit Vera versteht. Vor sieben Jahren haben sich Janina und Britta beim Babyschwimmen kennengelernt, jede mit einer Tüte Geschrei auf dem Arm, und sich seitdem immer wieder an langen, zähen Nachmittagen getroffen, erst, um sich gegenseitig ihr Leid zu klagen, später, um zwei Stunden Ruhe am Rand eines Spielplatzes zu genießen, während die Mädchen miteinander beschäftigt sind. Ihre Play-Date-Freundschaft übersteht sogar die Tatsache, dass sie sich für unterschiedliche Schulen entschieden haben. Während Knuts und Janinas Tochter auf ein musisches Kinder-Colleg mit Klavierzwang und Smartphoneverbot geht, durchläuft Vera ganz entspannt die übliche Silicon-Valley-Pädagogik. Cora übt auf dem Xylophon »Kleine Schnecke krieche schnell«, Vera hat gerade ihr erstes Programm geschrieben, das einen Fisch über den Monitor schwimmen und nach dem Köder schnappen lässt, wenn man die Angel ins Wasser senkt.

Die beiden Mädchen sind schon im Kinderzimmer verschwunden, während die Erwachsenen noch mit Herumstehen beschäftigt sind, jener Phase, die offensichtlich bei jedem Treffen durchlitten werden muss.

Man lehnt im Türrahmen oder stützt sich mit beiden Händen auf die Rückenlehne eines Stuhls, lacht einander in die Gesichter, bis endlich alle entspannt genug sind, um sich hinzusetzen. Brittas Haus verfügt über einen großzügigen Wohn- und Essbereich mit verglaster Fensterfront; trotzdem zwängen sich immer alle in die Küche und bestehen darauf, am viel zu kleinen Frühstückstisch zu sitzen. Sie hat aufgegeben, etwas dagegen unternehmen zu wollen.

Mit einem Ohr lauscht sie über den Flur Richtung Kinderzimmer, bis sie die üblichen Mega-Melanie-Geräusche vernimmt. Die Mädchen sind völlig verliebt in Veras Mega-Mall, ein mehrstöckiges Plastikungetüm, das über WLAN, mehrere Displays und programmierbaren Soundtrack verfügt. Bei ihren Besuchen bringt Cora immer einige ihrer Glotzis mit, kuschelige kleine Aliens mit drei großen Augen, die zurzeit schwer in Mode sind. Sie bilden die treibende Kraft einer komplizierten Mars-Attacke auf die Mega-Mall, die von Mega-Melanie, Mega-Martin und ihren Mega-Freunden verhindert werden muss. Meistens schießt das Mega-SEK nach einigen Verwicklungen wild um sich, wobei nicht nur die Glotzis, sondern auch sämtliche Mega-Mall-Kunden getötet werden. Dann hört man dramatische Musik und zweistimmiges »Kollateralschaden!«-Gejuchze aus dem Kinderzimmer.

Während der Edwards im Dekantierer atmet, öffnet Britta die Kühlschranktür und genießt für einen

Moment den Anblick der perfekt präsentierten Lebensmittel. Ein Stück Butter in einer gläsernen Butterdose. Vegetarische Würstchen, zwei Auberginen, drei Tomaten, eine Kanne Milch. Sie entnimmt zwei verschiedene Flaschen Bier und reicht Richard und Knut jeweils ihre Lieblingssorte. Für Janina und sich öffnet sie eine Flasche Prosecco.

»Wie war denn die Besichtigung?«

»Ein Traum.«

Janina stößt an, ohne zu trinken, setzt das Glas ab und schiebt ihre blonde Hochfrisur zurecht. Mit geblümtem Kleid und romantischer Frisur verkörpert sie so ziemlich das Gegenteil von Britta, die ihr helles Haar glatt und kinnlang geschnitten trägt und schlichte Hosen bevorzugt, grau oder mittelblau, dazu Oberteile, denen nur ein Kenner ansieht, was sie gekostet haben. Trotzdem macht es Freude, Janina anzusehen. Janina hat ihre Tochter schon mit Anfang zwanzig gekriegt, wie es in letzter Zeit wieder Mode wird, und manchmal scheint es Britta, als stamme die jüngere Freundin nicht nur aus einem anderen Jahrzehnt, sondern von einem fremden Planeten. Janina versteht, sich einzurichten, in ihren Kleidern und Frisuren, in ihrer winzigen Wohnung, in ihrer Familie und ihren Mädchenträumen. Seit ein paar Wochen sucht sie mit Knut ein Haus auf dem Land, was Britta einigermaßen absurd erscheint. Sie selbst hat schon vor fünfzehn Jahren begriffen, dass Großstadt out und Provinz kein Heilmittel für den abgerockten Metropolenwahn ist, da sich kein Übel mit dem Gegenteil kurieren lässt. Dem 21. Jahrhundert entsprechen Mittelstädte, mittelgroß, mittelwichtig und bis ins kleinste Detail dem Pragmatismus gehorchend. Es gibt alles, davon aber nicht zu viel, vom Wenigen genug und dazwischen erschwinglichen Wohnraum, breite Straßen und eine Architektur, die einen in Ruhe lässt.

Schon vor Jahren, während ihre Bekannten noch damit beschäftigt waren, alte Bauernhäuser in Brandenburg zu sanieren und Biotomaten anzubauen, kaufte Britta von den ersten Einkünften der *Brücke* ein Haus in Braunschweig. Einen Betonwürfel mit viel Glas in einem ruhigen Wohnviertel, praktisch, geräumig, leicht zu reinigen, genau wie Braunschweig selbst, gerade Linien, glatte Flächen, frei von Zweifeln. Dermaßen durchdacht, dass es für jedes Möbelstück nur einen einzigen möglichen Ort gibt. Dazu Keller, Kinder- und Gästezimmer, ausreichend Toiletten und Abstellraum, pflegeleichter Garten und eingebaute Haushaltselektronik, die die Raumtemperatur reguliert, zu festgesetzten Zeiten Kaffee kocht und Warnsignale von sich gibt, wenn der Kühlschrank offen steht. In gewissem Sinne liebt Britta ihr Haus. Wenn man keine Lust hat, sich selbst etwas vorzumachen, ist polierter Beton eben das, was man heutzutage noch lieben kann.

»Ganz ehrlich. Ich glaube, wir haben es gefunden.« Noch einmal hält Janina ihr Prosecco-Glas zum Anstoßen in die Luft, und dieses Mal trinkt sie auch.

Britta ist fasziniert von Janinas Begeisterung. Die Freundin liebt abblätternde Farbe an alten Holztüren, mit bunten Blumen bepflanzte Schubkarren und Schaffell vor dem Kamin. Ein Anachronismus, der zum Himmel schreit. Komplette Ignoranz der Tatsache, dass sich die Dinge geändert haben.

»Die alten Leute, denen es gehört, sind gerade erst ausgezogen. Für sie ist es schrecklich, das Haus zu verlassen. Ein Leben lang war es ihre Heimat.«

»Warum wollen sie dann verkaufen?«

»Wollen nicht, müssen. Im Alter bist du da draußen nicht mehr gut aufgehoben.«

»Alte Leute? Aufgehoben?« Vor Richard liegen inzwischen drei mehr óder weniger fertige Maki-Rollen, leicht gekrümmt wie Hundekot. »Worum geht's, Palliativ-Immobilien?«

Britta lacht. Sie liebt ihn für seine Schlagfertigkeit, und sie liebt es, über Janinas Hauskaufpläne zu lachen.

»Gebt es zu, das ist ein völlig heruntergekommener Kasten«, sagt sie. »Wahrscheinlich mit Holzöfen und Strohmatratzen, und wenn du warmes Wasser willst, stellst du einen Kessel aufs Feuer. Unmöglich zu reinigen, weil ständig Staub von der Decke rieselt. Und in allen Ecken sitzen dicke Spinnen.«

»So in etwa.« Knut lacht gutmütig.

»O-kaayyy.« Richard dehnt das Wort in einem Tonfall, der »Jeder-muss-selbst-wissen-was-er-will« bedeuten soll.

»Das Haus ist ein Traum«, wiederholt Janina. »Ihr

müsst mal mit rauskommen und es ansehen. Cora ist ganz verzaubert. Sie könnte da draußen ein Pferd haben, stellt euch das vor.«

»Gibt's Pferde bei Manufactum?«, fragt Richard.

»Im Ernst, es ist genau das, was wir wollen. Keine Elektronik, Holzböden, Lehmputz. Großer Garten mit alten Bäumen. Wir laden euch zum Lagerfeuer ein.«

»Im Ganzkörper-Schutzanzug wegen der Zecken«, sagt Britta. »Was soll es denn kosten?«

In leicht übertriebener Qual verzieht Janina das Gesicht.

»Zu viel«, sagt Knut. »Aber wir haben beschlossen, darüber nicht nachzudenken.«

»Spitzen Finanzstrategie«, witzelt Richard, der dazu übergegangen ist, den Reis für die Nigiris zu portionieren, und langsam Oberwasser bekommt. Alle Anwesenden wissen, dass sich Knut und Janina kein Haus leisten können, nicht einmal eine Gartenhütte und nicht einmal dann, wenn die Negativzinspolitik bis in alle Ewigkeit verlängert wird. Als Theaterautor wartet Knut noch immer auf den Durchbruch, und Janinas Start-up namens »Schreibmaschine«, das Sekretariatsleistungen für Schriftsteller, Maler und andere Freischaffende anbietet, leidet an der Tatsache, dass die Kunden nicht mehr Geld haben als Knut und Janina selbst. Für ein bescheidenes Leben zu dritt könnte es trotzdem reichen, vorausgesetzt, dass Knut eines Tages etwas dazuverdient, aber das Ganze muss sich entwickeln, es braucht Zeit. Dass Janina trotzdem nach einem Haus auf dem Land Ausschau hält, ist ebenso rührend wie mutig. Britta beschließt, ihren Widerwillen gegen selbst gebastelte Idyllen beiseitezuschieben und demnächst zu signalisieren, dass sie mit einer Anschubfinanzierung helfen kann, falls die Bank Schwierigkeiten macht. Janina ist nun einmal, bei Tageslicht betrachtet, ihre beste Freundin, und Britta weiß ohnehin nicht, wohin mit ihrem Geld. Das letzte Jahr der *Brücke* ist mit Frexit, Free Flandern und Katalonien First! gut gelaufen, sodass es höchste Zeit wird, sich mal wieder um die Finanzhygiene zu kümmern. Während sie die Prosecco-Gläser auffüllt und zwei weitere Bierflaschen öffnet, nimmt sie sich vor, am nächsten Tag mit Babak darüber zu reden.

Als sie aus ihren Gedanken auftaucht, hat Richard bereits sechzehn kleine Quader aus Reis geformt. Das Gespräch dreht sich nicht mehr um Häuser, sondern um irgendetwas mit Politik. Während Knut gebannt auf das Display seines Handys schaut, steht Britta auf und holt eine Schüssel Nudeln vom Vorabend sowie ein paar Veggie-Fleischwürste aus dem Kühlschrank. Sie kennt wenige Menschen, denen es nicht peinlich ist, ihr Smartphone aus der Tasche zu nehmen. Wer das tut, ist entweder fest angestellt oder Wähler der Besorgte-Bürger-Bewegung. Knut ist keins von beiden und liest trotzdem die *Snaps* von Regula Freyer und Co. Schon vor Jahren hat Babak einen Hack entwickelt, mit dem sich die vorinstallierten Kanäle vom

Handy entfernen lassen. An Britta und Richard hat er das Tool weitergegeben, Knut wollte es nicht.

»Die BBB bringt das fünfte Effizienzpaket auf den Weg.« Knut schaut in die Runde, als müsste nun jeder der Anwesenden reihum Stellung nehmen. »Danach wird es auf Landesebene keine Enquete-Kommissionen, parlamentarischen Beiräte und Kontrollgremien mehr geben.«

Janina räuspert sich. Falls dieses Geräusch Knut zur Zurückhaltung bewegen soll, hat er es entweder nicht gehört oder nicht verstanden.

»Wollen die den Föderalismus jetzt endgültig abschaffen?«

»Möglich«, erwidert Richard abgeklärt. »Den Spinnern von der BBB ist alles zuzutrauen.«

Sanft schiebt Britta ihn und seine Sushi-Matten beiseite, stellt den Induktions-Wok auf den Herd, gibt etwas Öl und die Nudeln hinein und schneidet, während sich das Ganze erhitzt, die Veggie-Wurst in kleine Stücke.

»Die bauen das ganze Land um.«

»Dafür sind sie angetreten. Schlank und fit in die Zukunft.«

»Was sind denn das für Gremien?«, fragt Janina.

»Die Summe, die sie dadurch einsparen, ist allerdings gigantisch.« Knut blickt wieder aufs Handy. »Immerhin Steuergelder.«

Britta glaubt nicht, dass Knut jemals im Leben Steuern bezahlt hat.

»Im Grunde weiß ja auch niemand, wofür man den Föderalismus braucht«, sagt Janina.

»Keiner hier hat Besorgte Bürger gewählt«, sagt Richard. »Worüber reden wir überhaupt?«

»Über das fünfte Effizienzpaket«, beharrt Knut.

Langsam ist Britta genervt. Auch wenn sie aus beruflichen Gründen gezwungen ist, Politik in groben Linien zu verfolgen, findet sie nicht, dass man privat darüber reden muss. Ganz offensichtlich hat Knut nicht verstanden, dass Politik wie das Wetter ist: Sie findet statt, ganz egal, ob man zusieht oder nicht, und nur Idioten beschweren sich darüber. Dunkel erinnert sie sich, dass das einmal anders war. Sie sieht sich in einer Wahlkabine stehen und voller Überzeugung ihr Kreuz machen. Sie weiß, dass sie die Frage, wen man wählen soll, damals mit anderen diskutiert hat und dass ihr die Antwort wichtig erschien. Wann das gewesen ist, weiß sie nicht mehr so genau; definitiv vor Flüchtlingskrise, Brexit und Trump, lange vor der zweiten Finanzkrise und dem rasanten Aufstieg der Besorgte-Bürger-Bewegung. In einer anderen Zeit.

»Kollateralschaden!«, jubiliert es aus dem Kinderzimmer, untermalt von Mega-Musik, die laut über den Flur stampft.

»Macht nicht so wild! Gleich gibt's Essen!«, ruft Janina.

Als Britta die Wurst in den Wok gibt, zischt es. Sie rührt gründlich und schaltet die Dunstabzugshaube ein.

»Das riecht verdammt lecker«, sagt Knut.

»Ich bin auch gleich fertig.« Richard öffnet Vakuumpackungen mit rohen Fischstücken, um damit seine Quader zu garnieren. Auf dem Tisch stehen eckige Teller bereit, dazu kleine Porzellanbänkchen, die Stäbchenpaare tragen, sowie Schüsseln mit Sojasauce, eingelegtem Ingwer und Wasabi-Paste.

»Das Krasse ist, dass man nicht weiß, was dabei rauskommt«, fängt Knut wieder an. »Ich meine, BBB geht gar nicht, das ist klar. Aber nur mal als Beispiel, wer hätte damals gedacht, dass Spinner wie Trump und Putin den Syrienkrieg beenden? Das ist doch postfaktisch wie sonst was.«

Britta hasst Wörter wie »postfaktisch«. Jahrelang überschwemmen sie Blogs und Medien, um leeren Köpfen das Gefühl von politischer Analyse zu vermitteln. Als ob es jemals »faktische« Politik gegeben hätte. Was war denn faktisch? Der Absolutismus? Der Imperialismus? Nationalsozialismus, Kalter Krieg, der Zerfall Jugoslawiens oder der elfte September? Britta hat große Lust auf die Wahrheit. Die Wahrheit ist, dass seit Jahren niemand mehr weiß, was er denken soll.

Weil Knut noch immer engagiert auf seinem Smartphone scrollt, schaltet Britta Musik ein, um klarzustellen, dass das Gespräch beendet ist. Molly Richters weiche Stimme füllt den Raum. Die Sängerin ist der Shooting Star der Saison. Zwölf Jahre alt, Haare kurz geschoren, Körper und Klamotten eines Lausejungen und eine Stimme wie Josephine Baker.

Full Hands Empty Hearts / It's a Suicide World Baby.

Britta öffnet eine Dose geschälter Tomaten und gibt den Inhalt in den Wok. Das Zischen wird zu Blubbern, angebratene Wurststücke und Nudeln verschwinden in der roten Flüssigkeit. Mit der Spitze des Kochlöffels zerdrückt sie Tomaten, bis das Gemenge eine matschige Konsistenz annimmt. Ein Becher Sahne verwandelt das Rot in bräunliches Rosa und den Matsch in Sauce. Die Kinder nennen es Wurstgulasch, sie lieben dieses Essen.

»Gut sieht das aus.« Knut steht neben ihr, taucht einen Löffel in den Wok und probiert. »Lecker.«

»Sushi ist in fünf Minuten fertig«, sagt Richard.

»Sushi ist fürs Auge, das hier für den Bauch.« Knut hält Britta einen viereckigen Teller hin. »Viel zu schade für die Kinder.«

Sie wechselt einen Blick mit Richard, der die Augen verdreht, aber lächelt, und teilt eine Portion Gulasch aus. Janina erscheint mit zwei weiteren Tellern, einen für sich selbst, einen für Britta, holt Löffel aus der Schublade und setzt sich an den Tisch.

»Vera-Cora«, ruft Richard. »Eure Eltern essen euch die Wurst weg!«

»Na, alle tot?«, fragt Janina und wuschelt den Mädchen durch die Haare, als sie in die Küche gelaufen kommen, mit Mega-Melanie, Mega-Martin und zwei Glotzis in Händen, die sie neben ihre Teller setzen, bevor sie sich über das Wurstgulasch hermachen. Richard verteilt Maki und Sashimi auf Holzplatten und trägt auf, es sieht besser aus als erwartet, alle klatschen und johlen und rufen »Arigato!«, und dann essen sie durcheinander, Wurst und Nudeln und rohen Fisch, Britta springt auf, weil sie den Wein vergessen hat, sie stoßen an, der Edward schmeckt fantastisch, obwohl er weder zu Sushi noch zum Gulasch passt. Die Laune ist bestens, ein richtig netter Abend.

Zum Nachtisch gibt es Erdbeeren, für jeden nur eine kleine Portion, dafür von Vera eigenhändig im Garten der Nachbarin gepflückt. Britta sieht, wie Janina auf Zucker und Schlagsahne verzichtet, und lächelt still vor sich hin. Wie gut, dass die Probleme wenigstens einigermaßen gerecht verteilt sind. Britta hält sich manchmal für eine schlechte Mutter, weil sie die Arbeit insgeheim mehr liebt als die Familie. Dafür kann sie essen, was sie will.

Um Viertel vor acht will Vera wie jeden Abend auf Netflix eine Folge ihrer Lieblingsserie sehen. Eine kleine Drohne namens »Featherweight«, die ihrem Besitzer entflogen ist, hilft einem Mädchen bei der Lösung von Alltagsproblemen.

Während die Mädchen gucken, fangen Knut und Janina schon mal an, sich zu bedanken und Ideen für eine Gegeneinladung in den Raum zu stellen. Britta und Richard versichern, dass sie keine Hilfe beim Aufräumen brauchen, dass es ein supernetter Abend war und dass sie gern bei Gelegenheit mit Vera zum Essen vorbeikommen, oder vielleicht trifft man sich lieber mal zum Grillen im Park, denn die Wohnung von Knut und Janina ist ziemlich klein und, wie Britta insgeheim denkt, auch nicht besonders sauber.

»Alter, wie krass!«, ruft Vera im Wohnzimmer.

»Kollateralschaden!«, juchzt Cora.

Das klingt zu heftig für »Featherweight«. Britta überquert den Flur, die anderen folgen.

Die Mädchen haben in den Fernsehmodus gewechselt, was zu den wenigen Dingen gehört, die Britta rigoros verbietet. Fernsehen geht gar nicht. Sie ist schon bereit für eine Schimpfkanonade, wird aber abgelenkt von dem, was sie auf dem Bildschirm sieht. Zwanzig-Uhr-Nachrichten.

»Was zum Teufel ist das?«, flüstert sie, oder besser, hört sie sich flüstern, denn die Lippen haben sich ohne ihr Zutun bewegt.

Die anderen sind in der Tür stehen geblieben und unterhalten sich weiter übers Grillen. Britta steht in der Mitte des Raums, zufällig genau im Zentrum des sternförmigen Teppichmusters, und blickt auf den Fernseher. Verwaschene Bilder, ein Fünfundvierzig-Sekunden-Beitrag, die Hälfte hat sie bereits verpasst. Trotzdem begreift sie das Setting sofort. Schwarze Uniformen, Einsatzleiter, die in Funkgeräte sprechen, kreisende Hubschrauber, Tränengas, Blendgranaten, das ganze Programm. Wenn sie nicht alles täuscht, trägt der zu Boden gegangene Täter einen Sprengstoffgürtel, aber die Bildqualität ist sehr schlecht, wie von einem Handy aus großer Entfernung gefilmt.

Brittas Knie werden weich, sie lässt sich in einen

Sessel fallen. Die Mädchen balgen auf der Couch, Richard ruft: »Macht sofort den verdammten Fernseher aus!«, Janina: »Wir gehen jetzt!« Knut ist ebenfalls vor den Fernseher getreten, er schaut die Nachrichtensprecherin an, diesen ganzen Zwanzig-Uhr-Käse, inklusive bonbonfarbenen Kostüms und Fönfrisur, wie erstaunlich, dass das nicht aufhört, dass es einfach immer weitergeht, als hätte sich in den letzten zwanzig Jahren überhaupt nichts verändert. Terroranschlag, sagt die Sprecherin. Leipziger Flughafen, Cargo-Bereich, in letzter Sekunde verhindert. Ein Täter tot, der andere in Gewahrsam. Bislang keine Hinweise auf eine bestimmte Gruppe, laufende Ermittlungen, Informationssperre. Britta hat das Gefühl, in einem surrealen Film mitzuwirken. Gleich wird sich die Dame eine Maske abziehen und sich in »Featherweight« verwandeln, jedenfalls hofft Britta das.

»Was ist los mit dir?«, fragt Knut.

Die Nachrichten haben das Thema gewechselt, es geht jetzt um eine neue Gen-Pflanze, die patentiert werden soll, eine Mischung aus Mais und Kürbis, extrem groß und extrem nahrhaft, möglicherweise das Ende des Hungers in der Dritten Welt, wie die Sprecher von Regierung und Google auf einer gemeinsamen Pressekonferenz behaupten.

»Ach, nichts.«

»Die haben rumgeschossen, voll cool, die Schwarzen so mit Leuchtbranaten und Rauchbomben und riesigen Gewehren.«

»Mama, war das ein SEK? Oder der Heimdienst?«

»Granaten«, sagt Knut. »Und Geheimdienst. Und Rumschießen ist nicht cool.«

Verstohlen holt Britta das Smartphone aus der Tasche und weckt es auf; als sie bemerkt, dass Knut es gesehen hat, steckt sie das Gerät wieder weg.

»Was ist los, Schatz?«, ruft Richard vom Flur. »Einer von deinen Patienten?«

Richard und die anderen wissen, dass gelegentlich ein Klient der *Brücke* »Dummheiten macht«, wie Britta es nennt. Sie tut dann ein paar Tage so, als sei sie am Boden zerstört, während alle anderen versuchen, sie zu trösten, ihr versichern, dass sie keine Schuld trägt, und an ihre exzellente Heilungsquote erinnern, die bei mehr als 90 Prozent liegt. »Es sind halt Menschen«, pflegt Richard in solchen Fällen zu sagen. »Du kannst versuchen, ihnen zu helfen, aber nicht alles liegt in deiner Macht.«

»Ich dachte kurz«, sagt Britta. »Aber ich habe mich getäuscht.«

»Kinder, wir gehen jetzt«, sagt Knut. »Wo sind deine Glotzis, Cora? Zieh dir die Schuhe an.«

Über das, was sie tatsächlich gesehen hat, kann sie mit niemandem sprechen. Außer mit Babak. Am liebsten würde sie ihn jetzt anrufen. Nach Fakten fragen. Er wird die Hintergründe längst recherchiert haben. Außerdem braucht sie Zeit zum Nachdenken, dringend, ihr platzt fast der Kopf.

Stattdessen muss sie die Gäste verabschieden und

Vera ins Bett bringen. Anschließend wird Richard noch ein Glas Wein trinken und das Treffen mit Knut und Janina durchsprechen wollen. Ihre Hauskaufpläne. Ihre desaströsen Jobs.

In Brittas Kopf fahren die Gedanken Achterbahn, aber sie reißt sich zusammen, steht auf, lächelt Knut an, nimmt die zappelnde Vera auf den Arm, die mit ihren sieben Jahren schon ein richtig schweres Stück Mensch ist, sie denkt »Cargo-Bereich, warum Cargo-Bereich«, und sagt Dinge wie »Schluss jetzt, kein Theater, du hast es versprochen«, während sie noch ein wenig im Flur herumstehen, bis sich Knut und Janina sortiert, zum dritten Mal bedankt und verabschiedet haben, bis Cora endlich angezogen und das sperrige Familienwesen aus der Haustür manövriert ist. Wer kommt auf die Idee, einen Anschlag auf Gepäckstücke zu verüben? Weil man da leichter reinkommt? Tschüs, tschüs, das Auto springt an, es müsste dringend mal wieder in die Waschanlage, sie winken, bis ihre Besucher hinter der nächsten Ecke verschwunden sind.

Richard geht in die Küche zum Aufräumen, Britta mit Vera ins Bad. Wenn Besuch da war, wird sie stets vom Bedürfnis geplagt, sofort die ganze Wohnung zu putzen. Morgen kommt Henry, beruhigt sie sich selbst, es ist alles organisiert, für alles gesorgt. Als sie ihr eigenes Gesicht im Spiegel sieht, wird ihr übel.

Nicht jetzt, denkt sie, bitte, und die Übelkeit verfliegt.

Wieso waren die Behörden gleich mit großem Besteck vor Ort? Wer hat gefilmt und das Material an die Presse gegeben? Warum hat ein Täter überlebt?

Sie verhandelt mit Vera über die Anzahl von Minuten beim Zähneputzen, als ihr Handy klingelt. Unterdrückte Rufnummer. Sie nimmt den Anruf entgegen und ermahnt sich, leise zu sprechen. Bad und Küche liegen Wand an Wand, Richard hört mit.

»Guten Abend«, sagt sie.

»Wer ist das?«, ruft Richard von nebenan.

»Babak!«, ruft sie zurück.

»Schöne Grüße!«, ruft Richard.

»Bleib ganz ruhig«, sagt Babak.

»Hast du was rausgefunden?«

»Was denn rausgefunden?«, fragt Vera, den Mund voller Zahnpastaschaum.

»Lass mich kurz mit Babak reden«, sagt Britta. »Geschäftlich.«

»Wir reden jetzt gar nicht«, sagt Babak. »Ich rufe an, um dir zu sagen, dass du die Nerven behalten sollst. Wahrscheinlich hat das mit uns nicht das Geringste zu tun.«

»Hast du nicht gesehen, dass …«

»Doch, möglicherweise habe ich einen Gürtel gesehen, sicher bin ich nicht. Die Nachrichtenlage ist unübersichtlich. Bleib ruhig, mach deinen Abend mit der Familie, geh nicht ins Internet. Alles wie immer. Okay? Wir reden morgen.«

»Okay.«

»Bis morgen.«

»Jetzt hab ich aber genug geputzt.« Vera spuckt Schaum aus, rennt in die Küche, »Nacht, Papa! Küsschen!«, und flitzt über den Flur ins Kinderzimmer. Britta folgt langsamer, atmet tief durch, spürt, wie die Professionalität in ihren Körper zurückkehrt, angenehm wie die Wirkung einer leichten Droge. In der Küche hat Richard noch einmal Musik aufgedreht, sie hört Mollys Stimme durch die Wand. *Full Hands Empty Hearts / It's a Suicide World Baby.*

2

Auch der nächste Tag ist strahlend, ein blank geputzter Himmel, auf dem frisch gewaschene Wölkchen stecken. Dazu leichter Wind, der schon am Morgen ungewöhnlich warm ist. Da Richard heute Vera zur Schule bringt, fährt Britta mit dem Fahrrad zur Arbeit. Sie tritt so wenig wie möglich in die Pedale, wählt einen Zick-Zack-Kurs durchs Viertel, schaut über Zäune und Hecken in die Gärten, grüßt gelegentlich einen Nachbarn, der sich entschlossen hat, das bedingungslose Grundeinkommen zum Rasenmähen und Bäumeschneiden zu verwenden. Lehndorf ist eine ruhige Gegend, Ein- und Zweifamilienhäuser, einst von den Nazis erbaut, perfekt für Kinder, ebenso hässlich und praktisch wie der Rest der Stadt. Gerade weil Britta wenig geschlafen und die ganze Nacht darauf gewartet hat, endlich mit Babak sprechen zu können, zwingt sie sich zu einem langsamen Tempo. Mentale Kontrolle, Chefin im eigenen Haus.

Als sie die Autobahn unterquert, wird sie ein wenig schneller, genießt das Fahren entlang der breiten

Schneisen, schön gerade und mit großzügigen Bürgersteigen versehen, wie für Panzerparaden erbaut. In der Innenstadt sind die Straßen noch nass von den Wasserwerfern der Reinigungstrupps. An manchen Tagen liebt Britta Braunschweig, als hätte sie es selbst erfunden. Den klobigen Prunk totalitärer Prachtbauten, die aussehen wie Schlösser und in Wahrheit nur Einkaufszentren sind. Das »Deutsche Haus«, in dem sie gelegentlich Klienten unterbringt und auf dessen Fluren es irgendwie nach Sozialismus riecht. Die nicht vorhandene Aura der Stadt, eine Folge von verkehrsgerechter Entsorgung jeglicher Ästhetik. All das stellt eine Erleichterung dar im Vergleich zur klaustrophobischen Pluralität der Metropolen. Schon nach ihrem Abitur in den Nullerjahren, als es noch relativ schick war, nach Berlin zu ziehen, verspürte Britta wenig Lust auf die Hauptstadt. Es gab Werbespots, die allein darauf basierten, dass irgendjemand jung und unrasiert war und eine Wohnung im Prenzlauer Berg gemietet hatte. Damals zog Britta zum Studieren nach Leipzig, später zum Arbeiten nach Braunschweig, und inzwischen gibt der Trend ihr recht. In Scharen verlassen die Freiberufler Prenzlauer Berg, um in kriegszerstörte Mittelstädte zu ziehen, die im Geist des Rationalismus wiederaufgebaut wurden – Funktion, Konstruktion und Form.

Während Britta an einer Fahrradampel wartet, liest sie die Schlagzeilen auf den Displays, die an den Masten des Verkehrsleitsystems hängen.

Schönes Wetter hält an – Fünftes Effizienpaket auf dem Weg in den Reichstag – Dinkel-Sesam-Stück wird Brot des Jahres – Regula Freyer auf Besuch in China.

Braunschweig passt so gut zu Britta, weil man hier irgendwie unter dem Radar fliegt. Gut durchdachte Mittelmäßigkeit, unauffälliges Durchwursteln. Britta will eine friedliche Existenz für sich und ihre Familie, sie will ihre Arbeit machen, Verantwortung tragen, aber nur für Dinge, die sie anfassen kann. Warum sollte sie sich für den Rest zuständig fühlen? Heutzutage weiß doch niemand mehr, wofür oder wogegen er sein soll. Natürlich bauen die Besorgten Bürger eine demokratische Errungenschaft nach der anderen ab. Aber trotzdem geht es den Menschen gut, vielleicht sogar besser als früher. Bei Trumps Amtsantritt sprach man vom Untergang des Abendlands, und dann hat er nach seiner Verbrüderung mit Putin ganz nebenbei den Syrienkrieg beendet. Der amerikanische Isolationismus hat die israelische Siedlungspolitik gestoppt und damit quasi versehentlich Zwei-Staaten-Lösung und Friedensvertrag zwischen Israel und Palästina herbeigeführt. Der Wirtschaftskrieg zwischen Europa und den USA hat den Nahen Osten in einen lukrativen Absatzmarkt für amerikanische Produkte verwandelt, was die ganze Region aufblühen lässt. Auf einmal ist der islamistische Terror kein globales Problem mehr und Daesh vom Schreckgespenst der westlichen Welt auf eine Handvoll dekadenter Warlords geschrumpft.

Einstweilen haben die Leute das politische Spekulieren aufgegeben. Sie leben ihr Leben und stecken die Köpfe in den Sand, weil sie in einer Welt, in der man jemanden wie Trump nicht einfach scheiße finden kann, nichts Besseres damit anzufangen wissen.

Britta macht sich nichts vor. Sie glaubt nicht, die Entwicklungen zu verstehen, und versucht nicht, etwas besser zu wissen. Sie wohnt in einem sauberen Haus in einer sauberen Stadt und führt ein sauberes Unternehmen. Das ist ihr Beitrag. Vor langer Zeit, noch vor Gründung der *Brücke*, hat sie einmal einen Satz gelesen, der sich ihr eingeprägt hat: Moral ist Pflicht für die Schwachen, die Starken beherrschen die Kür.

Als sie sich dem Hauptbahnhof nähert, beginnt ihr Herz, wieder schneller zu schlagen. Seit gestern Abend unterdrückt sie den Wunsch, ihr Smartphone herauszuholen und nach weiteren Informationen zu suchen. Stattdessen hat sie sich beim Frühstück die Braunschweiger Zeitung gegriffen, die in kleiner Auflage noch immer für nostalgische Ironiker wie Richard gedruckt wird, und auf Seite drei eine knappe Meldung über die Vorgänge in Leipzig gefunden, kurz vor Redaktionsschluss ins Blatt geklemmt. Das Foto kannte sie bereits aus den Nachrichten: schwarze Uniformen in einer Halle, ein länglicher Schatten am Boden. Der Text erzählte genauso wenig wie das Bild. Zwei mutmaßliche Terroristen waren am vergangenen Abend ins Frachtterminal des Leipziger Flughafens eingedrungen, wobei sie eine Substanz mit sich führten, bei der es sich vermutlich um Sprengstoff handelte. Aufgrund eines anonymen Hinweises konnten die Sicherheitsbehörde zugreifen und das Schlimmste verhindern. Ein Täter wurde erschossen, der andere befindet sich in Untersuchungshaft. Innenministerin Wagenknecht sagte dazu, Deutschland befinde sich nach wie vor im Visier der Terroristen, es gebe Anlass zu erhöhter Wachsamkeit, aber nicht zur Panik. Man tue weiterhin alles, um die Sicherheit der Bevölkerung zu gewährleisten. Ein Beispiel dafür seien die erweiterten Kompetenzen für Polizei und Geheimdienste, die neben der Föderalismusreform im fünften Effizienzpaket enthalten seien.

Während Britta die Kurt-Schumacher-Straße hinunterbraust, hebt sie das Gesicht und genießt es, wie ihr der Fahrtwind die Haare nach hinten streicht. Sie ist ihrer Mutter dankbar für die Vererbung dieser Haare, dick, glatt, weizenblond, perfekt geeignet für Kurzhaarfrisuren, die man nur durchwuscheln muss, um gut auszusehen. Haare, die man nicht bürsten, Hemden, die man nicht bügeln, Staubsauger, die man nicht schieben muss – das sind Dinge, die Britta gefallen. Genau wie ein Mitarbeiter, der die ganze Nacht aufbleibt, um die aktuelle Nachrichtenlage für sie zusammenzustellen. Funktionieren ist für Britta das oberste Gesetz.

Die Kurt-Schumacher-Blöcke an der Nordwestseite des Hauptbahnhofs sind ein seltsames Viertel, sauber, aber gesichtslos. Die Wohnungen hoch gestapelt, Wäsche auf den Balkonen, in den Erdgeschossen Gewerbeeinheiten, vor allem Ärzte arabischer Herkunft, lauter Nabils, Sahids und Djawads, die röntgen, massieren, in Mund, Nase, Ohren gucken, Zähne bohren und Leberflecke ausschneiden. Ein Stück Trostlosigkeit in bester Zentrallage. Ein Beispiel für die Ghettoisierung, von der die BBB standhaft behauptet, es gäbe sie nicht.

Zwischen den Blöcken liegt eine Passage, eine Ansammlung flacher Gebäude, grau und unscheinbar, wie geschaffen für schlecht laufende Gewerbe aller Art. Britta schiebt ihr Fahrrad in einen Ständer und öffnet eine Tür, auf der ihr eigener Name klebt: »Die *Brücke*, Britta Söldner und Babak Hamwi«. Darunter in kleinerer Schrift: »Heilpraxis für Psychotherapie und angewandte Tiefenpsychologie, Self-Managing, Life-Coaching, Ego-Polishing« und ein paar weitere Begriffe, die mit dem, was sie wirklich machen, nicht das Geringste zu tun haben. Im Dentallabor gegenüber sitzt ein blondes Pferdeschwanzmädchen am Empfang, grüßt nicht, regt sich nicht, starrt auf seinen Bildschirm. Britta fragt sich jeden Morgen, ob die Kleine echt ist.

Drinnen riecht es nach Kaffee; von Babak keine Spur.

Wegen der umstehenden Hochhäuser ist es düster in der Praxis, wie immer brennt die Deckenbeleuchtung, trübes Neonlicht aus quadratischen Kästen, das

Tages- und Jahreszeit auf grell-depressive Weise überstrahlt. Für eine Heilpraxis sind die Räume der *Brücke* denkbar ungeeignet, die Schaufenster zu groß, die
Atmosphäre zu trüb, ein Tattoo-Studio hätte besser
hierher gepasst, ein Hunde-Salon oder der nächste
Humana-Second-Hand. Auf dem Boden liegt bräun-
licher Teppich, die Empfangstheke haben sie von den
Vorbesitzern übernommen, obwohl sie dafür keine
Verwendung haben. Darüber hinaus gibt es eine Sitzgruppe, in der Britta Erstgespräche mit neuen Kandidaten führt, sowie einen großen Arbeitstisch, den nur
Babak benutzt. Alles ist abgewetzt, aber klinisch rein;
immerhin ist es Britta, die hier eigenhändig für Sauberkeit sorgt. Die wenig einladende Atmosphäre ist
Absicht; kein Laufkunde soll dazu verleitet werden,
die Räume zu betreten.

Britta beugt sich über den Arbeitstisch, auf den mit
Spezialklammern ein zwei Quadratmeter großer Pa-
pierbogen befestigt ist, eine Sonderanfertigung, die Babak direkt vom Hersteller bezieht. In einer Ecke scheint
das Papier beschmutzt, geht man jedoch näher heran,
erkennt man, dass es von unzähligen Pünktchen in verschiedenen Farben bedeckt ist, so dicht, dass kaum
Zwischenräume zu sehen sind. Bei der *Brücke* gibt es
lange Flauten, kein Anlass zur Sorge, sondern Teil des
normalen Arbeitsrhythmus. Während Britta in solchen
Phasen Papierkram macht, Vera früh aus dem Hort
abholt, im Garten arbeitet und an heißen Tagen das
Planschbecken aufbläst, hält Babak in der Praxis die

Stellung und vertreibt sich die Zeit mit Pünktchenbildern. Gemächlich zieht er die Kappe von einem Filzstift, malt ein paar Punkte, steckt die Kappe zurück und öffnet den nächsten Stift. Das Klicken der Stiftkappen hat etwas Meditatives. Es dauert Monate, bis so ein Bild fertig ist. Britta muss zugeben, dass ihr die Ergebnisse gefallen. Sie zeigen unklare Farbverläufe, ein Oszillieren von Rot über Lila nach Blau und zurück, wobei die Farben Wellen schlagen, wie Regenschleier oder Sandwirbel, die das Auge schwer fassen kann.

Im Untergeschoss rumort es. Wie alle Gewerbeeinheiten in der Kurt-Schumacher-Passage verfügt die Praxis über eine tiefer gelegene Ebene, fensterlose Räume, auf Höhe der unten vorbeibrausenden Schnellstraße gelegen. Dort gibt es Kaffeeküche, Toiletten, einen gekachelten Mehrzweckbereich sowie den gut gesicherten Serverraum, in dem Babak den größten Teil seiner Arbeitszeit verbringt.

Jetzt kommt er mit großen Schritten die Wendeltreppe herauf, einen Stapel Unterlagen in Händen, die er auf den Couchtisch fallen lässt. Während er nachdenklich darauf blickt, wischt er sich mit dem Unterarm über die Stirn. Sie kennen einander so gut, dass sie das »Hallo« vergessen. Auch wenn sie sich ein paar Stunden nicht sehen, haben sie niemals den Eindruck, getrennt zu sein. Als sie sich vor zwölf Jahren kennenlernten, war Babak fett, schwul, nerdig und aus dem Irak. Heute ist er nicht mehr fett, und für die anderen Dinge schämt er sich nicht mehr. Seiner

Meinung nach hat Britta ihm das Leben gerettet, weshalb er sie vergöttert wie eine große Schwester. Wenn er aufgeregt ist, so wie heute, dann nicht, weil ihn die Ereignisse verwirren, sondern weil er sich Sorgen um Brittas Gemütszustand macht.

»Was hast du da?«

»Dossiers. Alle Informationen zum Fall.«

»In vierfacher Ausfertigung?«

»Eine für dich, eine für mich, eine für die Akten und eine für den Notfall.«

Britta muss lachen. Babak hat die ganze Nacht vor den Rechnern verbracht, sie erkennt es an den bläulichen Schatten unter seinen Augen, auch wenn er am frühen Morgen in der Praxis geduscht und ein frisches Hemd angezogen hat. Seit er sich von 125 auf 75 Kilo runtergehungert hat, behandelt er seinen Körper wie einen Wertgegenstand. Wenn er zum Essen kommt, kann er sich mit Richard stundenlang über skandinavische Herrenausstatter unterhalten, die hartnäckige Hipster-Mode verdammen und über die Form einer perfekten Schuhkappe philosophieren. Bei solchen Gelegenheiten hört Britta schweigend zu und erinnert sich daran, wie man Frauen einst dafür verspottete, kein anderes Thema als Mode zu kennen.

»Setz dich. Hier ist Kaffee.«

Babak bringt ein Tablett mit kleinen Tassen und einem Kupferkännchen, in dem er den Kaffee auf türkische Art zubereitet. Als er einschenkt, sieht Britta seine Hände zittern.

»Lass hören. Was hast du?«

»Markus Blattner und Andreas Muradow, zweiundzwanzig und fünfundzwanzig Jahre, Autoschlosser und Chemiestudent.«

»Tschetschene?«

»Deutscher. Der Name Muradow ist nicht selten.«

»Welcher ist tot?«

»Andreas.«

»Und welcher ist der Konvertit?«

»Wahrscheinlich keiner.«

»Das ist nicht dein Ernst.«

»Wie sich die Lage darstellt, können wir nicht von einem islamistischen Hintergrund ausgehen.«

»Hat sich Daesh nicht zu dem Anschlag bekannt?«

»Die bekennen sich doch zu jeder umgefallenen Gießkanne.«

Britta seufzt.

»Die Fakten, bitte.«

»Gestern Abend drangen die beiden Männer ins Frachtterminal des Flughafens Leipzig ein, Sortierzentrum, gegen neunzehn Uhr.«

»Schichtwechsel?«

»Das Frachtkreuz operiert auch tagsüber, aber nachts beginnt das Gewusel. Markus und Andreas trugen DHL-Uniformen und hatten gefälschte Dienstausweise bei sich.«

»Also doch professionell geführt.«

Babak zuckt die Schultern. »Oder euphorische Amateure.«

»Ich dachte, ich hätte im Fernsehen einen Gürtel gesehen.«

»Du hast dich nicht getäuscht. Beide trugen Gürtel.«

»Scheiße.«

Sie schweigen. Britta trinkt ihren Kaffee aus, Babak füllt nach, gibt noch etwas mehr Zucker hinzu, rührt für sie um. Natürlich hat sie die ganze Zeit gewusst, dass es sich bei der katastrophalen Aktion um ein Selbstmordattentat handelte. Ihr Bauchgefühl war eindeutig. Keine schweren Waffen, keine Gegenwehr. Aber sie waren zu zweit, Seite an Seite, das hatte ihr ein wenig Hoffnung gegeben. Die meisten Selbstmordattentäter gehen allein.

»Wir wussten, dass das eines Tages passieren würde, nicht wahr?«, sagt Babak, und Britta nickt.

»Es war nur eine Frage der Zeit. Wirklich schlimm ist es nicht.«

Britta nickt wieder. Dann wallt die Wut in ihr auf.

»Wer war das, verdammt?« Sie schlägt beide Fäuste auf den Tisch, sodass die frisch gefüllte Kaffeetasse umfällt und den Inhalt der hübschen Zuckerdose in eine braune Masse verwandelt. Als sie bemerkt, dass Babak nicht die Treppe hinunterrennen muss, um die Sauerei zu beseitigen, sondern Lappen und Schwamm bereits unter dem Tablett bereitliegen hat, lässt sie sich im Sessel zurücksinken.

»Du bist unglaublich, Babak.«

»Was denn?« Er setzt eine treuherzige Miene auf. »Immerhin arbeiten wir mit Prognosen.«

Sie grinsen sich an.

»Mach dir keine Sorgen«, sagt Babak. »Wir kriegen das in den Griff.«

Während er wischt, hebt sie das Tablett an. Obwohl die Dossiers keine Spritzer abbekommen haben, fährt Babak mit dem Küchentuch über die Schutzumschläge. Britta zieht ihr Exemplar zu sich heran. Biographien und seitenweise Metadaten, die sie mit bloßem Auge nicht lesen kann.

»Du warst gründlich.«

Ein kurzes Lächeln erscheint auf Babaks Gesicht und verschwindet gleich wieder, er will nicht zeigen, wie sehr er sich über ein Lob von ihr freut.

»Leider wenig Brauchbares dabei«, sagt er. »Kein Traffic bei den Gruppen, keine Videos, nichts in Vorbereitung. Andreas war seit ein paar Wochen auf Facebook aktiv, tatsächlich auch mit arabischen Kontakten, ein bisschen *In schah Allah* und *al Hamdu lillah*, dazu Berge von Emoticons. Der übliche Mist von Leuten, die die Sprache nicht können. Er hat auch Videos gepostet von ein paar Predigern, auch Djihad-Kram.«

»Also doch Islam.«

»Weiß nicht. Ziemlich oberflächlich, das Ganze.«

»Tod den Kuffar?«

»Klar.«

»Und von wem kam der Tipp?«

Babak zuckt die Achseln, Britta sieht ihn nachdenklich an.

»Dir gefällt die Sache nicht.«

Abwehrend hebt Babak die Hände.

»Ich trage nur Infos zusammen.«

»Was sagt dein Gefühl?«

»Dass es nichts mit Islam zu tun hat. Vielleicht soll es so aussehen. Aber mehr auch nicht.«

Britta nickt.

»Gab es schon eine PK?«

»Soll im Lauf des Tages stattfinden. Aber die wissen sowieso nichts. Können wir vernachlässigen.«

Als sie eine Weile nichts sagen, drängt sich ein Geräusch in den Vordergrund, das Britta bislang nur unbewusst wahrgenommen hat. Ein elektrisches Brummen, begleitet vom Surren eines großen Ventilators. Es steigt aus der Öffnung der Wendeltreppe, es scheint Fußboden und Möbel zum Schwingen zu bringen, es erfüllt den gesamten Raum, vertraut und beruhigend, es ist das Betriebsgeräusch ihrer gemeinsamen Existenz.

»Lassie läuft«, sagt Britta.

»Schon die ganze Nacht.«

»Wann gibt's Ergebnisse?«

»Jeden Moment.«

Britta blättert in ihrem Dossier. Sie hat auf mehr Fotos gehofft. Die zwei vorhandenen sind stark vergrößert, ein bisschen verwaschen, wenig aussagekräftig. Trotzdem kommt Britta einer der beiden Männer bekannt vor.

Babak zeigt die Handflächen. »Bessere Bilder

konnte ich nicht finden. Man sieht die Gürtel, kann aber nicht erkennen, wie sie gepackt sind.«

»TATP?«

Wieder zuckt Babak die Achseln.

»Was sagen die Einkaufszettel?«, fragt Britta.

»Scheibletten und Zahnseide. Keiner der beiden hat etwas Relevantes gekauft.«

»Aceton und Wasserstoffperoxid gibt es in jeder Drogerie.«

»Meistens entstehen im Vorfeld trotzdem Suchbewegungen.«

»Der Tote war doch Chemiker.«

»Gürtelbau ist nicht Teil der Fachausbildung. Mit Elektrotechnik sollte man sich auch ein bisschen auskennen.«

»Könnten sie das System aus dem Ausland mitgebracht haben?«

»Sie waren nicht im Ausland. Außerdem ist TATP viel zu explosiv, um es über weite Strecken zu transportieren.«

»Oder sie haben selbst irgendeinen Mist zusammengemischt. Schließlich ist nichts hochgegangen.«

»Ich denke, der Zugriff erfolgte, bevor sie am Zielort waren. Die sind gar nicht dazu gekommen, ernst zu machen.«

»Babak, du nervst.«

»Tut mir leid, Britta, ich weiß, was du hören willst.«

»Aber du willst es nicht sagen.«

»Wir sind hier nur am Spekulieren.«

»Du glaubst nicht, dass es Einzeltäter waren. Du glaubst, sie hatten Hilfe. Sie wurden geschickt.«

Bevor Babak antworten kann, beginnt der Printer im Untergeschoss zu surren.

»Lassie liefert.«

Britta zwingt sich, sitzen zu bleiben, während Babak die Treppe hinunterläuft, um den Ausdruck zu holen. Als er wiederkommt, erhebt sie sich doch, sodass sie voreinander stehen wie bei einer Zufallsbegegnung, er mit einer einzelnen Seite in der Hand, sie mit einem Fragezeichen im Gesicht. Babak hebt das Blatt.

»Markus: 2,5. Andreas: 2,8.«

»Sag das noch mal.«

»2,5 und 2,8.«

Britta spürt, wie sie blass wird. Babaks Blick wirkt starr, als hätte sich das Gehirn dahinter abgeschaltet. Der Moment geht vorbei, sie schauen sich an. Es ist Babak, der schließlich die Sprache wiederfindet.

»Lassie meint, die wollten sich gar nicht umbringen.«

3

Eigentlich mag Britta keine Spielplätze. Es macht sie traurig zu sehen, was aus Menschen wird, die sich ausschließlich für ihre Kinder interessieren. Väter, die sich beim stundenlangen Anschubsen der Schaukel den Arm ausleiern. Mütter, die auf allen vieren durch Plastikröhren kriechen und dabei wie Schweine grunzen. Ehepaare, die voller Eifer gemeinsam eine Sandburg bauen, während die Dreijährige gelangweilt ins Leere starrt. Britta mag keine Baby-Trinkflaschen und keine Reis-Cracker. Sie findet es furchtbar zu hören, wie Frauen den halben Nachmittag darüber reden, für welche Art Hochbegabung die Launen ihrer Sprösslinge ein Zeichen sein könnten. Auch Britta liebt ihre Tochter. Aber im Gegensatz zu anderen Eltern versucht sie nicht, mit Veras Hilfe zu ersetzen, was ihnen allen verloren gegangen ist: Politik, Religion, Gemeinschaftsgefühl und der Glaube an eine bessere Welt.

Trotzdem findet sie sich alle paar Tage am Rand des Abenteuerspielplatzes im Bürgerpark wieder, mit Janina an ihrer Seite und einem Grüntee-to-go-Becher in der Hand. Richard bleibt zurzeit oft bis spät abends in der Firma, und Britta langweilt sich allein zu Hause mit Vera. Sie ist nicht gut darin, in Bilderbüchern zu blättern, Puppen zu wickeln oder im Kaufmannsladen Miniaturbrot einzukaufen. Am allerwenigsten will sie mit Mega-Melanie und Mega-Martin auf Stofftiere schießen. Da sitzt sie lieber mit Janina im Bürgerpark, sieht den beiden Mädels beim Toben und den anderen Eltern beim Eltern-Sein zu.

Janina trägt ihr langes Haar offen und liegt mit ihrem Kaffee in der Wiese, hingegossen wie eine Figur von Klimt. Britta sitzt daneben und hält sich aufrecht, um möglichst wenig von ihrem Körper mit dem Gras in Berührung zu bringen. Hinter ihr macht eine Sport-ist-öffentlich-Gruppe Yoga. Wenn sie die Arme heben und sich alle gleichzeitig nach vorn beugen, sieht es aus, als beteten sie Britta und Janina an.

»Wie geht's Richard?«

»Er hat viel zu tun.«

»Läuft's besser bei *Swappie*?«

»Nicht wirklich. Emil und Jonas benehmen sich immer noch wie Kleinkinder.«

Während Britta entspannt zur Arbeit fährt, sich auf Babak freut, mit dem sie Kaffee trinkt und den neuesten Silicon-Valley-Klatsch bespricht, muss sich Richard Tag für Tag mit eitlen Risikokapitalgebern und dem eheähnlichen Kleinkrieg seiner Kompagnons herumschlagen und macht nicht einmal Kohle dabei. An Richards Stelle wäre sie neidisch, und zwar nicht zu knapp. Die Tatsache, dass er es nicht ist, rechnet sie ihm hoch an. Er freut sich über ihren Erfolg, auch wenn er in Wahrheit keine Ahnung hat, was sie macht. Es stört ihn nicht einmal, dass sie Geld verdient und er nicht; er ist genauso liebevoll und lustig wie am ersten Tag.

»In den kommenden Tagen habe ich ein paar Auswärtstermine. Kann Vera nach der Schule zu euch?«

»Klar«, sagt Janina ohne Zögern.

Vera und Cora haben das Herumrennen inzwischen eingestellt und sind dazu übergegangen, eine groß angelegte Sandburg zu bauen, wofür sie den Sand sorgfältig nässen, um dann mithilfe von Plastikeimern Blöcke zu backen, aus denen sie das Fundament errichten. Nachdem Janina eine Weile zugesehen hat, lässt sie sich auf den Rücken sinken und schaut in den Himmel.

»Und bei dir?«, fragt Janina.

»Was bei mir?«

»Wie läuft es in der Praxis?«

»Großartig.« Was nicht gelogen ist. Schon im zweiten Quartal ist absehbar, dass sich der Umsatz gegenüber dem Vorjahr fast verdoppeln wird.

»Eigentlich komisch, oder?« Janinas Stimme klingt träge. »Je schlechter es den Leuten geht, desto besser geht es euch.«

Ein dicklicher Junge ist aufgetaucht und umkreist die Baustelle der Mädchen. Britta sitzt zu weit weg, um zu hören, was gesprochen wird. Aber klar ist, dass Vera und Cora den Dicken nicht mitspielen lassen wollen.

Janina rollt sich zurück auf den Ellbogen. »Hast du eigentlich eine Erklärung dafür? Für die wachsenden Selbstmordraten?«

Tatsächlich könnte man mit Thesen zum Suizid-Phänomen Wände tapezieren. Zukunftsangst. Burnout. Auflösung der Geschlechterrollen. Zweite Finanzkrise. Zerfall Europas. Verwahrlosung der Unterschichten. Zunehmende Diskriminierung von Randgruppen. Falsche Ernährung. Vereinsamung. Zu wenig Bewegung. Dekadenz. Schuldkomplexe. Das Versagen der Neunziger-Jahre-Eltern bei der Kindererziehung.

»Ich glaube, tief in uns drinnen ist ein Loch«, sagt Britta.

Der dickliche Junge stapft zur Schaukel, schwingt ein paarmal lustlos hin und her, kehrt dann zur halbfertigen Sandburg zurück und beobachtet, wie Vera und Cora unermüdlich Sand nässen, Eimer stopfen und einen Block nach dem anderen auf die Burgmauern setzen.

»Wir haben keine Ahnung, wer wir sind. Sein wollen. Oder sollen.«

»Ich spüre kein Loch.«

»Deshalb kommst du auch nicht in meine Praxis.«

Janina lacht. Für einen Moment stellt sich Britta vor, wie es wäre, eine Frau wie Janina durch das Programm zu führen. In all den Jahren hat sie immer nur mit Männern gearbeitet. Der dicke Junge hat begonnen, die Sandburg mit Sand zu bewerfen. Vera sagt ihm, dass er das lassen soll, oder etwas Ähnliches, jedenfalls erkennt Britta auch auf die Entfernung ihr Nein-Gesicht. Da tritt der Junge nach den Außenmauern, wobei er wesentliche Teile zum Einsturz bringt.

»Mama!«, schreien Cora und Vera im Chor.

»So ein kleines Arschloch«, sagt Janina.

Der Junge tritt wieder zu, gleich mehrmals hintereinander, und trampelt in den Boden, was er zertreten hat.

»Mama!«, brüllt Vera. »Der macht unsere Burg kaputt!«

»Hau ihm eine!«, ruft Britta zurück.

Sie spürt Janinas erstaunten Blick. Auch Vera stutzt kurz, taxiert den Jungen, der ein gutes Stück größer ist als sie. Dann schnellt das Mädchen nach vorn, hat sich offensichtlich gegen Schlagen entschieden und tritt lieber zu, zielt auf das Schwungbein des Jungen, gar nicht schlecht gemacht, denkt Britta, als die Spitze von Veras Turnschuh auf das Schienbein des Dicken trifft. Der heult auf, mehr ungläubig als in echtem Schmerz, und trollt sich jammernd, um seine Mama zu suchen.

»Also, hören Sie mal«, ruft eine Mutter, die einige Meter entfernt im Gras sitzt und ein Baby wiegt. »Ist es das, was Sie Ihrer Tochter beibringen wollen? Konflikte mit Gewalt zu lösen?«

»Was fänden Sie besser?«, fragt Britta zurück. »Soll ich sie so erziehen, dass sie später stillhält, wenn sie vergewaltigt wird?«

Die andere Mutter schüttelt den Kopf, rafft ihre

Sachen zusammen und steht auf, um sich woanders hinzusetzen.

»Oder dass sie auf dem Bahnsteig zuguckt, wie ein Mann erschlagen wird, zusammen mit zehn anderen, die alle nichts tun?« Britta wird umso lauter, je weiter sich die andere entfernt. »Halten Sie sich für was Besseres, wenn Sie ein Leben lang ausweichen? Glauben Sie, Nichtstun ist ein wertvoller Beitrag zur Welt?«

Erschöpft lässt sie sich zurücksinken, als die andere außer Hörweite ist.

»Was war das denn?« Janina hat sich aufgesetzt und lacht.

»Keine Ahnung. Muss mir kurz die Beine vertreten.« Britta erhebt sich. Manchmal lassen sich die Übelkeitsattacken vertreiben, indem sie ein wenig herumgeht. Sie umrundet den Spielplatz, wo Vera und Cora damit beschäftigt sind, ihre zerstörte Burg wiederaufzubauen, und kehrt, als sie sich besser fühlt, zu Janina zurück.

»Du bist aber nicht schwanger, oder?«

»Quatsch«, sagt Britta. »Bist du bereit?«

»Wenn Sie es sind.«

Sie nennen es das Dilemma-Spiel. Eine beschreibt eine schwierige Situation, in der eine Entscheidung getroffen werden muss; die andere muss sagen, was sie tut. Britta trinkt ihren Kaffee aus und wirft den Becher weg.

»Siehst du den Papierkorb da drüben?«

Janina guckt in die Richtung und nickt.

»Da liegt eine Bombe drin, die in fünf Minuten explodiert.«

Das Beispiel macht Britta Spaß, weil sie mit annähernd hundertprozentiger Sicherheit weiß, dass dieser Papierkorb nicht in die Luft fliegen wird, auch nicht morgen oder in den kommenden Wochen, weil sich nirgendwo im Land ein Anschlag ereignen wird. Jedenfalls hätte sie noch vor vierundzwanzig Stunden behauptet, das sicher zu wissen.

»Zufällig hast du den Terroristen beobachtet und geschnappt. Nur er allein kennt den Code, um die Bombe zu entschärfen. Was tust du?«

»Ich hole die Bombe raus und werfe sie in den Teich.«

»Wenn du sie anfasst, explodiert sie sofort. Du stirbst und alle anderen hier auch.«

Janina seufzt. Britta hat das Spiel erfunden, und Janina macht ihr zuliebe mit, obwohl sie es in Wahrheit ziemlich anstrengend findet.

»Ich rede dem Terroristen ins Gewissen.«

»Der lacht dich aus.«

»Ich rufe die Polizei.«

»Keine Zeit.«

»Du willst wissen, ob ich dem Terroristen in die Fresse haue? So lange, bis er die Bombe entschärft?«

Britta zuckt die Achseln. »Was würdest du tun?«

Janina überlegt einen Moment. »Ganz ehrlich? Ich würde Cora und Vera nehmen und rennen, so schnell ich kann. Uns in Sicherheit bringen.«

»Die anderen Kinder sterben lassen?«

»Ich habe geantwortet. Ich bin dran.«

Britta lächelt und nickt. Sie kann durchatmen, die Reste der Übelkeit sind verflogen. Das Dilemma-Spiel bringt ihr Erleichterung, jedes Mal.

»Du fährst im Auto durchs Wohnviertel, und plötzlich springt dir eine Katze vor den Kühler. Du rammst das Tier, es ist aber nicht tot.«

»Hatten wir so etwas Ähnliches nicht neulich schon mal mit einem Hund?«

»Die Katze liegt am Straßenrand, hechelt und fiept, es ist völlig klar, sie hat keine Überlebenschance. Was tust du?«

»Dasselbe wie letztes Mal. Ich fahre weiter.«

»Du steigst nicht mal aus?«

»Wozu?«

»Du könntest Hilfe holen.«

»Du hast doch gesagt, sie hat keine Überlebenschance.«

»Und wenn sie einer Familie gehört? Die Kinder finden das verendende Tier im Rinnstein.«

»Dann lernen sie, niemals auf die Straße zu laufen. Wer weiß, vielleicht rettet das einem von ihnen das Leben.«

»Ich weiß nicht.« Janina schüttelt sich. »Das finde ich irgendwie – brutal.«

Britta beobachtet eine Oma, die den Kiesweg entlangschlurft und einen winzigen Hund an der Leine hinter sich herzieht, einen von der Sorte, die nur angeschafft werden, damit man auf der letzten Lebens-etappe noch jemanden zum Anschnauzen hat.

»Du bist doch auch vor der Bombe weggerannt«, sagt sie. »Spar dir die Heuchelei.«

Es klingt schärfer als beabsichtigt, auch Janina hat das bemerkt. Sie schaut Britta nachdenklich an.

»Irgendwie bist du komisch heute.«

»Tut mir leid. Bisschen Stress auf der Arbeit.«

»Kenn ich.« Janina nickt ernsthaft, obwohl sie beide wissen, dass sie das überhaupt nicht kennt. Sie kennt Auftragsmangel und Dauerflaute. Stress auf der Arbeit ist etwas, das sich Menschen wie Knut und Janina wünschen. Plötzlich wird Britta von Zuneigung erfasst. Sie weiß, was Janina als Nächstes fragen wird. Manchmal verblüfft es sie selbst, mit welcher Treffsicherheit sie das Verhalten von Menschen voraussagen kann. Als wäre ein Teil von Lassies Fähigkeiten auf sie überge-gangen.

»Falls wir wirklich dieses Haus kaufen.« Janina dreht eine Haarsträhne um den Finger und blickt zu Boden. »Leihst du uns dann Geld?«

4

Sie haben sich gestritten. Babak beharrte auf einer der Grundregeln der *Brücke*, nur im absoluten Notfall zu reisen. Und ist das wirklich schon ein Notfall? Britta konnte nicht gut dagegenhalten. Sie weiß selbst nicht genau, was sie mit den geplanten Besuchen bezweckt. Präsenz zeigen. Nach Hinweisen Ausschau halten. Den Stammkunden klarmachen, dass das Desaster von Leipzig nicht auf die Kappe der *Brücke* geht. Babak erinnerte immer wieder daran, dass es sich in Leipzig auch nur um zwei Spinner gehandelt haben könnte, die auf eigene Faust losgezogen sind und die Sache mit ein bisschen Jalla-Jalla größer machen wollten.

»Mit einem Scoring von unter 3?«, hat Britta gefragt, worauf Babak schwieg.

Dass Lassie sich geirrt hat, kann als ausgeschlossen gelten. Der Algorithmus ist ausgereift, hochintelligent, selbstlernend, perfekt dressiert. Seit den Anfangstagen der *Brücke* arbeitet Babak an der Fortentwicklung. Er hat Lassie zur Welt gebracht, er füttert sie, pflegt sie, trainiert mit ihr, lobt, wenn sie ihre Sache gut macht, korrigiert, wenn Fehler unterlaufen, was inzwischen praktisch nicht mehr vorkommt. Schon Lassies erste Ergebnisse übertrafen sämtliche Erwartungen. Das ist elf Jahre her, und seitdem ist der Algorithmus mit jeder Anwendung besser geworden. Lassie ist nicht die Google-Suche, aber auf ihrem Gebiet einsame Spitze. Sie fühlt sich nicht nur im Visible Web, sondern auch im Darknet zu Hause. Sie läuft los, die Nase am Boden, schnüffelt durch die hellen und dunklen Winkel menschlicher Kommunikation, schafft Verknüpfungen. Zugleich nimmt sie Einschätzungen vor, indem sie auf der von Britta entwickelten Suizidalitäts-Skala einen Wert zwischen 1 und 12 vergibt. Kennziffern unter 3 stehen für kaum vorhandene suizidale Neigungen.

Im Grunde gibt es nur zwei mögliche Erklärungen. Entweder, ein Konkurrent will in den Markt und stellt sich dabei dümmer an als die Polizei erlaubt. Mieses Casting, mieses Planning, mieses Briefing. Oder – das »Oder« ist schwieriger. Oder die beiden Jungs wurden maximal verarscht.

Britta steckt Kopfhörer in die Ohren, hört Molly Richter und schaut durchs Fenster in die vorbeiziehende Landschaft. Über ihrem Kopf erzählt ein Display, dass das Wetter schlechter wird, Regula Freyer in die Türkei weiterreist und die Zahl der Verfassungsrichter auf drei reduziert wird, aus Effizienzgründen. Nach vier Stunden fährt der Zug in den Kölner Hauptbahnhof ein, wo sie noch einmal umsteigen muss.

Weil bis zu ihrer Verabredung noch etwas Zeit bleibt, entscheidet sich Britta bei der Ankunft in Bonn Bad Godesberg gegen ein Taxi und läuft zu Fuß durch die Innenstadt. Es ist kaum zu glauben, wie sehr sich Bonn in den letzten Jahren verändert hat. Als Britta anfing, gelegentlich zu Treffen mit Auftraggebern zu reisen, schlugen die Medien vor, Bad Godesberg in Klein-Bagdad umzubenennen. Rings um den Theaterplatz hatten Boutiquen geschlossen; dafür schossen Teestuben wie Pilze aus dem Boden. Buchläden entfernten Teile des belletristischen Sortiments, um den Koran in die Schaufenster zu legen. In der Mitte der breiten Fußgängerzone führten Männer mit Turbanen ihre schwarz verhüllten Frauen spazieren. Die Stadt hatte sich einen hervorragenden Ruf bei Medizintouristen aus den Emiraten erworben, sodass Ölscheichs, die mit ihren Milliarden in der Lage gewesen wären, ganze Völker aus der Armut zu führen, stattdessen mit ihrem Hofstaat nach Bonn reisten, um sich Bypässe, Titanhüften oder neue Zähne zu kaufen. An manchen Straßenecken bedeckten brennende Kerzen, Teddys und Blumensträuße den Boden, dazu Fotos junger Männer und handgeschriebene Nachrichten, »Ich liebe dich, Nils!«, »Wir vermissen dich, Amir«, Migranten, die von Rechtsnationalen, oder privilegierte Gymnasiasten, die von Nordafrikanern erschlagen worden waren.

Seit Regula Freyer mit ihren eng anliegenden Hosen und schnittigen Frisuren in der zweiten Legislaturperiode regiert, sind die Teestuben und Koran-Buchhandlungen wieder verschwunden. Die Fußgängerzone wurde erweitert, große Teile der Innenstadt verkehrsberuhigt. Das Pflaster erneuert, die Fassaden der Häuser gestrichen, geschmackvolle Bepflanzung in gestuften Beeten arrangiert. An allen Ecken leuchten die orangefarbenen Uniformen der Reinigungstrupps. In langen Ketten bewegen sich Menschen in roten Sport-ist-öffentlich-T-Shirts durch die Gassen, das Klicken der Nordic-Walking-Stöcke erfüllt die Luft. Britta weiß nicht, ob es ihr früher besser gefallen hat. Mit Burkas hatte sie nie ein Problem; dafür ist es heute sauberer. Sie weiß nur, dass es irgendwie anders gekommen ist, als alle dachten, und dass es am besten ist, die Dinge hinzunehmen, wie sie sind. Zumal ihre Praxis mit der aktuellen Lage von Jahr zu Jahr mehr Geld verdient.

Die Dubai Lounge ist ein Überbleibsel aus der alten Zeit, untergebracht in einem Winkel des Altstadt Centers, wo man sie beim Aufräumen vielleicht einfach übersehen hat. Als Britta eintritt, sitzt oder vielmehr liegt Hassan bereits am gewohnten Platz, in einem tiefen Korbsessel mit Blick auf den teppichartigen Vorhang, der den Eingang verdeckt. Seiner Körperhaltung nach zu urteilen, hat er bereits die vergangenen drei Tage in diesem Sessel verbracht.

Die Lounge ist fensterlos und so groß, dass sich

die hinteren Bereiche im Unbestimmten verlieren. Das Dämmerlicht der schwachen Glühbirnen unter pseudo-orientalischen Schirmen erzeugt eine eigene Zeitzone, als wäre hier immer zwei Uhr morgens. Mitten im Raum thront eine quadratische Bar, vier Seiten Tresen mit schmalem Durchlass, eine monströse Konstruktion aus dunklem Holz und goldenen Ornamenten, die seltsam leer wirkt, da es keine Zapfanlage, keine Cocktailshaker, Sektkühler, beleuchteten Vitrinen mit teurem Whisky oder über Kopf hängenden Schnapsflaschen mit Portionierern gibt. Der ganze Laden ist dermaßen *halal*, dass man sich fragen müsste, was hier verkauft wird, wenn man das Prinzip der Geldwäsche nicht verstünde.

Als lebendes Möbelstück lehnt eine heftig geschminkte Kellnerin hinter der Bar, Typ Disco-Islam, mit pinkfarbenem Kopftuch und einem Fransenoberteil, das an Tausendundeinenacht erinnern soll. Das Mädchen spielt gelangweilt mit ihrem Smartphone und schaut nicht einmal auf, als Britta den Vorhang zur Seite schiebt. Bis auf Hassan, Britta und die Kellnerin ist die Lounge komplett leer.

Hassan verzieht keine Miene, als sie zu ihm an den Tisch tritt, macht erst recht keine Anstalten, sich zu erheben, sagt aber immerhin »Hey, Bitch, was geht« und hebt dabei träge die Hand, was in seinem Fall als Zeichen besonderer Sympathie gedeutet werden muss.

Britta kennt ihn eine halbe Ewigkeit, noch aus den ersten Tagen der *Brücke*. Damals war Hassan gerade sechzehn und am großen Baum das kleinste Licht, von irgendeinem Onkel oder Cousin zur Sondierung der Lage geschickt. Er tat so, als bereitete es ihm großen Widerwillen, mit einer Frau zu verhandeln. Ständig flocht er arabische Ausdrücke in seine Sätze ein, dabei war Britta ziemlich sicher, dass er kaum Arabisch sprach. Bei einem globalen Unternehmen wie Daesh konnte man allerdings froh sein, überhaupt einen persönlichen Ansprechpartner zu haben.

Damals hatte er höhnisch den Kopf geschüttelt, als sie ihm das Geschäft vorschlug. Warum sollte er sich darauf einlassen? Sie hatten eigene Leute, und das nicht zu knapp. Außerdem widersprachen die Regeln der *Brücke* dem dezentralen, pseudo-anarchischen Gewaltbegriff von Daesh. Mit einer wedelnden Bewegung hatte er Britta weggeschickt. Aber als das syrische Friedensabkommen ausgehandelt und Assad ins Exil geschickt worden war, meldete er sich rasch wieder. Heute ist Daesh froh, mithilfe der *Brücke* gelegentlich eine saubere Aktion in sauberem Rahmen durchführen zu können, um zu beweisen, dass es sie noch gibt.

Hassan sieht aus wie früher, die Pickel sind nicht verschwunden, die Turnschuhe immer noch rot. Abgewetzte Jeans, weißes T-Shirt und Sonnenbrille, die er auch in geschlossenen Räumen nicht absetzt. Ein ganz normaler Typ, der einen öden Job im Teppichladen seines Vaters in der Bonner Innenstadt hat und seinen Netflix-Zugang schon immer interessanter fand als den Djihad. Kein Fanatiker, sondern einer, der zwischendurch halt mal die Arbeit macht. Also das, was von einem multinationalen Unternehmen übrig ist, das einst dem Westen die Hölle heißmachte.

»Hast du was für uns?«

Wie immer liegt in Hassans Frage eine gewisse Gier. Wahrscheinlich bekommt er Druck von seinen Leuten – die letzte Aktion ist auch schon wieder eine ganze Weile her. Um Zeit zu gewinnen, macht Britta die Kellnerin mit deutlichem Winken auf sich aufmerksam und bestellt einen Tee. Bis das Getränk gebracht wird, schweigt sie und überlegt, ob Hassan blufft. Er scheint keine Ahnung zu haben, warum sie hier ist. Die Sonnenbrille macht es nicht leicht, seine Gedanken zu lesen. Sie beschließt, in der Offensive zu bleiben.

»Wart ihr das?«

»Hä? Nee.«

»Ihr habt euch bekannt.«

Er schweigt eine Weile. Die schwarz spiegelnden Flächen, hinter denen sich seine Augen verbergen, ruhen blicklos auf Britta. Er sagt nicht, was sie beide wissen, nämlich, dass Daesh jede Gelegenheit nutzt, um sich zu irgendetwas zu bekennen.

»Das ist deine Frage? Bist du Scheiße?«

Britta setzt ihr professionelles Lächeln auf.

»Ihr seid Stammkunden, Hassan. Das ist mein Job. Hat die *Brücke* euch verärgert? Eure Erwartungen nicht erfüllt? Wart ihr nicht zufrieden mit vergangenen Transaktionen?«

»Was willst du eigentlich?«

»Stell dich nicht dumm. Ich will wissen, ob die *Brücke* Konkurrenz bekommen hat.«

Brittas Offenheit bringt ihn zum Lachen. Vergnügt schüttelt er den Kopf.

»Weißt du, woran mich das denken lässt, dein ganzer Quatsch hier?« Er nimmt einen Schluck Tee und verzieht dabei das Gesicht, als hätte er lieber ein Bier bestellt. »Staffel vier, Folge drei. Wie Tywin zu Tommen sagt, also, Cerseis zweiter Sohn, und Joffrey ist gerade tot, nämlich ermordet, also wird Tommen auf den Thron steigen, und Tywin sagt zu ihm, dass ein guter König nicht Frömmigkeit und Sinn für Gerechtigkeit und Stärke braucht, sondern dass er auf seine Berater hören muss. Geile Scheiße.«

Hassan ist auf *Game of Thrones* hängen geblieben und glaubt, globalen Durchblick zu besitzen, nur, weil er sein halbes Leben lang einer Horde von Schauspielern in Mittelalterroben und Männerpelzen beim Herumstiefeln zugesehen hat.

»Was hat das mit mir zu tun?«, fragt Britta.

»Du solltest auf Babak hören und gar nicht hier sein.«

5

Keine vierundzwanzig Stunden später sitzt Britta wieder im Zug, dieses Mal Richtung Leipzig. Seit dem Morgen schüttet es wie aus Kübeln. Draußen verwischt die Welt zu konturlosem Grau, in dem die roten Gefahrfeuer von Windkraftanlagen gespenstisch blinken. Entgegen ihrer Gewohnheit, sich bei Kundenbesuchen förmlich zu kleiden, trägt Britta festes Schuhwerk, Jeans und eine wasserdichte Jacke mit Kapuze; immerhin muss sie damit rechnen, einige Zeit im Freien zu verbringen. Die Deckenbeleuchtung im Großraumwagen ist eingeschaltet und erzeugt die klassische Kunstlicht-bei-Regenwetter-Farbe, es riecht nach nassen Schirmen und feuchten Klamotten, nach trocknenden Haaren und durchweichten Schuhen. Die Leute wirken realer heute, weniger wie Menschendarsteller und mehr wie echte Lebewesen, vielleicht, weil sie ein bisschen frieren, vielleicht, weil sie gemeinsam eine Behaglichkeit genießen, die daraus folgt, dass es anderen schlechter geht, zum Beispiel all jenen, die jetzt zu Fuß unterwegs sind und

nicht in einem trockenen Zug durch die Wasser-
massen rasen.

Kurz vor der Abfahrt hat Babak angerufen und ein
weiteres Mal versucht, ihr die Fahrt auszureden.

»Dieses Rumgefahre ist unklug«, sagte er.

»Auf dem Handy anrufen ist auch unklug«, erwiderte sie.

Er legte einfach auf. Das hat er noch nie gemacht.
Streit mit Babak ist Britta nicht gewöhnt. Die Welt
fühlt sich an wie schief aufgehängt.

In der Vierergruppe schräg gegenüber liest ein älte-
rer Herr seiner Frau etwas vom Smartphone vor. Es
geht darum, dass die Fünf-Prozent-Hürde auf fünfzehn Prozent angehoben werden soll, um den parlamentarischen Betrieb effizienter zu machen. Als der
Mann anfängt, die Vorzüge dieser Idee zu erläutern,
steckt sich Britta Kopfhörer in die Ohren.

Sie schaut zu, wie die Regentropfen am Fenster
ein horizontales Wettrennen veranstalten, und denkt
an Babak. Auf ihren Fahrten nach Leipzig denkt sie
immer an Babak, denn Leipzig ist die Stadt, in der sie
sich kennengelernt haben.

Als sie Babak zum ersten Mal sah, stand er in Leipzig
am Geländer einer S-Bahn-Brücke. Es war dunkel, das
orangefarbene Licht einer Straßenlaterne beleuchtete
seinen massigen Körper, die hängenden Schultern und
den gebeugten Rücken. Britta trug Laufschuhe, eng an-
liegende Sportklamotten und ein Fitness-Armband, das

ihre Vitaldaten aufzeichnete. Sie rannte über die Brücke auf ihrem üblichen Weg in den Clara-Zetkin-Park, wo sie sich nachts die Langeweile ihrer BWL-Kurse aus den Knochen joggte. Es war Herbst, Deutschland stand im Begriff, Fußballweltmeister zu werden. Die Flüchtlingswelle hatte noch nicht begonnen, Großbritannien hatte die EU noch nicht verlassen, Arbeitslosigkeit und Zinsen lagen auf historisch niedrigem Niveau. Deutschland war das glücklichste Land der Welt, ohne das auch nur im Ansatz selbst zu merken.

Irgendetwas an der Art, wie Babak auf die Gleise starrte, sah merkwürdig aus. Am nächsten Abend stand er wieder da, am übernächsten auch. Von Mal zu Mal machte es Britta wütender, ihn zu sehen. Sie überlegte, eine andere Strecke in den Park zu wählen, aber dann hätte sie einen Umweg entlang einer Hauptverkehrsstraße laufen müssen, worauf sie nicht die geringste Lust verspürte. In der fünften Nacht blieb sie direkt hinter Babak stehen und sprach ihn an.

»Spring oder lass es bleiben, aber steh nicht ständig hier herum.«

Babak zuckte zusammen, als hätte man ihn geschlagen.

Als sich Britta wieder in Bewegung setzte, kam er einfach mit. Sie wollte rennen, er war langsam wie eine Schnecke. Sie passte sich seinem Tempo an, ohne zu wissen, warum. Irgendwie war es unmöglich, ihm davonzulaufen. Sie trotteten nebeneinanderher, zwei ungleiche Spaziergänger auf ihrem Weg durch die Nacht.

Der Clara-Zetkin-Park roch bereits nach Winter, für Anfang November war es ziemlich kalt. In ihren dünnen Joggingsachen begann Britta zu frieren. Babak zog seine Jacke aus und reichte sie ihr, er blickte sie dabei nicht einmal an. Darunter trug er nur ein T-Shirt. Die Jacke roch nach billigem Waschpulver und war bestimmt schon ewig nicht mehr desinfiziert worden. Trotzdem machte es Spaß, sie zu tragen. Sie war wie ein riesiges, schützendes Zelt.

In der Allee, die von großen Platanen gesäumt war, warfen ihnen die altmodischen Straßenlaternen ihre Schatten vor die Füße, ließen sie schrumpfen und wachsen, überholen und wieder zurückbleiben. Der Mond malte weiße Pfützen auf die Wiesen. Die Wege knirschten unter den Füßen, an beleuchteten Kreuzungen sangen psychotische Amseln. Mit einem Mal fing Babak an zu reden. Die Worte flossen aus ihm heraus, als hätte man einen Stöpsel gezogen.

Als kleines Kind war er mit seinen Eltern nach Deutschland gekommen, wo sein Vater, der eigentlich Arzt war, einen Gemüseladen eröffnete, während sich die Mutter um Haushalt und Kinder kümmerte. Seit Gott sie vor den Kriegen gerettet hatte, waren seine Eltern immer frommer geworden. Ständig nahmen sie Babak mit in die Moschee, wo man ihm beibrachte, dass Liebe zwischen Männern eine Sünde sei. Irgendwann hatte er sich einen Computer gebastelt und lebte seitdem in Welten, die außer ihm niemand verstand.

Vor ein paar Tagen hatte ihn sein ältester Bruder

Murad auf einer Gay-Dating-Plattform erwischt. Seitdem trieb sich Babak halbe Tage und Nächte auf den Straßen herum, aus Angst, seinem Bruder über den Weg zu laufen. Er mied seine Mutter und erschien nicht mehr zum Arbeiten im Gemüseladen, weil er nicht wusste, was Murad dem Vater erzählt hatte.

Babak sagte, dass er keine Ahnung habe, was er mit diesem Scheißleben anfangen solle, keine Ahnung, wohin mit sich, einem fetten schwulen Nerd mit Realschulabschluss, der in Deutschland kein Deutscher und im Irak kein Iraker sei, der nichts habe, kein Geld, keine Freunde, kein Auto, nicht mal Interesse an Mädchen.

Britta ließ ihn reden, sie durchquerten den Park und erreichten die Gottschedstraße, in der sich eine Kneipe an die andere reihte. Selbst in Babaks Jacke hatte Britta wieder zu frieren begonnen, sie öffnete die erstbeste Tür und tauchte in Wärme, Licht und Stimmengewirr. Sie fanden einen freien Zweiertisch in einer Ecke und setzten sich. Britta bestellte für sich einen grünen Tee und für Babak ein Bier.

»Ich trinke keinen Alkohol«, sagte er.

»Trink«, sagte Britta, und Babak gehorchte.

»So«, sagte sie mit der heißen Tasse in beiden Händen, »genug geschwafelt.«

Babak schwieg und sah sie an.

»Keine Perspektive, keine Identität, kein Geld und nichts zu ficken«, sagte sie. »Alles bloß Ego-Kram. Kein triftiger Grund dabei, den Abgang zu machen.«

»Wer sagt, dass ich mich umbringen will?«

»Mir egal, ob du von der Brücke springst oder nicht. Aber wenn du es tust, dann doch bitte mit etwas Würde.«

Babak nahm einen Schluck, er sah verwirrt aus. »Ich soll mich umbringen, aber bitte aus den richtigen Gründen?«

»Und auf die richtige Weise.«

Sie sahen sich an, keiner von beiden wusste, ob Britta im Ernst sprach oder nicht.

»Überleg doch mal«, fing sie wieder an und legte ihm eine Hand auf den Unterarm. »So ein Selbstmord gibt dir unglaubliche Macht. Du kannst Dinge tun, für die du nicht mehr bestraft werden wirst. Für eine kurze Zeitspanne kannst du sein, wer du willst, und machen, was dir gefällt. Du bist der König der Welt. Die gefährlichste Waffe, die es gibt.«

Tatsächlich wusste Britta selbst nicht genau, was sie da redete und warum. Es war, als hielte sie den Zipfel von etwas in Händen und zöge einfach daran, ohne zu ahnen, was sie gleich zu Gesicht bekäme.

»Du bist ziemlich durchgeknallt.« Babak schüttelte den Kopf, protestierte aber nicht, als sie ihm das zweite Bier bestellte. Er trank es schnell, das dritte bestellte er selbst.

»Was soll ich deiner Meinung nach tun?«

Britta zuckte die Achseln.

»Djihadist werden. Du bist doch so eine Art Araber.«

»Die Jungs sind mir zu krass.«

»Separatismus? Ökologie? Occupy?«

»Nee.«

»Vielleicht willst du einfach in deine alte Schule und rumballern?«

»Ganz bestimmt nicht.«

»Du bist echt ein harter Brocken.«

Jetzt mussten sie beide lachen.

»Dann eben doch Djihad.« Britta lehnte sich weit auf ihrem Stuhl zurück. »Man sagt, die zahlen gut.«

»Geld könnte ich gebrauchen. Ich würde es meiner Mutter hinterlassen. Dann könnte sie sich eine Spülmaschine kaufen.«

»Ihr habt keine Spülmaschine?«

»Und einen vernünftigen Staubsauger. Einen Thermomix. Vielleicht sogar ein eigenes Auto. Und neue Klamotten aus dieser Boutique, wo sie immer nur am Fenster steht und nicht hineingeht. Ich würde das Geld auf ein Konto legen, an das nur sie herankommt. Und ein Testament hinterlassen, das es ihr verbietet, das Geld an meinen Vater oder an Murad weiterzugeben. Sie würde sich nicht trauen, meinen letzten Willen zu ignorieren. Sie müsste sich die ganzen Sachen kaufen, weil ich es ihr aus dem Jenseits befehle.«

Wenn Babak lächelte, ahnte man seine wahren Gesichtszüge hinter dem Fett. Wieder sahen sie sich an, lange, und schließlich erkannte Britta etwas in seinen Augen. Einen Schmerz, eine tiefe Traurigkeit, einen Verlust; irgendwie kam ihr das bekannt vor.

»Ich glaube, ich habe eine Idee«, sagte Britta.

»Wie heißt du überhaupt?«, fragte Babak.

Als ein Schaffner sie auffordert, ihre Fahrkarte zu zeigen, schreckt Britta aus ihren Gedanken. Der Pensionist in der Viergruppe gegenüber beschwert sich, dass es im Zug zu kalt sei, und der Schaffner verspricht, die Heizung höher zu drehen. Als der Schaffner verschwunden ist, beruhigt sich der Großraumwagen wie ein Gewässer, das kurzzeitig von einem Motorboot aufgewühlt wurde. Die Fahrgäste versinken wieder in ihren jeweiligen Tätigkeiten, Britta kehrt zu Molly Richter zurück und denkt, dass es noch viel mehr Gewalt auf der Welt gäbe, wenn niemand die Kopfhörer erfunden hätte.

An den folgenden Abenden trafen sie sich wieder. Britta trank grünen Tee, Babak bestellte sein Bier selbst, auch wenn sie weiterhin für ihn zahlen musste. Zwei Wochen später stand das Konzept, und sie begannen mit der Arbeit.

Laut Statistik begingen allein in Deutschland rund 10 000 Menschen pro Jahr Selbstmord, drei Viertel davon Männer, mehr als die Hälfte durch Erhängen. Babak machte sich daran, einen Algorithmus zu entwickeln, der mithilfe von Data-Mining, Profiling und Stilometrie geeignete Zielpersonen aus dem Netz fischen sollte. Gleichzeitig erfand Britta eine Reihe von Verhaltens- und Psycho-Tests, mit deren Hilfe sie die Suizidwilligkeit der Kandidaten auf Herz und Nieren prüfen würde. Eine Heilpraxis für Selbstmordprävention. Einen Großteil der Klienten würden sie zurück ins Leben entlassen, durch harte Konfrontation mit dem eigenen Todeswunsch für immer von suizidalen Gedanken geheilt. Ein paar Unbelehrbare würden übrig bleiben. Menschen, die auf alle Fälle sterben wollten, so oder so. Die würden sie an Organisationen vermitteln, die etwas mit ihnen anzufangen wussten. Die ihnen ein Ziel gaben, einen Sinn, etwas, für das es sich zu sterben lohnte. Und dafür zahlten. Ihren Anteil des Honorars konnten die Klienten einer geliebten Person hinterlassen, wenn sie wollten.

Im Spaß probierten sie Firmennamen aus, RAM, Rent a Martyre, oder T'n'T, Therapie und Terror, und zeichneten Logos auf Bierdeckel und Servietten. Es war Babak, der schließlich auf den Namen für die neue Heilpraxis kam: die *Brücke*.

Britta brach ihr BWL-Studium ab und begann eine Ausbildung zur Heilpraktikerin. Sie lernte, wie man durch Augenbewegungen Traumata bewältigt, wie man menschliche Verzweiflung auf Glaubenssätze reduziert, die sich bearbeiten lassen, wie man bestimmte Körperstellen drückt und Mantras aufsagt, die das Selbstvertrauen stärken. Nichts davon brauchte sie für ihre spätere Arbeit. Während sie sich auf die Prüfung vorbereitete, spuckte die Beta-Version von Babaks Algorithmus die ersten Namen aus. Britta nahm Kontakt auf und schrieb Einladungen, die sie, wenn nötig, zwei oder drei Mal wiederholte, wobei sie ihre Glaubwürdigkeit durch von Babak gefälschte Referenzen belegte. Die Kontaktaufnahme nannte sie »proaktive Akquise«, und was sie anbot »Konfrontationsmethode«. Nicht alle Zielpersonen reagierten, aber doch eine ganze Menge, von denen sich wiederum eine kleinere Zahl zu einem Erstgespräch bereit erklärte. Britta verlangte kein Honorar, die Kandidaten hatten nur ihre Reisekosten zu tragen. Sollten sie mit der Arbeit der *Brücke* zufrieden sein, stand es ihnen frei, eine beliebige Summe zu zahlen.

Einige verließen das Programm nach kurzer Zeit und verschwanden auf Nimmerwiedersehen. Andere wurden nach der vierten, fünften oder siebten Stufe der Evaluierung offiziell verabschiedet. Die Geheilten überwiesen Honorare. Manche waren so von Dankbarkeit erfüllt, dass sie tief in die Tasche griffen.

Der erste Kandidat, der alle Stufen der Evaluierung bestand, hieß Dirk, ein Pädophiler, der keine Lust mehr hatte, mit seiner Neigung zu leben. Sie fischten ihn aus einem Selbstmordforum, wo er schon seit Monaten mit der Frage haderte, welches die sicherste Methode für seinen Abschied sei. Beta-Lassie hatte ihn von Anfang an mit einem Koeffizienten von 10,4 bewertet – das beste bislang erreichte Ergebnis. Dirk war sich seiner Sache so sicher, dass er förmlich durch die Evaluierung flog und mit einem Wert über 11 abschloss, was nach den Statuten der *Brücke* mehr als ausreichend war.

Als Britta ihm anbot, die komplette Suizid-Logistik für ihn zu übernehmen – Regelung persönlicher Angelegenheiten, Planung und Durchführung mit hundertprozentiger Erfolgsgarantie, Bestattung im Rahmen eines Mittelklassebegräbnisses – und ihm außerdem die Möglichkeit eröffnete, sein Lebensende in den Dienst einer höheren Sache zu stellen, weinte er vor Glück. Sie vermittelten ihn an Green Power, eine Umweltorganisation, die die Auffassung vertrat, dass der Planet ohne Menschheit wesentlich besser dran wäre. Vor allem im Bereich Walfang tat sich Green Power immer wieder durch spektakuläre Aktionen hervor.

Green Power zeigte sich begeistert vom neuen Geschäftsmodell der *Brücke*, und Dirk war begeistert von der Idee, sich für das Überleben von Walen zu opfern. Man wurde im Handumdrehen einig, und als alles geregelt war, konnten Britta und Babak nur noch eines tun: warten.

Babak, der während des Programmierens von Lassie bereits zwanzig Kilo abgenommen hatte, verlor weitere drei. Britta hörte auf, grünen Tee zu trinken, als das Koffein-Zittern ihrer Hände auf die Arme überging. Endlich verbreitete sich die Eilmeldung in den Nachrichtenportalen: Eine als ökoterroristisch klassifizierte Umweltorganisation hatte auf hoher See ein norwegisches Walfangschiff versenkt, wobei einer der Aktivisten zu Tode gekommen war. Das Youtube-Video, welches Green Power wenig später postete, zeigte ein Schlauchboot, das in voller Fahrt auf den riesigen Walfänger zuraste, um dann unmittelbar vor dem Bug zu explodieren. Es erreichte binnen weniger Stunden eine Million Klicks. Britta und Babak feierten die ganze Nacht.

Dirk hatte darauf bestanden, dass die *Brücke* nicht nur den vereinbarten Anteil, sondern die gesamte von Green Power für die Aktion gezahlte Summe erhielt. Überdies hatte er Britta und Babak sein nicht ganz unbeträchtliches Vermögen vermacht und einen Brief hinterlassen, in dem er tiefe Dankbarkeit sowie die Hoffnung ausdrückte, dass ihr ebenso leidenschaftliches wie professionelles Engagement in Zukunft noch vielen anderen Menschen zugutekommen möge. Mit diesem Geld zogen Babak und Britta nach Braunschweig, pachteten die Gewerbeeinheit in der Kurt-Schumacher-Passage und kauften für Lassie ihren ersten Großserver.

Britta liebt ihre Arbeit. Sie hat viel mit Menschen zu tun, lebt selbstbestimmt und tut eine Menge Gutes. Die Rettung von potenziellen Selbstmördern macht mit Abstand den größten Teil ihrer Tätigkeit aus. Sofern Attentäter vermittelt werden, ist die *Brücke* auf einen strengen Kodex verpflichtet – begrenzte Opferzahlen, sorgfältige Vermeidung von Eskalation, keine Kollateralschäden. Nach und nach haben sich die Auftraggeber auf diese Bedingungen eingestellt, inzwischen gibt es praktisch niemanden mehr, der Aktionen außerhalb dieser Zusammenarbeit organisiert. Seit dem Durchmarsch der BBB sind die Organisationen geschwächt, ihre Ziele haben an Strahlkraft verloren, sie sind kaum noch in der Lage, eigene Märtyrer zu rekrutieren. Als erster und bisher einziger Terrordienstleister der Republik hat die *Brücke* die Branche befriedet und stabilisiert. Sie sorgt für das richtige Maß an Bedrohungsgefühlen, das jede Gesellschaft braucht. Und sie hat Babak und Britta ziemlich reich gemacht.

Letztlich ist es aber etwas anderes, das Britta mit Stolz und Freude erfüllt. Seit Gründung der *Brücke* lebt und arbeitet sie in völliger Übereinstimmung mit dem Zeitgeist. Wenn ihr nicht so häufig übel wäre, würde sie sich wahrscheinlich glücklich nennen.

6

Britta lässt sich Zeit beim Aussteigen. Auf dem Bahnsteig bleibt sie stehen, bis der Zug wieder ausgefahren
ist und sich die angekommenen Passagiere zerstreut
haben. Dann schaut sie sich um, teilt die Umgebung
im Geist in Planquadrate ein und sucht diese mit den
Augen ab. Der Leipziger Kopfbahnhof mit seinem
eindrucksvoll gewölbten Glasdach ist allemal eine
Besichtigung wert, aber Britta interessiert sich für
Mülltonnen. Auf jedem Bahnsteig stehen etwa zehn
in weiten Abständen voneinander, große Edelstahl-
behälter mit Einwurflöchern für Glas, Plastik, Papier
und Sonstiges. Solange kein Zug einfährt, kann sie
vier Bahnsteige in jede Richtung zuverlässig überbli-
cken, sodass sie bemerken würde, wenn sich jemand
an einer der Mülltonnen zu schaffen macht. Allerdings sind die Bahnsteige zu lang, um bis zum Ende
zu schauen, sie wird also jeweils ein gutes Stück laufen müssen, um sämtliche Mülltonnen zu kontrol-
lieren, was bei einundzwanzig Gleisen einen ordent-
lichen Marsch ergibt. Hinzu kommen die Mülleimer

auf dem Querbahnsteig und in den Untergeschossen, wo sich die üblichen Klamottenläden und Fressbuden befinden; es gibt also keine Garantie, dass sie G. Flossen auf diese Weise findet; der Bahnhof ist groß genug, um einander den ganzen Tag lang zu verfehlen.

Britta seufzt und sagt sich, dass es in der Vergangenheit gegen alle Wahrscheinlichkeit immer geklappt hat. Flossen besitzt weder Handy noch Mailadresse, und falls er eine Wohnanschrift hat, kennt Britta diese nicht. Bei dem schlechten Wetter ist es immerhin einigermaßen wahrscheinlich, dass er sich hier irgendwo herumtreibt.

Gerade will sie mit dem Suchparcours beginnen, als sich zwei uniformierte Männer in ihre Richtung bewegen. Die Sicherheitskräfte halten genau auf sie zu, es ist zu spät, um auszuweichen.

»Können wir Ihnen helfen?« Die Männer sind direkt vor ihr stehen geblieben, haben strenge Mienen aufgesetzt und lassen die Hände auf Schlagstock und Pistole ruhen.

»Wobei?«, fragt Britta zurück.

»Es scheint nicht klar, womit Sie beschäftigt sind«, sagt der andere. »Der nächste Zug an diesem Gleis fährt erst in dreiundvierzig Minuten.«

»Ich betrachte das Dach«, sagt Britta. »Sind diese Stahlbetonbögen nicht unglaublich? Und erst die Verglasung. Sechzigtausend Quadratmeter.«

»Wir müssen Sie jetzt bitten weiterzugehen. Das ist ein Transitraum.«

Durch kontrolliertes Atmen beherrscht Britta ihre Wut. Sie sagt sich, dass die Uniformierten nichts von ihr wollen, nicht persönlich, sie haben keine Ahnung, wer sie ist und was sie beruflich tut, sie machen nur ihren Job. Außerdem ist sie selbst schuld. Sie hätte daran denken müssen, dass die Stimmung nach dem Attentat nervös ist.

Ihr gelingt ein Lächeln und eine Kein-Problem-Geste, die von den Polizisten mit einem Wir-behalten-dich-im-Auge-Blick erwidert wird. Immerhin steht bei dieser Sicherheitsstufe ziemlich fest, dass G. Flossen auch nicht hier ist.

Es regnet. Es regnet nicht wie Wetter, sondern wie Apokalypse. Am helllichten Tag herrscht Dämmerung in den Straßen, die Beleuchtung hat sich eingeschaltet und färbt die in Schnüren fallende Wassermasse orange. Autos ziehen Furchen durchs Wasser, die Kanalisation hat keine Chance. Leipzig ist hinter einem Vorhang verschwunden, aus dem von allen Seiten Menschen auftauchen und geduckt auf die Eingangstüren des Bahnhofs zurennen. Drinnen stehen Unentschlossene und trauen sich nicht hinaus, überlegen, ob man auf das Ende des Regens warten kann, obwohl jeder sieht, dass das stundenlang so weitergehen wird.

Britta hat keine Wahl. Normalerweise würde sie zu Fuß gehen, das Rosental liegt keine zehn Minuten entfernt. Aber bei diesem Wetter zählt jede Sekunde. Sie zieht die Kapuze über die Haare, spannt den Schirm auf und presst ihre Umhängetasche an den Körper.

Im Windschatten der Bahnhofsmauer rennt sie zum Taxistand an der Westseite. Als sie einsteigt, sind ihre Hosenbeine bereits nass bis unter die Knie.

Dass es darauf nicht mehr ankommt, merkt sie schnell, als sie am Park aussteigt. Statt über die freie Wiesenfläche zu laufen, entscheidet sie sich für einen Weg entlang des Waldrands, wo der Regen nicht ganz so heftig fällt. Aber der Boden ist aufgeweicht, das Wasser durchdringt binnen Minuten die Imprägnierung ihrer Schuhe, und auch die Jacke erweist sich als weniger dicht als gedacht. Schon laufen ihr die ersten Tropfen den Nacken hinunter. Das Schlimmste aber sind nicht Nässe und Kälte, sondern die bohrende Frage, ob es irgendeinen Sinn hat, was sie hier tut. G. Flossen ist ein Spinner. Aber versponnen genug, um sich an einem solchen Tag im Freien aufzuhalten? Britta erinnert sich daran, dass ihr ohnehin nichts anderes übrig bleibt als weiterzumachen. Eine zweite Fahrt nach Leipzig ist in nächster Zukunft ausgeschlossen, selbst ohne Babaks Widerstand. Wenn sie Flossen sprechen will, ist das ihre einzige Chance. Sie legt einen inneren Schalter um, schmeißt den ohnehin sinnlosen Schirm ins Gebüsch und marschiert weiter. Sie will einmal rund ums Rosental, danach hat sie noch zwei weitere Parkanlagen vor sich, bevor sie im schlimmsten Fall unverrichteter Dinge nach Hause fährt.

Es geht schneller als befürchtet. Auf der anderen Seite der großen Wiese, in der Nähe des Zoo-Schaufensters, wo heute garantiert kein Tier zu sehen ist, entdeckt Britta ein blaues Zelt, das sich langsam fortbewegt. Sofort biegt sie vom Weg ab und hält geradewegs darauf zu, beginnt zu laufen, obwohl das Zelt keine Anstalten macht zu fliehen, im Gegenteil, es hat angehalten und blickt ihr entgegen.

Bis zur letzten Sekunde ist sie nicht sicher, ob es sich wirklich um Flossen handelt. Erst als sie direkt vor ihm steht, erkennt sie das bärtige Gesicht mit dem leicht verwirrten Blick unter der Kapuze des Regencapes. Ebenfalls unter dem Cape befindet sich ein Fahrrad, an dessen Seiten, wie Britta weiß, große, mit leeren Plastikflaschen gefüllte Satteltaschen hängen.

»Hey«, sagt Flossen. »Da bist du ja.«

»Haben Sie mich erwartet?«

»Ich habe mich am Bahnhof herumgetrieben, weil ich dachte, dass du kommst. Ist aber leider schwierig in diesen Tagen.«

»Hab ich gemerkt.«

»Hast du was für mich?«

Tatsächlich hat sie etwas: zwei leere Cola-Flaschen mit besonders viel Pfand, die sie jetzt aus ihrer Umhängetasche zieht. Flossen strahlt über das ganze Gesicht, als er ihr die Flaschen abnimmt, das Cape anhebt und seine Beute in den Satteltaschen verstaut. Sie hat ihn nie gefragt, warum er tagein, tagaus die Mülleimer der Stadt nach Pfandflaschen durchwühlt. Inzwischen glaubt sie, dass er schlicht und ergreifend davon lebt. Vermutlich hasst G. Flossen die Gesellschaft so sehr, dass er es nicht verantworten könnte, einer Arbeit nachzugehen, die irgendeinen Nutzen für andere besitzt.

»Aber du bist nicht nur gekommen, um dein Leergut bei mir abzugeben. Stell deine Frage.«

»Okay«, sagt Britta. »Wart ihr das?«

»Nein. Ihr?«

»Nein.«

Flossen seufzt. Dann schweigen sie eine Weile und hängen, jeder für sich, der Frage nach, was dieses Doppel-Nein zu bedeuten hat. Keiner zweifelt daran, dass der andere die Wahrheit sagt. Britta findet Flossen nicht sympathisch und ist froh, ihn nicht mögen zu müssen. Er hat arrogante Nasenlöcher und eine Stimme, die eher zu einer nörgeligen Frau als zu einem Mann über siebzig passen würde. In einem früheren Leben hat er Sozialwissenschaften studiert und sich jahrzehntelang an einer Berliner Uni wichtig gemacht, bevor etwas passiert ist, das ihn aus der Bahn geworfen hat, irgendetwas mit Frau und Kind und einem Gefängnisaufenthalt. Inzwischen hat er sich mit Haut und Haaren dem Öko-Aktivismus verschrieben. Green Power bekommt mit Anti-Walfang-Kampagnen die größte Aufmerksamkeit, aber G. Flossens Spezialgebiet liegt in der Verhinderung von Infrastrukturmaßnahmen. In der Vergangenheit hat er mithilfe von Brittas Kandidaten den Hauptpfeiler einer im Aufbau befindlichen Elbbrücke, die Bohrung für einen City-Tunnel sowie mehrere halb errichtete Windkraftanlagen gesprengt, alles erfolgreiche Coups. Britta arbeitet gern mit ihm, er hat etwas Treuherziges an sich, das sie dazu bringt, ihm zu vertrauen.

»Du hast keine Ahnung, was läuft?«, fragt er.

Britta schüttelt den Kopf.

»Die Moslems hast du bestimmt schon gefragt.«

»Die sagen, sie waren es nicht.«

»Dachte ich mir schon. Warum sollten die den Frachtbereich ins Visier nehmen. Das wäre schon eher was für uns, Drehkreuz für Fleischtransporte und so.«

»Haben Sie eine Idee?«

Sie hat nie aufgehört, ihn zu siezen, obwohl er ihr gegenüber hartnäckig das Du gebraucht. Jetzt blickt er sie nachdenklich an, vielleicht sogar ein bisschen besorgt.

»Nichts Genaues«, sagt er. »Aber da braut sich was zusammen.«

»Was soll das heißen?«, fragt Britta scharf.

»Keine Ahnung. Nur so ein Gefühl.«

Vage Andeutungen kann Britta nicht leiden, aber sie muss zugeben, dass sie selbst etwas Ähnliches zu Babak gesagt hat: Keine Ahnung, aber ich hab ein schlechtes Gefühl, da läuft irgendwas.

»Ihr dominiert den Markt«, sagt Flossen. »Ein Wettbewerber müsste mehr bieten als diesen Flughafen-Mist.«

»Die Leute sind manchmal erstaunlich bekloppt.«

Er lacht, wobei er Luft durch die Nasenlöcher stößt. »Trotzdem. Die Sache stinkt.«

Mit einem Mal will Britta dringend nach Hause. Unter ihrer Regenjacke schlottert sie vor Kälte.

»Vielleicht will euch jemand aus der Reserve locken«, sagt Flossen. »Vielleicht haben sie es irgendwie auf euch abgesehen.«

»Wer, *sie*? Was, *irgendwie*?« Die Wut in ihrer Stimme ist unüberhörbar. Flossen schüttelt den Kopf.

»Ach, Kind. Die Welt ist groß und kompliziert. Nimm dich einfach in Acht.«

Sein Cape raschelt und schickt kleine Wasserfälle in alle Richtungen, während er unter der Plastikfolie aufs Rad steigt und sich bereit macht, in die Pedale zu treten.

»Danke für die Flaschen«, sagt er und fährt los, nicht Richtung Stadt, sondern dorthin, wo der Wald beginnt.

7

Laufkundschaft. Etwas, das bei der *Brücke* eigentlich nicht vorkommt. Nur einen kurzen Blick wirft die junge Frau auf das Praxisschild, dann öffnet sie, ohne zu zögern, die Tür.

Babak steckt in aller Ruhe den Deckel auf die Kappe des Filzstifts, mit dem er gerade eine Stelle seines Pünktchenbilds bearbeitet hat. Seit Lassie auf Hochtouren läuft, malt er mit neu erwachtem Eifer an seinem Bild. Ebenso ruhig schließt Britta den Laptop und bleibt in der Ecke der Couchgarnitur sitzen. Beide blicken der Besucherin freundlich entgegen, als wäre es völlig normal, dass jemand hereinkommt.

»Guten Tag«, sagt Britta. »Wie können wir Ihnen helfen?«

Die junge Frau sieht sich um und gibt keine Antwort.

»Kaffee?«, fragt Babak.

Die Frau zuckt die Achseln, schüttelt den Kopf und nickt gleich darauf. Babak verschwindet die Treppe hinunter in die Küche. Britta lädt die Besucherin mit einer Handbewegung zum Hinsetzen ein und lässt ihr Zeit, sich umzuschauen. Das Mädchen betrachtet die verwaiste Empfangstheke, den billigen Teppichboden und Babaks Pünktchenbild. Britta betrachtet das Mädchen. Anfang zwanzig, magersüchtig. Dunkle lockige Haare, ebenso dunkle Augen, groß und unschuldig. Ohne Zweifel ist sie ungewöhnlich schön. Aber Britta fasziniert etwas anderes. Die Persönlichkeit der jungen Frau scheint über ihre Ränder hinauszufließen und den Raum zu füllen, als wäre sie zu groß, um in dem schmächtigen Körper Platz zu finden. Als Babak mit Kaffeetablett die Treppe hinaufkommt, tauschen sie einen Blick. Brittas Augen sagen: Wir nehmen keine Frauen. Babaks erwidern: Aber das ist eine Zwölfenderin.

Am Vortag hat es einen heftigen Streit gegeben. Britta will mit Lassies Hilfe eine großangelegte Suchaktion starten, um in kurzer Zeit möglichst viele potenzielle Kandidaten an die Oberfläche zu holen. Babak wollte nicht verstehen, wozu das gut sein soll. Sie wussten doch nach wie vor nicht, wie das Flughafen-Attentat einzuordnen war.

»Wer nichts weiß, hat sich ruhig zu verhalten«, wiederholte Babak ein ums andere Mal.

Aber Britta will vorbereitet sein. Sie zitierte G. Flossen: »Die Sache stinkt«, und: »Nehmt euch in Acht.«

»Es kann doch nicht schaden, möglichst viele Kandidaten in Stellung zu bringen«, sagte sie.

Wenn es wirklich einen Konkurrenten gibt – müssen sie dann nicht ihr Revier behaupten? Zum Beispiel mit einer spektakulären Aktion, die klarstellt, dass sie auf anderem Niveau arbeiten als die Verantwortlichen der läppischen Leipzig-Aktion.

»Was spricht dagegen?«, fragte Britta.

»Der Staub, den wir aufwirbeln«, erwiderte Babak.

Es ging noch eine Weile hin und her, Babak warf ihr kopflosen Aktionismus vor, sie ihm Feigheit, bis Britta wütend genug war, um ihre Bitte in einen Befehl umzuwandeln. Seitdem brummt Lassie ohne Pause, und sie schweigen viel.

Nachdem Babak die Tassen gefüllt hat, eröffnet Britta erneut das Gespräch.

»Gibt es etwas, das wir für Sie tun können?«

»Ich interessiere mich für Ihre ... Arbeit.«

Das Zögern zwischen den beiden letzten Wörtern zeigt an, was Britta ohnedies ahnt: Die junge Frau ist nicht zufällig hier.

»Ihr Interesse freut uns. Die Heilpraxis *Brücke* hat sich der Arbeit mit Menschen in Zwangslagen verschrieben. Mit unserer speziellen Konfrontationsmethode konnten wir in der Vergangenheit unzähligen Gefährdeten aus verzweifelten Situationen heraushelfen. Allerdings arbeiten wir normalerweise proaktiv. Was nicht bedeutet, dass wir die Brücken der Stadt nach Selbstmördern absuchen.« Britta lächelt geschmeidig wie ein Museumsführer, der an derselben Stelle den immergleichen Witz macht. »Wir benutzen modernste Technologie für die Erstellung von digitalen Prognosen.«

Die junge Frau hat die Augen zugemacht. Lange sitzt sie reglos, als wäre sie eingeschlafen. Als sie schließlich doch etwas sagt, hält sie die Augen geschlossen, bewegt nur die Lippen, wie in Trance.

»Spar dir das Gelaber. Ich weiß, was ihr tut.« Es klingt wie eine Drohung.

»Woher?«

»Aus dem Netz.«

»Es gibt im Internet keine Informationen zur *Brücke*. Wir halten uns an das Werbeverbot für Heilpraxen.«

»Eine Etage tiefer schon.«

Britta kann förmlich sehen, wie Babak die Ohren spitzt. Er hat sich zu ihnen gesetzt, hält sich die Kaffeetasse vors Gesicht und pustet unentwegt hinein. Das Deep Web ist sein Element. Dass die *Brücke* dort Erwähnung findet, trifft zu; Mund-zu-Mund-Propaganda gewissermaßen. Nur gibt es nicht viele Leute, die in der Lage sind, das zur Kenntnis zu nehmen.

»Und was *tun* wir?«

Jetzt schlägt das Mädchen die Augen auf. Der Blick trifft Britta wie eine körperliche Berührung.

»Im Darknet schwirrt ein Typ herum, der über euch spricht.«

»Wenn er schwirrt, lebt er wohl noch.«

»In der Tat.«

»Freut mich zu hören. Die Methode der *Brücke* ist

wesentlich erfolgreicher als klassische Psychotherapie.«

Die junge Frau verzieht den Mund zu einem Grinsen, an dem die Augen nicht beteiligt sind. Ihr dunkler Blick vertieft sich und entwickelt ein stummes Glühen. Babak starrt sie an, als wäre sie ein Abgrund, in
den man hineinfallen kann.

»Ich mag Erfolg«, sagt sie. »Deshalb bin ich hier.«

Jetzt starrt auch Britta.

»Was meinen Sie?«, fragt sie vorsichtig.

»Aufräumen. Durchputzen. Großreinemachen.«
Auch das Grinsen vertieft sich. Die Eckzähne der jungen Frau sind ein wenig länger als die anderen.

»Halten Sie uns für einen Reinigungsdienst?«

Jetzt lacht das Mädchen. Hebt eine Hand und lässt
sie auf den Oberschenkel fallen. Eine Geste wie von
einer mechanischen Puppe.

»Absolut. Und ich mag eure Besen.«

Das anschließende Schweigen wird kompliziert.
Stumm zählt Britta bis fünf, um den perfekten Moment für einen Überraschungsangriff abzupassen.

»Das ist kein Spiel, verstanden?«, sagt sie plötzlich
scharf. »Wir führen hier kein Theaterstück auf!«

Die Besucherin zuckt nur leicht zurück und hat sich
gleich wieder im Griff.

»Ihr sucht Leute«, sagt sie.

»Was wir suchen, geht Sie nichts an.« Britta erhebt sich. »Ich glaube nicht, dass wir etwas für Sie
tun können.«

Im Grunde besteht die *Brücke* nur aus Regeln. Regeln sind das Kapital, die eigentliche Substanz der Praxis. Lassies Suchparameter. Regeln für die Kontaktaufnahme mit Kandidaten. Die strengen Regeln der Evaluierung. Regeln für Reisetätigkeit und Kommunikation mit Auftraggebern, Regeln für die Vermittlung von Kandidaten und die Durchführung von Aktionen. Die Bedeutung einer Regel zeigt sich immer erst, wenn man auf unsicheres Terrain gerät. Normalerweise kommen Kandidaten nicht zur Tür hereinspaziert, normalerweise sind es keine Frauen, und normalerweise verhalten sie sich nicht so offensiv. Fast ist es, als würde das Mädchen ihr einen Fehdehandschuh zuwerfen, und Britta verspürt eine gewisse Lust, ihn anzunehmen. Aber die erste Regel des Evaluierungsprozesses spricht eine klare Sprache: frustrieren, wegschicken und abwarten, ob derjenige wiederkommt.

»Okay«, sagt die junge Frau. »Noch mal von vorn. Mir ist es wirklich ernst.« Sie streckt die Hand aus. »Ich heiße Julietta.«

»Stop!« Britta hebt einen Zeigefinger. »Wir wollen Ihren Namen nicht wissen. Bitte verlassen Sie diese Praxis. Sofort.« Mit einem Seitenblick überprüft sie, ob Babaks Miene ebenso versteinert ist wie die ihre. Er hat seine Tasse abgestellt, blickt geistesabwesend auf eine Ecke des Couchtischs und wirkt maximal desinteressiert. Gut so, denkt Britta und unterdrückt ein erleichtertes Lächeln. Wenn es darauf ankommt, funktionieren sie als Team.

»Das ist doch Scheiße.« Julietta schlägt beide Hände auf die Armlehnen des Sessels. »Ihr seid doch…« Sie springt auf, starrt Babak an, als wollte sie ihn schlagen, wendet sich ab. Tritt im Gehen gegen ein Bein des Couchtischs.

»Scheißegal. Fuck.«

Mit schnellen Schritten ist sie bei der Tür, legt eine Hand auf die Klinke und dreht sich noch einmal um.

»Was brummt hier eigentlich so?«

»Kühltruhe«, sagt Babak. »Nicht das neueste Modell.«

»Fick dich«, sagt Julietta und verschwindet.

8

»Bewirbst du dich für den Orden der Supermutter des Jahres?«

Janina trägt eins ihrer geblümten Kleider, hat die Haare nachlässig-kunstvoll hochgesteckt und ist von allerlei Ausrüstungsgegenständen umgeben. Britta sieht einen großen Picknickkorb, eine bunte Decke, eine Kühlbox, Kinderfahrrad, Buddelsachen, Sonnenschirm sowie einen Rucksack, der vermutlich Sonnenhüte, Sonnencreme, Feuchttücher, Insektenspray und weiteres nützliches Zubehör enthält. Auf dem Bürgersteig ist kein Durchkommen mehr, weshalb Cora es sich auf dem Picknickkorb und Knut auf der Kühlbox bequem gemacht haben.

Schwungvoll steigt Britta aus dem VW-Bus, während Richard Seitentür und Heckklappe aufgleiten lässt, und läuft um den Wagen herum, um ihre Freundin zu begrüßen. Zur Feier des Ausflugs trägt sie Turnschuhe und einen Jeansrock, dessen rauer Stoff sich an den Beinen verwegen anfühlt.

»Vielleicht auch noch eine Heizdecke? Dampfkochtopf und Saugroboter? Wie lange wollen wir bleiben? Eine Woche?«

Lachend fängt Janina sie ein und drückt sie an sich. Heute lässt Britta die Umarmung nicht nur über sich ergehen, sondern erwidert sie herzlich.

»Menschen, die über Picknickkörbe spotten, essen hinterher die meisten Hähnchenschenkel«, sagt Janina, und Britta kommt wieder einmal der Gedanke, dass ihre Freundin es trotz Mutti-Look faustdick hinter den Ohren hat.

Fröhlich brausen sie auf der A392 aus der Stadt. Der Multivan ist relativ neu und gut ausgestattet mit verschiebbaren Sitzen, individueller Klimatisierung und einer Soundanlage von Bose. Richard sitzt am Steuer, Britta daneben, sodass sie ihm jederzeit die Hand aufs Knie legen und ihn von der Seite ansehen kann. Sie tragen beide Sonnenbrillen, es fühlt sich gut an, unter dem breit gespannten Himmel dahinzufahren, zwei aufgekratzte Kinder und gute Freunde im Fonds, sie unternehmen viel zu selten etwas an den Wochenenden. Es war Brittas Idee, aus der Hausbesichtigung einen Familienausflug zu machen, und als Richard Musik einschaltet und die sanften Klavierklänge und verhaltenen Beats von »Suicide World« aus den Boxen tröpfeln, denkt sie, dass das eine verdammt gute Idee gewesen ist.

Hinten thronen Vera und Cora auf ihren Sitzerhöhungen, ununterbrochen plappernd und kichernd, während Knut und Janina ihre Sitze so gedreht haben, dass sie die Mädchen ansehen können, rückwärts fahrend wie in einem Zugabteil. Als die Autobahn in die Celler Heerstraße übergeht, beginnt Vera, von ihrem ersten Hockey-Training zu schwärmen, wo sie, ihrer eigenen Meinung nach, als Superstar begrüßt wurde und anschließend wie ein Kugelblitz übers Feld geflitzt ist. Richard lächelt breit, beobachtet seinen aufgeregten Liebling im Rückspiegel und zitiert die eine oder andere Bemerkung des Trainers, der sich angetan von Veras Talent gezeigt hat.

»Habt ihr gehört«, fragt Knut, »dass die UNO aufgelöst werden soll?«

»Hä, wieso?«, fragt Cora mit aufgeregter Kieksstimme. »Ist doch ein super Kartenspiel.«

»Nicht das Spiel, Schatz«, erwidert Janina. »Die Organisation.«

»USA und Russland sind sich einig, Frankreich, Deutschland, Großbritannien, Türkei und ein paar andere werden zu Konsultationen eingeladen.«

»Die UNO ist doch sowieso schon lange unsichtbar«, sagt Richard.

»Völkerrecht klingt auch irgendwie nach 20. Jahrhundert«, meint Janina.

»Woran arbeitest du zur Zeit, Knut?«, fragt Britta laut.

Draußen zieht ein Werbeplakat vorbei, mitten auf einem Feld errichtet. »Du bist Du!« steht darauf, ohne Hinweis auf ein Produkt.

»Oh, an einem interessanten Projekt.« Knut steckt

das Smartphone zurück in die Tasche und dreht sich im Sitz um, so dass er besser nach vorn sprechen kann. »Eine Art Publikumsbeschimpfung.«

»Knut hat eine Theorie entwickelt«, sagt Janina. »Warum es den Leuten heutzutage so schlecht geht.«

»Das wird dich interessieren, Britta«, sagt Knut. »In gewisser Weise geht es um dein Arbeitsgebiet.«

Das bezweifelt Britta und wünscht sich, sie hätte zur Ablenkung lieber nach Janinas Auftragslage gefragt.

»Der moderne Mensch leidet unter Weltinnenraum-Klaustrophobie«, verkündet Janina.

»Hä?«, macht dieses Mal Richard und lacht.

»Globalisierung bedeutet, nirgendwohin fliehen zu können«, erklärt Janina. »Weil alles immer schon überall ist. Da wird Selbstmord zum letzten Notausgang.«

»Eigentlich geht es vor allem darum, dass Körperkapitalismus letztlich Seelenkommunismus ist.« Knut legt Kraft in seine Stimme, um sich zurück ins Gespräch zu bringen. »Ein Schauspieler steht an der Rampe und erzählt sein Leben, auf eine Weise, dass alle im Publikum denken, er spricht über sie.«

»Bamm!«, schreit Vera. »Problem gelöst!«

»Tot!«, jubelt Cora.

Mega-Melanie und ein Glotzi haben es in den VW-Bus geschafft. Britta denkt, dass man aus den Megas vielleicht ein spannendes Theaterstück machen könnte, obwohl »Theater« auch schon wieder nach

20. Jahrhundert klingt. Ihre gute Laune schmilzt dahin. Auf unbestimmte Weise fühlt sie sich traurig. Der VW-Bus überholt eine lange Reihe von Sport-ist-öffentlich-Teilnehmern auf Fahrrädern. Britta konzentriert sich auf die Landschaft, die herrlich sauber wirkt. Die gerade Linie des Horizonts, die regelmäßigen Rechtecke der Felder. Der blank geputzte Himmel, die wogende Oberfläche des jungen Weizens.

»Am Ende wird es dann ziemlich heftig.« Janina sticht Strohhalme in dreieckige Päckchen mit Kirschsaft. »Der Schauspieler fordert das Publikum auf, ihn mit nach Hause zu nehmen.«

»Ihr habt mich geschaffen«, zitiert Knut, »jetzt nehmt mich auch mit. Kleidet mich als Mensch, setzt mich in einen Sessel, verhindert, dass ich mir etwas in die Augen steche.«

Knut und Janina küssen sich, dann bekommt auch er einen Kirschsaft. Britta ringt sich ein anerkennendes Geräusch ab. Sie weiß, dass Knut auch dieses Mal keine spektakuläre Uraufführung an einem großen Haus bekommen wird, sondern höchstens eine kaum beachtete Miniaturpremiere in irgendeinem österreichischen Off-Schuppen. Es liegt nicht an fehlendem Talent oder mangelndem Fleiß, sondern einfach daran, dass Knut kein Gewinner ist. Er ist ein Typ, den seine Freunde versehentlich Kurt nennen. Das Schicksal hat ihn beschnuppert und beschlossen, sich nicht für ihn zu interessieren.

»He, Britta«, ruft Janina von hinten, »hier ist ein

Dilemma für dich. Eine Frau macht sich über den Picknick-Korb ihrer Freundin lustig. Bekommt sie trotzdem ein Puten-Sandwich?«

»Auf alle Fälle«, sagt Britta. »Sie bekommt sogar das größte, zur Belohnung für ihr kritisches Bewusstsein.«

Lachend reicht Janina ein eingewickeltes Brot nach vorne. Britta lässt Richard abbeißen und probiert selbst. Es schmeckt fantastisch.

»Jetzt bin ich dran«, sagt Britta mit vollem Mund. »Eine Frau befindet sich in einer schwierigen Lage, hat aber schon einen Plan, was sie unternehmen will. Ihr bester Freund rät ihr zum Gegenteil. Was soll sie tun: Das, was sie selbst für richtig hält, oder das, was ihr Freund meint?«

»Wer von beiden ist klüger?«, fragt Janina.

»Keine Ahnung.« Irgendwie fühlt sich Britta ertappt. »Ich denke, die Frau.«

»Dann sollte sie auf ihren Freund hören. Menschen, die sich für klug halten, sind meistens im Unrecht.«

Bamm, denkt Britta.

»Hast du Ärger mit Babak?«, fragt Richard, wobei er seine Stimme so weit dämpft, dass Britta so tun kann, als hätte sie ihn nicht gehört.

»Mehr!«, schreit Vera.

»Wenn ihr so weitermacht, ist der Picknick-Korb leer, bevor wir da sind«, sagt Janina.

»So ist es doch immer«, lacht Richard und setzt den rechten Blinker, um einen dicht auffahrenden Geländewagen zum Überholen zu veranlassen. »Lass mich noch mal beißen.«

Weil Richard den Blick nicht vom Außenspiegel abwendet, muss sich Britta mit dem Sandwich weit hinüberlehnen; Mayonnaise läuft über Richards Kinn.

»Fährt der jetzt vorbei oder nicht?«

Knut und Janina schauen durch die Heckscheibe, auch Britta dreht sich um. Der Geländewagen fährt so dicht auf, dass man die Augenfarbe des Fahrers hätte erkennen können, wenn nicht das halbe Gesicht hinter Sonnenbrille, Schirmmütze und einem altmodischen Schnurrbart verborgen wäre.

»Was will der denn?«

»Tritt jetzt bloß nicht auf die Bremse.«

»Ich fahre schon schneller, als ich möchte.«

»So ein Spinner.«

»Warum fährt der so dicht hinter uns, Mami?«

»Der ist hinter Knut her.«

»Wieso hinter Papi?«

»Wieso hinter mir?«

»Weil du ein gesellschaftskritisches Theaterstück schreibst. Das mag die BBB nicht so gern.«

»Richard macht nur Spaß, Cora. Es gibt einfach Autofahrer, die ein Rad ab haben.«

»Nur drei Räder?«

»Könnt ihr das Nummernschild erkennen?«

»Der hat keins. Jedenfalls nicht vorn.«

»Wann wird endlich das selbstfahrende Auto fertig?«

»Fahr langsamer«, sagt Britta.

»Was?«

»Mach die Warnblinkanlage an und geh vom Gas.«

Sie haben die A2 unterquert und die Abzweigung nach Hillerse passiert, die B214 ist einspurig, der Gegenverkehr locker. Als der Multivan an Tempo verliert, lässt sich der Geländewagen zurückfallen.

»Jetzt lässt er es gut sein.« Richard klingt erleichtert.

»Tritt auf die Bremse. Halt an.«

Richard wirft ihr einen Seitenblick zu, den sie nicht erwidert, weil sie angestrengt nach hinten schaut, dann befolgt er ihren Rat. Der Multivan kommt am Straßenrand zum Stehen, der Geländewagen scheint zu zögern, weiter hinten beginnen Autos zu hupen. Mit einem Mal beschleunigt der andere Wagen und nutzt eine Lücke im Gegenverkehr, um an ihnen vorbeizuziehen.

»Achtet auf das Kennzeichen! Könnt ihr was sehen?«

»Total verdreckt.«

»Dem fehlte doch gar kein Rad.«

»Klar, der will nicht gelasert werden.«

»Das war ein Pick-up.«

»Das ist nur eine Redensart, Schatz.«

»Welches Modell?«

»Toyota, würde ich sagen. In Weiß.«

»Weg ist er.«

»So ein Assi.«

»Komm, fahr weiter.«

Britta lässt sich in den Sitz sinken. Ihre Stirn ist so stark gerunzelt, dass es schmerzt. Ihr Herz schlägt schnell. Sie denkt an das, was Janina gesagt hat. Dass die kluge Frau besser auf ihren Freund gehört hätte. Dann verbietet sie sich den Gedanken und atmet in den Bauch.

»Guck mal, da hinten! Eintausend Windräder!«

»Sind wir bald da?«

»Wo fahren wir eigentlich hin? Dänemark?«

»Seit wann darf der Chauffeur Fragen stellen?«

»Bedenke, dass mit jedem Kilometer die Quadratmeterpreise sinken. Schau raus und sieh den Häusern beim Billigerwerden zu.«

»Will noch jemand Kirschsaft?«

Keine Viertelstunde später haben sie Müden an der Aller erreicht. Kleine Ortschaften ziehen an den Fenstern vorbei, viel Fachwerk, große Dächer, bepflanzte Vorgärten. Von der schmalen Straße zweigt eine noch schmalere ab, das Hinweisschild nach Wiebüttel wird größtenteils von einem Fliederbusch verdeckt. Der Asphalt endet, auf buckeligem Kopfsteinpflaster geht es durch ein Waldstück. In hellgelben Stäben fällt Sonnenlicht durchs Blätterwerk, Britta kann förmlich sehen, wie es hier riecht: nach fauligem Holz und Erde und Pilzen und Wildschweinen und ein bisschen nach Kindheit. Wie lange ist sie nicht im Wald gewesen? Früher haben ihre Eltern sie auf lange Spaziergänge mitgenommen, sie haben Tannenzapfen, Eicheln und

Bucheckern gesammelt und Tiere daraus gebastelt. Irgendwann wurde Britta der Wald zu schmutzig, und sie blieb zu Hause, wenn ihre Eltern spazieren gingen.

»Das ist es«, sagt Janina andächtig.

»Was für eine Bruchbude!«, ruft Richard fröhlich.

Britta ist vom Beifahrersitz gerutscht, steht auf dem schadhaften Bürgersteig und betrachtet fassungslos das Objekt. Es liegt halb hinter wuchernden Bäumen verborgen, ein pummeliger Ziegelbau mit dunkelbraun gebeiztem Fachwerk und melancholischen Fensterläden. Kleiner Erker, tönerne Dachpfannen, historische Satellitenschüssel. Vor dem erhöht liegenden Eingang eine ehemals gepflasterte, jetzt halb überwucherte Einfahrt. Nachbarn scheint es nur zur einen Seite zu geben, das Grundstück liegt am Ortsrand. Britta geht ein paar Schritte und schaut am Haus vorbei in den Garten, der zu drei Seiten von einer ungeschnittenen, mehr als zwei Meter hohen Hecke umgeben ist. Noch mehr Bäume, Hundehütte, Wäschespinne. Das hohe Gras sagt »Zecken«, der lehmige Boden »Tetanus«. Es ist ein Albtraum von einem Haus, Stein gewordener Eskapismus, eine halb verfallene Persiflage auf den Traum von offenem Kamin, Korbsessel und Trockenblumenstrauß. Nicht mal Brittas Eltern wären jemals auf die Idee gekommen, in so eine Hütte zu ziehen.

»Ist es nicht schön?«, fragt Janina.

»Es ist schön«, sagt Britta, und bemerkt verunsichert, dass das nur halb gelogen ist. Janinas glück-

liches Strahlen verstärkt den Wunsch, sofort abzuhauen.

Aus Verlegenheit holt Britta das Handy hervor, als
wollte sie E-Mails checken, dabei schreibt sie keine
Mails und bekommt folglich auch keine, nicht einmal
von Babak. Merkwürdigerweise hat sich das Gerät
ausgeschaltet und ist gerade mit Neustarten beschäftigt, in der Mitte des Displays dreht sich das blumen-
förmige Symbol. Irritiert schiebt Britta es zurück in
die Tasche.

Der Makler kommt, leutselig, durchtrieben, gehetzt.
Die Kinder spielen kreischend im Garten, als wären
sie Mitwirkende in einem Bullerbü-Film, die Erwachsenen besichtigen sämtliche Räume, Britta atmet flach
durch den Mund und achtet darauf, nichts zu berühren. Alles ist unfassbar dreckig. Manche Fenster sind
fast undurchsichtig. Auf den Fensterbänken liegen
Massen von toten Fliegen. Die Staubschicht am Boden
ist so dick, dass man die Schuhabdrücke verschiedener
Interessenten sieht. Als sie die Küche betreten, sprin-
gen zwei Katzen auf, die in einem Sonnenfleck am Boden geschlafen haben, und entwischen durch die offen
stehende Haustür. Britta stellt sich die Spinnen im Keller vor und die Farbe des Wassers, das durch rostige
Rohre fließt. Sie spürt Richards Seitenblick und zwingt
sich zu lächeln. Sie sagt sich, dass es nichts gibt, was
man nicht abwaschen und desinfizieren kann, sobald
sie wieder zu Hause sind.

Knut und Janina lauschen den Ausführungen des

Maklers, geben erfundenes Fachwissen von sich und tun so, als wägten sie Vor- und Nachteile ab, dabei ist die Entscheidung längst gefallen. Der Preis ist gering, Janina ist verliebt. Sie werden das Haus kaufen, die *Brücke* wird es bezahlen. Nullzinskredit, Leasing- oder Erbpachtvertrag – das Rechtliche wird sich finden. Der Makler erlaubt ihnen, die Picknickdecke im Garten auszubreiten, verschließt das Haus, erinnert noch einmal daran, dass es massenweise andere Interessenten gibt, und fährt zurück in die Stadt.

In einem Anfall von Heißhunger verspeist Britta drei kalte Hähnchenschenkel, ganz egal, wie laut die anderen über sie lachen. Vera und Cora klettern auf Bäume, pflücken Blumen und bewerfen sich mit Sand. Richard und Knut reden über ein neues Ego-Adventure, das besser aussieht und intelligenter aufgebaut ist als alles, was es je gab. Janina lehnt auf einem Ellbogen und wirft dem Haus schwärmerische Blicke zu. Britta weiß genau, was Janina sieht. Einen Ort, an dem die restliche Welt endgültig keine Rolle mehr spielt. An dem man ein Kind großziehen und ein Leben führen kann, das sich zwischen Frühstück im Garten, Mittagspicknick und Grillabend bewegt. Natürlich weiß Britta, dass das eine Lüge ist. Aber sie beneidet Janina um ihre Fähigkeit, daran zu glauben.

Ein weiteres Mal schaut sie nach ihrem Handy. Erst jetzt, da alles wieder aussieht wie immer, der Sperrbildschirm mit Veras lachendem Gesicht, darunter die selten benutzten Buttons für Mails, Messenger, Browser – erst jetzt fährt Britta der Schreck in die Glieder. Das Telefon fühlt sich plötzlich heiß an in ihrer Hand. Sie springt auf, ruft die Kinder und läuft mit ihnen über die Wiese, zur hinteren Grundstücksgrenze, wo ein kleiner Bach fließt, irgendein winziger Zubringer von Aller oder Oker, selbstvergessen plätschernd unter dem überhängenden Gras. Dort lässt sie mit den Mädchen kleine Schiffe aus Holzstücken schwimmen, so, wie ihre Eltern es einst mit ihr getan haben. Die Mädchen jagen den Schiffen hinterher, und als Britta sicher sein kann, dass niemand guckt, lässt sie ihr Handy ins Wasser fallen. Schon während es sinkt, weiß sie, was sie stattdessen hätte tun sollen. Das Gerät ausschalten, über Nacht im Kühlschrank lagern und so bald wie möglich zu Babak in die Praxis bringen, damit er prüfen kann, ob es einen Zugriff gegeben hat und von wem. In Panik zu geraten und das Telefon zu zerstören ist einfach nur dumm. Das passt nicht zu ihr.

Die Strömung nimmt das Gerät ein Stück mit, dann bleibt es am Grund liegen, silbrig glänzend zwischen den Steinen wie ein toter Fisch. Britta steht auf, um heimlich hinter einen Himbeerbusch zu kotzen.

9

Als Julietta nach drei Tagen wiederkommt, sieht es bei der *Brücke* aus wie im Büro eines mittelständischen Unternehmens während einer Betriebsprüfung. Auf Couch, Sesseln und Rezeption, überhaupt auf jeder freien Fläche und teilweise auf dem Boden liegen Stapel von Papier, Schnellheftern, Aktendeckeln, überragt von Türmen aus Leitz-Ordnern. Babak und Britta sichten, lesen, vergleichen, reichen sich einzelne Blätter hin und her, beugen sich über Lebensläufe und Persönlichkeitsprofile. Lassies Brummen ist zum Hintergrundrauschen ihrer Geschäftigkeit geworden. Unablässig fischt der Algorithmus Namen aus den Selbstmordforen, analysiert Stil und Wortwahl, verknüpft die Ergebnisse mit Einkaufslisten, Reisedaten, Musik- und Filmbibliotheken, E-Book-Auswertungen, Surfbiografien und legt seinem Herrchen die Beute stapelweise vor die Füße. Babak hat darauf hingewiesen, dass sich bereits vier Kandidaten in der Evaluierung befinden und sie mit der großangelegten Recherche drauf und dran sind, ihre Kapazitäten zu sprengen. Britta hat genickt und »weitermachen« gesagt.

Die Geschichte des entsorgten Handys hat Babak kommentarlos zur Kenntnis genommen.

Dafür hat er nebenbei ein paar Beispiele von psychisch instabilen Einzeltätern herausgesucht, die ihre Attentate allein geplant und durchgeführt haben, was Daesh nicht daran hinderte, sich im Nachhinein dazu zu bekennen. Nizza, Würzburg, Bratislava. Das Selfie-Video eines jungen Afghanen, der mit einem Küchenmesser fuchtelt, während er in die Kamera spricht: Ich bin ein Soldat des Kalifats.

Natürlich kennt Britta diese Fälle, sie kennt sämtliche Fälle. Aber seit der Djihad seine Anziehungskraft verloren hat und die *Brücke* potenzielle Einzeltäter vom Markt fischt, finden solche amokartigen Aktionen nicht mehr statt. Und es gibt weitere Gründe, warum Babaks Wink mit dem Zaunpfahl ins Leere geht.

»Das in Leipzig waren keine Lone Actors«, sagt Britta. »Sie waren zu zweit. Außerdem nehmen Einzeltäter eine Straßenkreuzung ins Visier, eine Regionalbahn, ein Café oder ein Konzert. Aber bestimmt nicht den Flughafen. Um da reinzukommen, brauchst du logistischen Support.«

Über diesen Widerspruch kommen sie beide nicht hinweg: In Leipzig ist eine Institution tätig geworden, aber in so verheerender Qualität, dass jeder Einzeltäter auf Psychopharmaka es besser hingekriegt hätte. Dieser Widerspruch türmt Papier auf die Mö-bel, beugt ihnen die Rücken, lässt die Köpfe rauchen. Sie haben Lassies Auswahl auf rund hundertzwanzig vielversprechende Namen eingegrenzt, welche durch sorgfältige Abwägung auf vierzig reduziert werden sollen. Julietta hatten sie bereits vergessen.

»Was ist denn hier los?«

Sie steht im Raum, bevor jemand sie kommen sieht. Gut gelaunt sieht sie aus, ihre Haltung hat etwas Tri-umphales. Betont langsam blickt Britta von ihrem Aktenstapel auf und bewegt den Unterkiefer, als würde sie Kaugummi kauen.

»Inventur.« In einer schnellen Bewegung steht sie auf, vermeidet Babaks Blick und nimmt ihre Jacke von der Sessellehne. »Komm.«

Nach ein paar sommerlichen Tagen hat es wieder aufgefrischt, ein ruppiger Wind zerrt an allem, was lose hängt. Britta und Julietta wickeln sich in ihre Jacken und ertragen den leichten Sprühregen, der ihnen in die Gesichter treibt. Dem Wetter zum Trotz herrscht im Bürgerpark der übliche Betrieb. Sport-ist-öffentlich-Gruppen, Omas mit Pinschern. Junge Män-ner, die das bedingungslose Grundeinkommen nutzen, um auf Bänken zu sitzen. Frührentner, die in öffent-lichen Pflanz-Arealen ihre Tomatenstauden pflegen. Mütter, die Kinderwagen schieben, so zugehängt mit Planen und Tüchern, dass niemand weiß, ob sich tat-sächlich etwas darin befindet.

Als sie das Babylon erreichen, sind sie nass und

durchgefroren. Beide behalten die Jacken an, während sie sich auf zwei der Klappstühle setzen, mit denen die Dönerbude, eines der letzten arabischen Lokale im Zentrum, möbliert ist. Sahid bringt ungefragt grünen Tee, fragt, ob Essen gewünscht sei, und verzieht sich wieder hinter den Perlenvorhang, da um diese Tageszeit ohnehin keine weiteren Kunden zu erwarten sind.

Julietta hibbelt auf dem Stuhl herum, schaut zur Tür, lächelt Britta zu, reibt sich Oberschenkel und Oberarme, schaut wieder zur Tür. Vielleicht ein Medikament. Oder die Tatsache, dass sie etwas verstanden hat. Britta wartet. Der Kandidat soll mit dem Sprechen beginnen. Auch das ist eine Regel der *Brücke:* Die wollen etwas von uns, nicht wir von ihnen.

»Hab eine Weile gebraucht, um es zu kapieren«, sagt Julietta.

»Was?«

»Dass ihr einen wegschickt, um zu gucken, ob man wiederkommt.«

Sie lächelt und hebt die Augenbrauen, eine Bitte um Bestätigung, die unerwidert bleibt. Britta hat ihr Gesicht in einen Zustand vollkommener Ausdruckslosigkeit versetzt.

»Hier bin ich«, sagt Julietta. »Test bestanden?«

»Ja.«

»Und jetzt?«

Jetzt erreicht Julietta Stufe 2. Kleiner Tusch. Unhörbar. Vor Unwillen beißt Britta die Zähne zusammen, während sie aufsteht, um sich bei Sahid etwas zu schreiben zu holen. Julietta ist jung und sieht toll aus, die Medien würden sie lieben. Man spürt ihre Entschlossenheit und darunter noch etwas anderes, eine Härte, ja, Grausamkeit, die sie nicht nur gegen sich selbst, sondern gegen die gesamte Menschheit richtet. Auf den ersten Blick die perfekte Kandidatin, und die *Brücke* braucht perfekte Kandidaten, gerade jetzt. Aber Britta will nicht. Sie will, dass Julietta verschwindet. Nur, dass es gegen die Regeln wäre, eigene Gefühle über die Ergebnisse der Evaluierung zu setzen.

Sahid sitzt am Campingtisch und löst ein Kreuzworträtsel, neben sich ein Tablet, auf dem ohne Ton eine Fernsehserie läuft, sowie ein Radio, das zu den stummen Bildern leise plappert. Gern verleiht er Papier und Stift, und Britta kehrt zu Julietta zurück. Ihre Handschrift ist so schlecht, dass sie nicht verdecken muss, was sie schreibt; es ist ohnehin unleserlich, manchmal sogar für sie selbst.

»Warum willst du dich umbringen?«

»Warum nicht?«

Gute Antwort. Eine bessere hat Britta noch nie bekommen. Sie muss trotzdem auf weiteren Erklärungen bestehen.

»Anders gefragt: Warum willst du tot sein?«

»Wollte ich schon immer. So, wie andere Mädchen ein Pferd wollten.« Julietta zuckt die Achseln. »Die Menschheit ist widerlich. Alle sollten es so machen wie ich und dafür sorgen, dass sie schnell verschwinden.«

»Ziemlich dekadent.« Britta macht sich eine Notiz. Sie schreibt Punkte auf, die sie später vertiefen will; das Erstgespräch dient vor allem der Bestandsaufnahme. »Anderswo kämpfen die Menschen um ihr Leben, und du sitzt hier und leidest.«

»Du kapierst es nicht.« Julietta nippt an ihrem Tee. »Nicht *ich* leide. Wir alle. Das ist das Problem. In einer Welt, in der sich die, denen es am besten geht, am beschissensten fühlen, ist etwas grundverkehrt.«

»Komplizierter Satz.«

Wieder zuckt Julietta die Achseln.

»Ist mir egal, was du denkst.«

»Gibt es nichts, was dich hält?«

»Meine Katze wird mich vermissen.«

»Deine Eltern?«

»Warum fragst du nach meinen Eltern?«

»Ich frage immer nach den Eltern.«

Julietta schüttelt die Haare und fährt mit den Fingern hinein, sie beginnen zu trocknen, es riecht feucht, der heiße Tee tut gut. Draußen hat der Regen aufgehört, für einen Moment reißt der Himmel auf und lässt frisch gewaschenes Licht hindurch, das von schnell wandernden Wolken die Straße hinuntergeschoben wird. Der Wind bläst Papierstücke und leere Tüten durch das Licht-und-Schatten-Theater. Selbst in einer sauberen Stadt wie Braunschweig findet sich in den hintersten Ecken noch etwas Müll, mit dem er spielen kann.

»Die Frage klingt nach Psychotherapie.«

»Das *ist* Psychotherapie.«

»Verschone mich.«

»Die Konfrontations-Methode ...«

»Nee, echt nicht!«, ruft Julietta. »Können wir das Gelaber nicht sein lassen?«

Britta lutscht am Stift, bis sie feststellt, dass ein leichtes Aroma von Bratfett daran klebt, und unterdrückt das Bedürfnis, auf die Toilette zu laufen und sich den Mund auszuspülen. Sie überlegt, ob sie auf Stufe 1 zurückkehren und Julietta wegschicken soll. Die starrt sie an, als überlege sie sowieso schon abzuhauen. Trotzdem entscheidet sich Britta für einen anderen Weg. Julietta ist jung, clever und eine Frau. Bei ihr kommt es nicht darauf an, Dominanzverhalten zu brechen. Die Kleine hat vor allem Angst, nicht ernst genommen zu werden.

»Ich erkläre dir jetzt, was die *Brücke* tut«, sagt Britta. »Was wir für dich tun können.« Sie trinkt ihren Tee aus. »Du durchläufst bei uns ein zwölfstufiges Verfahren, in dem wir herausfinden, ob du dir tatsächlich das Leben nehmen willst.«

»Das weiß ich schon.«

Britta beugt sich vor und blickt Julietta direkt in die Augen. »Es ist absolut zentral, deinen Entschluss von allen Seiten zu prüfen. *Das* ist es, was wir tun. Wir lösen Selbstmordgedanken auf.«

Juliettas Wut wandelt sich in Nachdenklichkeit.

»Ein paar bleiben übrig?«

»So ist es.«

»Was genau passiert, wenn ich alle zwölf Stufen bestanden habe?«

Britta schweigt.

»Ihr vermittelt mich an eine Organisation, die meinen Tod gebrauchen kann.«

Britta schweigt und nimmt erneut jede Gefühlsregung aus ihrem Gesicht. Julietta beginnt langsam zu nicken.

»Okay«, sagt sie.

Britta dreht den Notizzettel um und schiebt ihn über den Tisch. »Schreib Name und Geburtsdatum auf.«

Julietta nimmt den Stift. »Ich kann dir meinen Lebenslauf mailen, wenn das hilft.«

»Nicht nötig.«

Das Mädchen lacht. »Spätestens morgen wisst ihr mehr über mich als ich selbst, stimmt's? Ihr habt einen Algorithmus. Deshalb brummt eure Bude.«

Darauf antwortet Britta nicht. Julietta lehnt sich zurück, schiebt die Haare aus dem Gesicht, dehnt die Schultern. Ihr ganzer Körper entspannt sich. Zum ersten Mal blickt sie Britta frei in die Augen. Ihre Schönheit ist schockierend. Glatte Haut, gerade Nase, Brauen geschwungen, Wimpern lang und dunkel. Die Lippen sind ein wenig blass und zerbissen, weil Julietta sie beim Nachdenken zwischen die Zähne zieht, aber dieser Makel komplettiert die Perfektion eher, als dass er sie stört.

»Ich kann nichts dafür«, sagt Julietta, die sieht, was Britta denkt.

»Ich weiß.«

»Mein Aussehen hat mir nie genutzt.«

»Überrascht mich nicht. Erzähl mir von deinen Eltern.«

Im Zuge ihrer Arbeit für die *Brücke* hat Britta unzählige Lebensgeschichten gehört. Sie hat mit Menschen gesprochen, die ein Verbrechen bereuen. Mit Vätern, die ein Kind verloren haben. Mit Männern, die von der Frau ihres Lebens verlassen wurden oder von Trieben gequält werden, die ihnen selbst zuwider sind. Britta hat in alle möglichen menschlichen Abgründe geblickt und dabei gelernt, dass es für Tragik keine verbindliche Skala gibt. Manche Menschen leiden mehr darunter, dass ihre Eltern ihnen nicht die richtigen Turnschuhe gekauft haben, als andere unter der Tatsache, dass sie dreimal täglich verprügelt worden sind. Wenn es Unterschiede gibt, dann eher in Bezug auf den Unterhaltungswert. Es wird schnell klar, dass Juliettas Geschichte zu den langweiligen gehört.

Einzelkind, Akademikerhaushalt. Perfektionsterror, Glückszwang. Der Vater kam zum Abendessen, küsste seine apart gekleidete Frau und die schweigsame Tochter, setzte sich zu Tisch und redete über Politik. Effizienz, Re-Nationalisierung, Volkshygiene. Beide Eltern gehörten zu den BBB-Wählern der ersten Stunde. Julietta aß ihren Teller leer, ganz gleich, was sich darauf befand. Sie ging zur immergleichen

Zeit ins Bett, ganz gleich, ob sie schlafen konnte oder nicht. Ihr Vater liebte sie abgöttisch. Sie war so ein braves Mädchen, auffallend hübsch dazu, und immer fröhlich.

»Viel Zeit vor dem Computer verbracht?«

»Ich mag das Darknet. Und Selbstmordforen.«

Wäre Julietta ein Mann, hätte Lassie sie vermutlich schon vor Jahren herausgefischt, und Julietta hätte Post von der *Brücke* bekommen. Aber Lassie setzt Frauen auf unterste Priorität. Frauen reden viel über Selbstmord und tun es selten. Außerdem richten sie Aggressionen vor allem gegen sich selbst, was sie als Attentäter unbrauchbar macht. Es gibt keine Regel, die besagen würde, dass die *Brücke* keine Frauen nimmt. Aber in Lassies System hat es noch nie eine in die höheren Kennziffern geschafft. Britta arbeitet lieber mit Männern. An Männer ist sie gewöhnt.

»Lebst du in Braunschweig?«

»Ich hab mir ein Zimmer genommen.«

»Bitte zieh um ins Hotel Deutsches Haus. Es gibt eine Geschäftsvereinbarung. Wir übernehmen die Kosten.«

»Und wenn ich in zwei Wochen verschwinde?«

»Die *Brücke* trägt das volle Risiko.«

»Wie könnt ihr euch das leisten?«

»Menschen, denen wir das Leben retten, spenden gern.«

»Und die anderen?«

Britta lächelt. »Die auch.«

Auf Juliettas Gesicht erscheint ein breites Grinsen. »Heißt das, ich bin angenommen?«

»Herzlichen Glückwunsch«, sagt Britta und fragt sich, was Babak dazu sagen wird.

»Eine Bedingung habe ich noch«, meint Julietta.

Britta, die schon dabei war, sich zu erheben, setzt sich langsam wieder hin.

»Es muss für die Tiere sein.«

»Das hatten wir bereits geklärt«, sagt Britta beherrscht. »Wir prüfen deine Suizidalität, mehr nicht.«

»Aber am Ende«, beharrt Julietta. »Wenn ich alle Stufen durchlaufen habe. Green Power wäre super. Oder was anderes mit Tierschutz.«

»Die Kandidaten der *Brücke* stellen keine Bedingungen.«

Tatsache ist, dass die Kandidaten der *Brücke* im Normalfall nicht wissen, was sie wollen.

»Aber wer trifft denn am Ende die Absprachen? Haben die Kandidaten kein Mitbestimmungsrecht?«

In der Regel werden die Absprachen einvernehmlich getroffen, die *Brücke* macht Vorschläge, der Kandidat wählt aus, dann wird die Nachfrage überprüft. Britta nimmt die Auswahl nicht auf die leichte Schulter. Es muss passen. Aber nichts davon ist Gesprächsstoff für Stufe 2.

»Versau es nicht«, sagt Britta und schiebt ihren Stuhl zurück.

»Eins musst du wissen.« Julietta hebt einen Zeigefinger und richtet ihn direkt auf Brittas Gesicht. »Ich mache es so oder so. Mit oder ohne euch. Deine Entscheidung.«

»Trink deinen Tee aus.«

Die Wut, die Britta erfasst, ist unprofessionell und so stark, dass sie den Tisch verlässt und sich auf Sahids winziger Toilette einschließt. Dort setzt sie sich auf den Klodeckel, stützt die Hände auf die Knie und versucht, sich Rechenschaft abzulegen. Aber es kommt immer nur neue Wut, am liebsten würde Britta etwas zerstören, den Spiegel oder den Papierspender. Sie hat Lust, Julietta zum Teufel zu jagen, dieses Mal nicht, damit sie wiederkommt, sondern um sie für immer loszuwerden. Warum? Weil sie nicht passt. Die Kandidaten der *Brücke* haben keine Ziele, sondern leiden unter deren Abwesenheit. Wer Ziele hat, will sich nicht umbringen. Die paar wenigen, die die Evaluierung bestehen, sind am Ende dankbar, einer Bestimmung zugeführt zu werden.

Ich verkaufe Überzeugungen, denkt Britta, und diesem Mädchen kann ich nichts verkaufen.

Vor allem aber ist Britta wütend, weil sich Julietta ihrer Sache so sicher ist. Die Leidenschaft, mit der sie »Ich mache es so oder so« gesagt hat, verleiht ihr eine ungewöhnliche Kraft. Ein halbes Kind und sitzt da wie ein Fels. Neben Julietta spürt Britta die eigene Schwäche. Ein Flattern, ein leichtes Schwanken. Es gibt Dinge, die Julietta hasst. Britta hasst nichts und niemanden. Um zu hassen, müsste man erst mal wissen, worauf es ankommt.

Nach ein paar Atemübungen verlässt Britta die Toilette und gibt Sahid ein Zeichen, dass er wie immer anschreiben soll. Julietta sitzt gebeugt. Als sie Britta hört, hebt sie den Kopf nicht, sondern dreht nur die Augen nach oben, um ihr lauernd wie ein Tier entgegenzusehen. Britta mag diesen Blick nicht. Er sagt: Ich gewinne. Immer.

10

»Hallihallo! Gute Neuigkeiten!«

Die Tür des Betonwürfels knallt mit so viel Schwung gegen die Wand, dass für einen kurzen Moment nicht klar ist, ob das milchige Glas aus dem Rahmen fallen wird. Britta lässt Herd und Kochtopf im Stich und läuft auf den Flur, wo Richard gerade mit etwas mehr Vorsicht die glücklicherweise unversehrte Tür schließt. Er strahlt über das ganze Gesicht; in der Hand trägt er eine Flasche Dom Pérignon. Das ist Feiern der Kategorie Eins. Blitzschnell scannt Britta alle Möglichkeiten, die sie vergessen haben könnte, Geburtstag, bestandene Prüfung, irgendein Vera-Erfolg, und stellt fest, dass ihr absolut nichts einfällt. Es muss etwas passiert sein.

Essensduft durchzieht das Haus. Normalerweise kocht Britta nicht, es ist eine Übersprungshandlung. Statt nach dem Treffen mit Julietta zurück in die Praxis zu gehen, hat sie Vera früh vom Hort abgeholt und ist mit ihr nach Hause gefahren. Den ganzen Nachmittag hat sie im Haus herumgeräumt, nach

Spinnweben gesucht, Staub gewischt, jene Schlieren wegpoliert, die Henry notorisch übersieht. Zwischendurch hat sie immer wieder an Babak gedacht. Wegen Lassies Sondereinsatz hat er in letzter Zeit kaum geschlafen. Um sich wach zu halten, arbeitet er zwischen den Wartungsphasen an seinem Pünktchenbild, das gewaltig gewachsen ist, gleichmäßig, von den Ecken her. Babak ist am Rand seiner Kraft. Er war gegen Lassies Einsatz und käme trotzdem niemals auf die Idee, Brittas Anweisung zu missachten. Sie liebt ihn für seine Loyalität. Sie hätte im Babylon zwei Döner kaufen und mit in die Praxis bringen sollen. Der Geruch hätte die Firmenräume erfüllt, und für einen Moment wäre es wie früher gewesen, die alltägliche Britta-Babak-Beziehung, Döner, Pünktchenbild, drei bis vier Kandidaten in der Evaluierungsschleife, abends Familie für Britta und Schwulenbars für Babak, ein Leben, das sie beide lieben, mit viel Flaute und wenig Sturm, ein Leben unter dem Radar, ein perfektes Leben, ein seltenes Leben.

Aber es riecht nicht nach Döner, sondern nach Curry. Britta ist nicht in die Praxis, sondern nach Hause gefahren, weil sie keine Lust hatte, Babaks Fragen in Bezug auf Julietta zu beantworten. Er wird vor Neugier platzen, und es ist gemein, ihn hängen zu lassen. Aber Britta will jetzt nicht darüber reden, was an Julietta so großartig ist, und schon gar nicht darüber, was sie an ihr stört.

Flüchtig küsst sie Richard auf die Wange und lässt

ihn im Flur stehen, um zu verhindern, dass sich die in der Pfanne schwitzenden Zwiebeln in Holzkohle verwandeln. Neben dem Herd stehen kleine Schüsseln mit gehacktem Zitronengras und Koriander, Knoblauch, Kreuzkümmel und Austernpilzen. Britta hat sich das Rezept aus dem Internet runtergeladen. Normalerweise bereitet Richard es für sie zu, es ist eins ihrer gemeinsamen Lieblingsgerichte aus der Zeit, als sie sich kennenlernten. Weil es für Vera zu scharf ist, stellt es stets eine kleine Rebellion dar, es trotzdem zu kochen.

Richard kommt in die Küche, umarmt sie von der Seite und drückt ihr einen Kuss auf den Scheitel, wobei sie die Hände abspreizt, um klarzumachen, dass ihre Finger scharf sind vom Chilisaft.

»Du kochst für mich? Weißt du es schon?«

»Wunder der Telepathie.« Britta lacht. »Oder Zufall? Was dir lieber ist.«

»Ich nehme die Telepathie.«

»Was gibt's denn?« Vera schlurft in die Küche, eine Mega-Melanie-Puppe in jeder Hand. »Ooooch, das mag ich nicht.«

»Für dich Kinder-Pizza.«

»Immer nur Kinder-Pizza.«

»Es gab seit Tagen keine Kinder-Pizza.«

»Kinder-Pizza ist langweilig.«

»Wir haben was zu feiern!« Richard packt seine mürrische Tochter an den Armen und schiebt sie mit kleinen Hüftschwüngen durch die Küche, als tanzten sie zu einer unhörbaren Musik.

»Lass mich! Was hast du denn?«

»Gute Laune!«

In der Tat hat Britta ihn seit Ewigkeiten nicht so gut gelaunt erlebt. Jetzt stemmt er Vera in die Luft und dreht sich mit ihr im Kreis, bis sie doch noch zu lachen beginnt und sie beide kreischend und schwindelig auf dem Küchenboden zusammensinken. Britta betrachtet das Etikett des Dom Pérignon, bevor sie die Flasche ins Eisfach schiebt.

»Willst du mir einen Antrag machen?«, fragt sie.

»Wir sind schon verheiratet.«

»Willst du dich scheiden lassen?«

»Eigentlich nicht.«

»Hast du im Lotto gewonnen?«

»Ohne zu spielen?«

»Warum nicht?« Schwungvoll gießt Britta noch eine Portion Sesamöl in die Pfanne. »Soweit ich weiß, sind die Chancen nicht wesentlich höher, wenn man spielt.«

»Du kannst raten, so viel du willst, du wirst nicht darauf kommen.«

»Deck den Tisch. Wir essen auf der Terrasse.«

Mit der stumpfen Seite des Messers schiebt sie Zutaten in die Pfanne, lässt sie kurz brutzeln und löscht mit Kokosmilch ab. Der Geruch wird so intensiv, dass Britta für einen Moment die Augen schließt. Für Vera gibt es zur Feier des Tages ein Geschenk. Richard überreicht es ihr, oder besser, er versucht es, denn sie hat es ihm schon aus der Hand gerissen und in der

Luft zerfetzt, bevor er den Arm ganz ausgestreckt hat. Zum Vorschein kommen zwei neue Mitglieder der Mega-Familie, Mega-Milan und Mega-Miró. Britta kennt sich inzwischen in der Mega-Welt gut genug aus, um zu wissen, wer die beiden sind. Er ist Pianist aus Zagreb, sie Malerin aus Paris, beide erfolgreich, mit Penthouses in Brooklyn und Samoskworetschje, berühmt für ihren extravaganten Kleidungsstil. An den Wochenenden flanieren sie Arm in Arm durch die Mega-Mall, um ihr schöngeistig verdientes Geld auszugeben. Gelegentlich steht auch ein Konzert oder eine Vernissage auf dem Programm. Nun, da sie bei Vera gelandet sind, werden sie vermutlich demnächst bei einem Mega-SEK-Einsatz erschossen.

»Wie geil, wie geil«, wiederholt Vera unzählige Male, bevor sie im Kinderzimmer verschwindet, um die beiden Neuen vor dem Essen in ihr Aufgabengebiet einzuweisen.

Das schlechte Wetter hat sich verzogen, der Abend ist lau. Zu dritt sitzen sie auf dem Kiesplatz vor dem Betonwürfel, Vera über ihre Pizza gebeugt, während Britta noch dabei ist, für Richard und sich die Teller zu füllen. Der leichte Wind trägt Grillgerüche aus den Nachbargärten heran, gebratenes Fleisch, Holzkohle und Spiritus, dazu Kinderlachen, Geschirrgeklapper, das satte Prallen eines Fußballs, Erwachsenenstimmen, die sich gedämpft unterhalten. Das Curry schmeckt göttlich. Wenn Britta durch die Nase atmet, füllt sich ihr ganzer Kopf mit den Aromen von Zitronengras und Ingwer. Der Duft bringt die Party zurück, auf der sie Richard zum ersten Mal gesehen hat, zunächst nur von hinten, er lehnte in einem Türrahmen und unterhielt sich, groß, mit breitem Rücken und trotzdem erstaunlich biegsam, das Haar gebleicht von der Sonne. Er wiegte sich in den Hüften, während er etwas erzählte, die Worte sprudelten nur so aus ihm heraus, von Lachen unterbrochen, irgendeine Geschichte von einem Typen, der versucht, ein Mädchen anzusprechen, und immer das Falsche sagt, vielleicht aus einem Film und überhaupt nicht witzig, aber weil Richard so gut erzählte und sich so offensichtlich amüsierte, lachten seine Zuhörer mit, um ihn herum breitete sich die Fröhlichkeit ringförmig aus, und Britta dachte, das ist ein Mensch aus einer anderen Zeit, ein Unversehrter, den will ich haben, mit dem will ich leben, und sie hatte Angst vor dem Augenblick, in dem er sich umdrehte. Dann drehte er sich um, weil jemand seinen Namen rief, und Britta sah sein Gesicht und hätte am liebsten gesagt: »Da bist du ja, wo warst du so lang?« Auf dieser Party gab es thailändisches Curry, weil die Gastgeber gerade von einem längeren Aufenthalt auf Ko Samui zurückgekommen waren, man schöpfte es aus einem Topf, groß wie eine Gulaschkanone, aß mit Plastikbesteck aus tiefen Plastiktellern im Stehen, und Britta stellte sich neben Richard und sagte, dass sie gerade eine Praxis gegründet und erstes eigenes Geld verdient habe, mit dem sie Leipzig verlassen werde, und dass er die Stadt aussuchen dürfe, in die sie ziehe, sie dürfe nur nicht mehr als 300 000 Einwohner haben und nicht weiter südlich liegen als Koblenz, denn Schwäbisch und Bayrisch machten sie krank. Er hätte Kassel sagen können, Siegen, Bremerhaven oder Paderborn, aber er sagte Braunschweig, ohne nachzudenken, obwohl er nicht von dort kam, er stammte aus Hagen, was auch eine traurige Geschichte war. Sie verließen die Party gemeinsam und zogen gemeinsam nach Braunschweig, und dazwischen lagen nur drei oder vier Monate, in denen sie eine Menge Curry kochten.

»Schmeckt's?«

»Hervorragend. Ich wusste immer, dass du nur so tust, als ob du nicht kochen kannst.«

»Rückst du jetzt endlich raus mit der Sprache?«

Richard legt den Löffel weg und hebt mit großer Geste den Champagner aus dem Kühler.

»Nie wieder Klinkenputzen«, sagt er, während er die Alufolie vom Flaschenhals entfernt. »Nie wieder kahl rasierten Jeanshemdenträgern in den Arsch kriechen«, während er das Drahtgitter vom Korken löst.

»Du hast Arsch gesagt«, ruft Vera mit vollem Mund.

»Du wurdest gefeuert«, sagt Britta erstaunt.

»Mir gehört ein Drittel der Firma, schon vergessen? Ich kann mich höchstens selbst feuern.« Richards Fingerknöchel treten weiß hervor, während er den Korken daran hindert, zu schnell aus der Flasche zu schießen.

»Du hast ein Sabbatical auf Lebenszeit genommen.«

»Besser. Heute Nachmittag hatte ich plötzlich einen Typen in der Leitung. Sein Name ist Guido Hatz.«

»Nie gehört.«

»Google kennt ihn auch nicht.«

»Also sehr unbedeutend. Oder sehr wichtig.«

»Vor allem sehr reich. Er will als Risikokapitalgeber bei *Smart Swap* einsteigen. Vollumfänglich. Privater Investor, keine Fonds. Die üblichen Konditionen, mitreden, mitraten, mitgewinnen, monatliche Beichte, totale Transparenz.«

»Wie viel?«

»Darf ich nicht sagen. Seed und Early sind jedenfalls abgedeckt, ein Teil von Later wahrscheinlich auch. *Swappie* wird in aller Ruhe zur Marktreife gelangen.«

Britta weiß, dass sie sich freuen muss, es kann sich nur noch um Sekunden handeln, bis Richard sauer wird, weil sie noch keinen Jubelschrei vom Stapel gelassen hat.

»Wie sieht der Typ aus?«

»Keine Ahnung, Liebes, er war am Telefon.«

»Und ihr habt gleich alles fest gemacht?«

»Hatz weiß, was er will. Er hat die Vorverträge sofort rübergebeamt, der grobe Rahmen steht.«

»Woher kennt er euch?«

»Liebes, ich gehe nicht nur zum Dartspielen in die Firma! Akquise! Werbung! Networking! Es ist nicht völlig unmöglich, *Swappie* zu kennen.« Er beugt sich vor, schenkt Champagner ein und greift nach ihrer Hand. »Verstehst du nicht, was das für mich bedeutet?«

»Natürlich. Gratuliere.«

»Jetzt wird sich alles ändern. *Swappie* kommt ins Laufen. Emil und Jonas werden sich beruhigen. Wir können Leute einstellen, wir werden ein normales Unternehmen, ich bekomme einen Arbeitsplatz, an dem ich arbeiten darf!«

»Das ist großartig.« Sie stoßen an, Britta erhebt sich halb vom Stuhl, um Richard über den Tisch hinweg zu küssen. »Ich freue mich unheimlich. Du hast es so verdient.«

Sein strahlendes Lächeln ist noch genauso einnehmend wie vor zwölf Jahren. Überhaupt hat er sich kaum verändert, er wirkt immer noch wie ein Mensch, der in einer Welt lebt, die vollkommen in Ordnung ist.

»Ich liebe dich«, sagt Britta.

»Bamm«, schreit Vera, weil Mega-Miró plötzlich auf Mega-Milan geschossen hat.

Nach dem Essen trägt Richard die Teller in die Küche, während sich Vera zum Puppenspielen verzieht und Britta noch einen Moment sitzen bleibt, um die laue Luft und das dritte Glas Champagner zu genießen.

Sie hat sich gerade selbst davon überzeugt, dass an Richards Glücksgriff absolut nichts Merkwürdiges ist, und freut sich darauf, Vera ins Bett zu bringen und die kleine Feier auf der Couch fortzusetzen, als sie das Motorengeräusch vernimmt. Im Viertel wird langsam gefahren, aber nicht Schrittgeschwindigkeit. Sie rechnet damit, einen Streifenwagen vorbeischleichen zu sehen, aber was sich ins Bild schiebt, ist ein weißer Pick-up. Toyota Hilux.

Dieses Mal kann sie das Gesicht des Fahrers erkennen, er trägt weder Brille noch Schirmmütze. Dunkles, nicht gerade frisch geschnittenes Haar, ein Mann Ende vierzig oder Anfang fünfzig, Deutschlehrer oder Familienvater oder Autohändler oder alles zusammen, ein Durchschnittstyp, sympathisch und ohne Wiedererkennungswert, wenn er nicht diesen Schnurrbart tragen würde, dunkel, schlecht geschnitten, ein buschiger Störfaktor zwischen Nase und Mund. Als sich ihre Blicke treffen, tritt er aufs Gas. Der Wagen beschleunigt, biegt am Ende der Straße rechts ab, und Britta kann hören, wie der Motor aufheult, als er das Viertel Richtung Stadtmitte verlässt.

»He, du guckst ja immer noch total erschrocken.« Lachend geht Richard neben ihrem Stuhl in die Knie und nimmt ihre Hand. »Ist es wirklich so gruselig, wenn bei mir auch mal was klappt?«

Britta bringt ein Lächeln und ein Kopfschütteln zustande, nur sprechen kann sie noch nicht. Richard küsst ihre Fingerspitzen.

»Wirst schon sehen«, sagt er. »Alles wird gut.«

11

»Na, Djawad, wie war's?«

»Wallah, Frau Britta, voll schön, ich schwöre.«

Obwohl Djawad dreiundzwanzig Jahre alt ist, kommt Britta immer wieder in Versuchung, ihn wie ein Kind anzusprechen.

»Waren die Tanten und Onkel nett zu dir?«

»Yo, die haben mir Pillen gegeben, voll verschärft, ich hab nur noch gepennt, Tag und Nacht.«

Djawad hat die letzten zehn Tage und acht Stunden in Langenhagen verbracht, einer psychiatrischen Klinik bei Hannover. Auf Stufe 5 der Evaluierung weisen sich die Kandidaten wegen Suizidgefahr selbst in eine Klinik ein und absolvieren einen mindestens zehntägigen Aufenthalt, inklusive Teilnahme an sämtlichen Therapieangeboten. Dass Djawad sich am Morgen nach Ablauf des zehnten Tags selbst entlassen hat, deutet darauf hin, dass es vielleicht doch nicht ganz so schön gewesen ist.

»Bin neuer Mensch, Frau Britta, ich schwöre.«

Er lacht und zündet sich eine Zigarette an. Britta

und Babak mögen es nicht, wenn in der Praxis geraucht wird, aber Djawad verstößt notorisch gegen Verbote aller Art, nicht aus Aufmüpfigkeit, sondern weil es in seinem Gehirn eine Stelle gibt, die dafür sorgt, dass er Verbote sofort vergisst. Manchmal ist es Britta zu anstrengend, ihn immer wieder zurechtzuweisen.

»Wenn es dir gefallen hat, warum bist du dann nicht länger auf der Station geblieben?«

»Abu, Frau Britta, immer nur schlafen und labern, labern und schlafen. Ich so morgens aufgewacht und will meinen Kopf zurück. Kommt Arzt, und ich so: ›Wallah, Bruder, keine Pillen mehr, sonst Vollkontakt.‹«

»Aha.«

Britta blättert in den Entlassungspapieren, unter denen sich auch der Arztbrief befindet. Täglich Tavor, dazu morgens Citalopram, abends Mirtazapin. Kein Wunder, dass sich Djawad seinen Kopf zurückwünscht.

»Hast du an den Therapiesitzungen teilgenommen? Warst du kooperativ?«

»Normal, voll koparativ, oder was.«

»Kannst du dir vorstellen, die Therapie fortzusetzen?«

»Ey, was?«

»Hast du den Wunsch verspürt, deine Selbstmordpläne aufzugeben und eines Tages ein normales Leben zu führen?«

»Willst du mich anmachen, oder was?«

»Ich muss das fragen, Djawad. Es gehört zum Verfahren. Ich frage alle Kandidaten nach dem Aufenthalt in der Klinik.«

»Normal, ey.« Er drückt die Zigarette an der Schuhsohle aus und lacht wieder. »Ich dachte schon, du willst mich loswerden.«

Seine Treuherzigkeit versetzt Britta einen Stich. Djawad ist ein Fall, den sie in der heimlichen Hoffnung ins Programm aufgenommen hat, er möge die *Brücke* so schnell wie möglich wieder verlassen und geheilt ins Leben zurückkehren. Obwohl Lassie ihn mit einem guten Wert von 10,1 aus dem Netz gefischt hat, versteht Britta bis heute nicht recht, warum er sich umbringen will. Gewiss hat er nicht die vielversprechendste Zukunft vor sich. Er kann kaum lesen und schreiben, weshalb sich seine Wochenberichte meist nur auf ein paar Worte beschränken, »heute Regen, ich Kino«, und Babak zufolge ist sein Arabisch noch schlechter als sein Deutsch. Er besitzt keinen Schulabschluss und keinerlei Berufswünsche. Aber die anderen Jungs seiner Art verkaufen Drogen, streiten sich mit Türstehern, träumen von dicken Autos und von Mädchen, die folgsam wie Araberinnen und freizügig wie Deutsche sind. Sie leben ihr eigenes Leben am Rand einer Gesellschaft, die nichts mit ihnen zu tun haben will.

Wenn Britta bei den wöchentlichen Sitzungen mit Djawad über seinen Todeswunsch spricht, sagt er »Ich geh Allah, Frau Britta, ich schwör«. Den Rest der 50 Minuten versucht er, mit Streit übers Rauchen oder ein bisschen harmlosem Gequatsche herumzubringen. Dass er Daesh noch nicht in die Hände gefallen ist, beweist endgültig, dass die nicht mehr rekrutieren.

Obwohl er eine solche Nervensäge ist, mag Britta ihn. Auf seine verkorkste Weise will Djawad ihr unbedingt gefallen. Entgegen ihrer Erwartung hat er die Evaluierung bislang mühelos gemeistert. Der externe Psychotest auf Stufe 4 hat ihm eine narzisstische Störung, einen niedrigen IQ sowie massive Suizidalität bescheinigt. Und der Klinikaufenthalt auf Stufe 5 hinterlässt ihn offensichtlich völlig unbeeindruckt. Britta seufzt. Eine Grundregel der *Brücke* verbietet es, freundschaftliche Gefühle für Kandidaten zu entwickeln. Sie weiß, dass sie anfangen muss, Djawad mit anderen Augen zu sehen. Er ist kein lustiges Riesenbaby, sondern ein potenzieller Selbstmörder. Das Waterboarding auf Stufe 6 wird zeigen, wie gut er mit Todesangst zurechtkommt. Danach folgen Selbstverletzung und Kontaktabbruch zu allen nahestehenden Personen. Nach einigen weiteren Schritten kommt der finale Marschbefehl. Langsam wird es Zeit, sich über Djawads Verwendbarkeit Gedanken zu machen.

Sie beendet das Gespräch und schickt Djawad zurück ins Hotel, um sich die Wochenberichte vorzunehmen. Obenauf liegen die Ergüsse von Herrn Marquardt. Herr Marquardt ist ein steifer, förmlicher Herr um die fünfzig, der stets aufrecht auf der Stuhlkante sitzt und Brittas Fragen mit ebenso ausgesuchten wie langatmigen Formulierungen beantwortet.

Mehrere Seiten täglich pflegt er mit seiner gestochen scharfen Miniaturhandschrift zu füllen, und es graut Britta davor, sich ein weiteres Mal durch das Seelenleben eines Zwangscharakters zu quälen.

Immerhin hat es Marquardt schnell und geräuschlos bis auf Stufe 8 geschafft; beim Waterboarding erschlaffte er einfach, statt wie die meisten in wilde Zuckungen zu verfallen, und gab hinterher an, er habe helles Licht gesehen. Er ist momentan der vielversprechendste Kandidat. Vermutlich wird er Stufe 12 ohne Probleme erreichen und danach eine chirurgisch saubere Operation für seine Auftraggeber durchführen.

Trotzdem schiebt sie Marquardts Ergüsse an den Rand des Couchtischs und greift erst einmal neugierig nach Juliettas Aufzeichnungen. Als Britta am Tag nach dem Gespräch im Babylon in die Praxis gekommen ist, saß Babak bereits vor seinem Pünktchenbild und schaute ihr müde entgegen. Er hatte eine weitere Nacht bei Lassie verbracht.

»Und?«, fragte er, und Britta nickte. Daraufhin zog Babak anerkennend die Brauen hoch und nickte ebenfalls. Das war's. Keine Fragen. Dafür liebte Britta ihn.

Seit diesem Moment ist Julietta offizieller Teil des Programms. Sie hat eine Akte, eine Hotelzimmernummer und einen Koeffizienten von 8,7. Ausnahmsweise hat Babak das Scanning ein zweites Mal durchgeführt, wobei er das Geschlecht auf »männlich« setzte.

Als Lassie das Ergebnis ausspuckte, stieß er einen an-erkennenden Pfiff aus: 11,3. Der höchste Wert, der jemals zu Beginn einer Evaluierung vergeben wurde.

Der kleine Stapel umfasst zehn Seiten, was bedeu-tet, dass Julietta etwas mehr als eine Seite täglich schreibt.

Statt zu lesen, blättert Britta vor und zurück. Die Blätter sind nummeriert und datiert und gehören offensichtlich zusammen. Dennoch finden sich darauf drei verschiedene Handschriften, und Britta über-legt, ob es sein kann, dass Julietta Aufzeichnungen von fremden Personen eingereicht hat. Bei genaue-rem Hinsehen erkennt sie, dass sich die Schrift mitten im Satz ändert, von einer fließenden Schreibschrift zu schwerfälligen Druckbuchstaben, die sich eine Seite später in kaum leserlichem Gekrakel auflösen. Auf Brittas Armen sträuben sich die Haare. Sie hat von dem Phänomen gehört, es aber noch nie mit eigenen Augen gesehen.

Auch sonst bieten die Blätter ein ungewohntes Bild. Der Text läuft in zwei Spalten abwärts, als habe Ju-lietta ihre Gedanken in Form eines Langgedichts zu Papier gebracht.

Immer dasselbe
immer wieder Teufels-
karussell
rundherum
ich lösche Gedanken

ich lösche Gefühle
ich gehe hinaus
meine Maske gehört mir
die Realität und ich
wir passen nicht

Ich hasse
nicht
die Welt
das Leben
mich
es lohnt
nicht

Gleichgültigkeit tötet
Da! So seid ihr.
dumm und böse

ich helf euch
da raus

schrei
schrei
schrei

übt das Nichts
Funke
Feuer
Nacht

»Hallo, sorry, können wir kurz sprechen?«

Als Babak hereinkommt, legt Britta erleichtert die Seiten weg. Normalerweise mag sie es nicht, beim Lesen gestört zu werden, aber Juliettas Zeilen krallen sich mit Widerhaken ins Gehirn, schrei schrei schrei, Britta fährt sich mit beiden Händen durch die Haare, kratzt mit den Fingernägeln über die Kopfhaut, das Geräusch dröhnt unnatürlich laut, als habe sich der Innenraum ihres Schädels in eine leere Halle verwandelt.

»Alles okay?«

Sie nickt, lässt ihre Haare in Ruhe und konzentriert sich auf Babaks Gesicht. Er sieht wesentlich besser aus, nicht mehr so grau, die Ringe unter den Augen sind verschwunden, die jungenhaften Grübchen in seine Wangen zurückgekehrt. Seit Lassie schweigt, verbringt er die Nächte wieder im Bett. Insgesamt haben sie hundert mögliche Kandidaten ermittelt, genug, um im Zweifelsfall eine kleine Armee zusammen-zustellen. Auch wenn es Monate dauern würde, diese Leute angemessen vorzubereiten, fühlt sich Britta sicherer mit einem solchen Trumpf in der Hinterhand.

»Du wolltest was erzählen.«

»Ich komme gerade vom Anwalt. Antrag bewilligt.«

»Ist nicht dein Ernst.«

»Doch. Ich werde den überlebenden Attentäter von Leipzig sprechen.«

»Wie das?«

»Ich bin jetzt Blattners Cousin. Torsten Mayer, sechsundzwanzig Jahre, wohnhaft in Bitterfeld. Einzelerlaubnis, dreißig Minuten.«

»Du siehst nicht wie ein Torsten aus.«

»Aber ich kann es beweisen. Ich habe hier…«

»Stop!«, ruft Britta. »Das will ich gar nicht wissen. Gibt es Auflagen?«

»Der Haftrichter hat akustische Überwachung angeordnet.«

Britta zuckt die Achseln. »Was hast du erwartet? Das ist ein Terrorfall. Wahrscheinlich lassen sie dich nur rein, um zu gucken, ob er singt.«

»Soll ich hier weitermachen?«, fragt Babak und deutet auf die Wochenberichte. »Dann kannst du Vera von der Schule abholen.«

Britta spürt einen Kloß im Hals. Seit Tagen verbringt Vera die Nachmittage bei Janina und Knut, weil Britta bis abends in der Praxis bleibt und Richard so viel mit dem neuen Investor zu tun hat. Insgeheim ist Britta froh, dass sie die Finanzierung des Landhauses zugesagt hat, weil sie auf diese Weise kein schlechtes Gewissen haben muss, wenn sie die Freundin so stark in Anspruch nimmt. ›Du kaufst deine Freunde‹, würde ihre Mutter sagen, die Spezialistin für solche Sätze ist, ›weil du es nicht erträgst, dankbar zu sein.‹ Britta wüsste nicht, was am Prinzip des Kaufens so schlecht sein soll; immerhin funktioniert die ganze Welt danach. Außerdem gibt es Menschen, denen sie tatsächlich dankbar ist. Zum Beispiel Babak.

»Du bist ein Schatz.«

Sie springt auf und tut so, als wollte sie ihn auf den Mund küssen; Babak wehrt sie lachend ab.

»Verschwinde!«

Mit einem Glücksgefühl wie beim Blaumachen geht sie zur Tür. Sie ist schon fast draußen, als Babak sie noch einmal ruft.

»Hey, Britta. Wenn das hier vorbei ist ...«, er macht eine Handbewegung in Richtung der Aktenstapel, die sie hinter die Rezeption geschoben haben, »dann gehst du mal zum Arzt.«

Ihr selbst fällt es schon gar nicht mehr auf, dass sie ständig eine Hand auf den Magen presst.

12

Als Richard nach Hause kommt, liegt sie bereits im Bett, ist aber noch wach. Seit Tagen ist es dasselbe: Sie ist hundemüde, kann aber nicht einschlafen und beginnt, sich zu ärgern. Was die Sache nicht besser macht. Immer wieder sagt sie sich, dass doch privat alles in bester Ordnung ist und es beruflich höchstens ein paar kleine Unstimmigkeiten gibt. Bei einem Job wie dem ihren kann man nicht erwarten, ein Leben lang unbehelligt zu bleiben. Britta weiß das. Aber ihr Körper nicht. Anstatt sich in die Erschöpfung hineinsinken zu lassen, schickt er Stromstöße durchs System. Man kann sich zu vielem zwingen, aber nicht zum Einschlafen.

Erleichtert registriert sie das Piepsen des Zahlenschlosses an der Haustür und verfolgt mit gespitzten Ohren Richards Weg durchs Haus, über den Flur in die Küche, das Öffnen der Kühlschranktür, das Zischen einer Bierdose, und wie er danach geradewegs ins Schlafzimmer kommt. Die angelehnte Tür wird vorsichtig aufgeschoben, er späht hinein, sieht sie wach im Bett sitzen und tritt ein. Sein Lächeln erfüllt den Raum.

»Hallo, Schatz.«

»Wie war's?«

»Sensationell.«

Er wirft sich aufs Bett, küsst sie, verschüttet dabei ein wenig Bier auf die Bettdecke, flucht, lacht, wälzt sich herum, bis er ausgestreckt neben ihr liegt. Als Britta mit Vera nach Hause kam, hat sie seine Nachricht auf dem Küchentisch gefunden. Dass der neue Investor spontan zu einem Treffen geladen habe, weshalb Richard gemeinsam mit Emil und Jonas nach Berlin gefahren sei. Sie würden den letzten Zug zurück nehmen.

»Stell dir einen Film aus dem letzten Jahrhundert vor. Schwarze Limousine am Bahnhof, der Fahrer wahrscheinlich promoviert. Kaum sitzen wir drin, ist die Fahrt wieder vorbei. Unter den Linden steigen wir aus. Ein Fahrstuhl bringt uns aufs Dach, Penthouse mit Terrasse, Blick auf den Reichstag.«

»Privat oder Büro?«

»Eine Mischung, denke ich. Guido ist ein komischer Typ. Würde mich nicht wundern, wenn er hauptsächlich in Hotels wohnt.«

»Ihr seid schon per Du?«

»Wir sind kaum über die Schwelle, da ist der Champagner schon offen, das ›Sie‹ beseitigt und noch ein bisschen Papierkram erledigt. Danach schleppt er uns auf die Terrasse, verteilt mehr Champagner und erklärt die Aussicht.«

»Er hat über Berlin gesprochen? Wie altmodisch ist das denn.«

»Auf seine Art. Im Hauptberuf ist Guido Hatz Geomant.«

»Wünschelrutengänger?«

»Mehr so eine Art Geo-Heiler. Er redet darüber, dass Bauprojekte die Erde verletzen und dass Berlin im Grunde eine riesige Wunde ist und dass es angesichts solcher energetischen Katastrophen eine große Aufgabe darstellt, Mensch und Erde wieder zu versöhnen. Und er hat uns gezeigt, wo der Stadtengel am liebsten sitzt.«

»Ich fasse es nicht.«

»Auf der Quadriga am Brandenburger Tor.«

»Klar. Da würde ich mich auch hinsetzen. Als Engel, meine ich.«

»Emil und Jonas stellen die ganze Zeit eifrige Fragen wie die Klassenstreber am Tag der offenen Tür. Arm in Arm, beste Freunde, rote Backen.«

»Vom Champagner?«

»Vom Geld.«

»Und du?«

»Keine Ahnung. Der Mann ist ein Spinner, aber irgendwie auch interessant.«

»Hatz hat was.«

»Genau.«

Britta nimmt ihm die Bierdose weg, trinkt ein paar Schlucke, obwohl sie schon die Zähne geputzt hat, und kuschelt sich wieder in die Kissen. Es ist schön,

Richard zuzuhören, ihn anzusehen, wie er förmlich leuchtet, angestrahlt von Erfolg und Hoffnung und Glück.

»Der Knaller kommt noch. Während er so redet und erklärt, schiebt er plötzlich einen Stuhl an die Brüstung der Dachterrasse und klettert darauf. Er redet immer weiter, Radiästhesie und Ley-Lines und Erdchakren und so weiter, stellt sein Glas ab, steigt auf die Brüstung, guckt mal, sagt er, hier läuft eine Irgendwas-Linie, genau hier, ich hab die Terrasse extra so bauen lassen, ich kann die Augen zumachen, weil ich es spüre. Er schließt die Augen, breitet die Arme aus und läuft über die Brüstung, auf der anderen Seite geht es zwanzig Meter runter, unten Touristen und Autos und Ampeln und Fahrräder.«

»Heftig.«

»Ich hab's gefilmt.«

Richard zieht das Handy aus der Tasche, wischt darauf herum, bis er die richtige Aufnahme gefunden hat, lehnt sich zu Britta, sie stecken die Köpfe zusammen, das alles macht Spaß, vermutlich werden sie noch Sex haben, sobald das Video zu Ende ist. Dann beginnt das Video. Himmel über Berlin, Dächer, eine Brüstung, Emil und Jonas im Halbprofil, erschrocken kichernd, mit Champagnergläsern in Händen, exaltierte Ausrufe auf der Tonspur, Mann, wie krass, was machst du denn, das ist doch Irrsinn, Wahnsinn, guck dir das an. Davon völlig unberührt ein Mann auf der Brüstung, mit geschlossenen Augen und ausgebreiteten Armen, offensichtlich entspannt, lächelnd, selbstsicher einen Fuß vor den anderen setzend, einigermaßen zügig, aber ohne zu eilen, ein Mann, der weiß, wo es langgeht. Mitten im Gesicht ein auffälliger Schnurrbart, kastanienbraun wie das Haar.

13

Hey Mom, hey Paps,

*wenn ihr diesen Brief lest, bin ich schon weg. Be-
stimmt erfüllt euch die Nachricht meines Todes mit
Schrecken, und ihr stellt euch eine Menge Fragen.
Warum hat sie das getan? War sie unglücklich?
Was haben wir falsch gemacht?*

*Lasst mich vorwegschicken, dass ihr mit diesen
Fragen auf ewig allein bleiben werdet.*

*Die Heilpraxis, die mir geholfen hat, den richtigen
Weg zu finden, bietet den Kandidaten Musterbögen
für ihre Abschiedsbriefe an. Darin finden sich Text-
bausteine wie: »Ihr tragt keine Schuld«, »Meine Entscheidung hat nichts mit euch zu tun«. Oder: »Mein
Anteil an der Ausschüttung soll dir, liebe Mama, gehören, damit du dir endlich ein/e/es XYZ kaufen
kannst. Du sollst jedes Mal an mich denken, wenn
du XYZ benutzt, und daran, dass ich dich liebe.«
Für mich kam keins der Muster in Frage. Mein Honorar stifte ich dem Tierheim.*

Liebe Mom, lieber Paps, wenn ihr jetzt total fertig seid, denkt einfach daran, dass es an dem Gefühl liegt, als Eltern versagt zu haben, und nicht daran, dass ihr mich vermisst. Ihr habt das Universum auf die Umrisse eurer Personen reduziert, und innen seid ihr leer. Gebt euch nicht der Illusion hin, zu echten Gefühlen fähig zu sein. Stellt euch vor, ich studiere im Ausland, bekomme einen Job, Mann und Kinder. London. Oder Boston. Gemeldet hätte ich mich sowieso nicht, also macht es eigentlich keinen Unterschied.

Viel Glück bei allem Weiteren, Julietta.

Zehn Mal hat Britta den Brief gelesen. Es gehört nicht zu ihren Aufgaben, ihn ein elftes Mal zu lesen, schon gar nicht in dieser Situation, unbequem hinter dem Steuer ihres geparkten Multivans sitzend, die Aktentasche mit Wochenberichten auf dem Schoß. Trotzdem tut sie genau das: Sie liest die Zeilen ein weiteres Mal. Die Worte lösen ein seltsames Gefühl in ihr aus, wie ein Schorf, an dem man immerzu kratzen muss, bis Blut kommt.

Erstaunlich viele Kandidaten scheitern am Verfassen des Abschiedsbriefs. Wenn sie konkrete letzte Worte an ihre Lieben richten sollen, landet der Todeswunsch mit unsanftem Poltern in der Wirklichkeit. Laut Statistik der *Brücke* verlässt ein Drittel an dieser Stelle das Programm und kehrt ins Leben zurück, weshalb Britta das Briefeschreiben an den Anfang der Evaluierung gezogen hat, auf Stufe 3. Manche quälen sich Wochen mit dieser Aufgabe, probieren sämtliche Musterbriefe, verwerfen einen Versuch nach dem anderen, bis sie einsehen, dass sie sich, wenn es hart auf hart kommt, gar nicht umbringen wollen.

Julietta hat sich nicht gequält. Ihre Zeilen sind in flüssiger und einheitlicher Handschrift zu Papier gebracht, man sieht ihnen die Freude an, mit der sie verfasst wurden. Britta fühlt sich von etwas Großem angeweht. Aus Juliettas Worten sprechen Härte, Grausamkeit, Hass und damit die Fähigkeit, Erstaunliches zu vollbringen. Plötzlich verspürt sie Lust, ihren eigenen Eltern einen Abschiedsbrief zu schicken. Während sie durch die Windschutzscheibe auf den unbelebten Parkplatz der JVA Leipzig starrt, geht sie im Geist Formulierungen durch, überlegt, mit welchen Phrasen sie einsteigen würde, liebe Mama, lieber Papa, wenn ihr das lest... Sie erschrickt, als sie erkennt, dass es Wort für Wort Juliettas Sätze sind, die sie schreiben will.

Mit einem Ruck richtet sie sich auf und legt den Brief beiseite. Die Regeln der *Brücke* verbieten Identifikation mit den Kandidaten. Gedankenspiele dieser Art sind unprofessionell. Überhaupt gehört Britta gar nicht hierher, sie sollte zum Arbeiten in der Praxis sitzen und nicht im Auto vor der JVA. Wider alle Vernunft hat sie darauf bestanden, Babak nach Leipzig zu begleiten. Gemeinsam sind sie in der frühen Dämmerung aufgebrochen, um pünktlich um acht vor Ort zu sein. Während der gesamten Fahrt hat sie versucht, Babak von Guido Hatz zu erzählen. Aber jedes Mal, wenn sie den Mund aufmachen wollte, war ihr Kopf wie leer gefegt. »Er hat einen Schnurrbart« war alles, was sie denken konnte.

Jetzt lässt sie ein Fenster herunter, holt tief Luft, sie hat in letzter Zeit einfach viel zu wenig geschlafen. Juliettas Brief schiebt sie zurück in die Aktenmappe und will gerade einige weitere Unterlagen herausnehmen, als sich drüben am Hauptgebäude die Schleuse öffnet. Babak tritt heraus. Es ist zu früh. Bei einer halben Stunde bewilligter Besuchszeit und den dazu gehörenden Formalitäten dürfte er das Gefängnis nicht vor neun verlassen. Die Uhr in den Armaturen zeigt Viertel nach acht.

Babak geht ein paar Schritte Richtung Parkplatz, verirrt sich zu den Fahrradständern und starrt die Metallbögen an, zwischen denen kein einziges Fahrrad lehnt, als überlege er, wozu sie gut seien. Dann hebt er langsam den Kopf, sieht sich um, scheint langsam in die Realität zurückzukehren. Als er den Multivan entdeckt, läuft er los, kommt schnell näher, rennt beinahe. Britta lehnt sich aus dem offenen Fenster.

»Was ist los?«, ruft sie leise. »Haben sie dich enttarnt?«

»Markus ist tot.«

Auf der Rückfahrt sitzen sie schweigend nebeneinander, Britta am Steuer, Babak auf dem Beifahrersitz, beide den Blick nach vorn gerichtet, wo die stumpfe Schnauze des Multivans Meter um Meter Straße verschlingt. Sie müssten reden, dringend, aber es geht nicht. Britta ist sicher, dass Babak die gleichen Gedanken wälzt wie sie. 2,5. Das war Lassies Scoring, 2,5 von 12 möglichen Punkten in Bezug auf Markus Blattners Suizidalität. 2,5 entspricht einem oberflächlichen Todeswunsch, einem Liebäugeln mit dem Notausgang, mehr nicht. Trotzdem soll er sich in seiner Zelle erhängt haben.

Britta leidet unter dem Gefühl, Teil eines Puzzles zu sein, das partout keinen Sinn ergeben will. Das Attentat in Leipzig, der Hilux vor ihrer Haustür, Julietta, Richards balancierender Investor mit dem Verfolger-Schnurrbart. Markus Blattners Tod. Sie muss dringend etwas essen, ihr Magen schmerzt, als würde jemand darin herumstochern.

Wäre Markus noch am Leben, wenn Babak nicht versucht hätte, ihn im Gefängnis zu besuchen?

Als sie auf den Parkplätzen der Kurt-Schumacher-Blöcke stehen, ist es halb elf am Vormittag. Eine unsinnig frühe Uhrzeit, gemessen an der Strecke, die sie bereits zurückgelegt haben. Britta massiert sich die Handgelenke, die vom Umklammern des Lenkrads steif geworden sind. Babak steigt sofort aus dem Wagen und verschwindet in der Passage, ohne auf sie zu warten. Als Britta ebenfalls die Praxis erreicht, hört sie es im unteren Stockwerk rumpeln. Langsam geht sie die Wendeltreppe hinunter und lehnt sich in den

Türrahmen des Serverraums. Es schmerzt zu sehen, wie Babak Kabel aus der Wand zieht, Verbindungen trennt, Komponenten voneinander löst. Als würde er der *Brücke* das Herz aus dem Leib schneiden.

Britta hilft ihm nicht, sie setzt sich oben auf die Couch, mit einer Tasse Kaffee, die sie dann doch nicht trinkt. Ein ums andere Mal läuft Babak vorbei, trägt Kartons oder Kästen, Kabelrollen, Monitore, Tüten voller Kleinteile. Ein schrilles Kreischen aus der unteren Etage erfüllt die Luft, dem Geräusch einer Kreissäge nicht unähnlich, immer wieder aufheulend, wenn Babak die nächste Ladung Papier in den Schredder schiebt. Britta muss nicht nachschauen, um zu wissen, dass es die Akten der jüngsten Großrecherche sind, die da vernichtet werden.

Eine gute Stunde später kommt Babak zum letzten Mal die Wendeltreppe hinauf, keuchend, er hievt das Gehäuse des Blade Systems von Stufe zu Stufe. Der Schredder ist verstummt, die Stille lastet schwer auf den Räumen.

»Bis später«, sagt er, lächelt schwach und verschwindet.

Britta sagt sich, dass Lassie woanders wieder zusammengesetzt werden wird. An einem Ort, den nicht einmal sie selbst kennt. Dass es nur ein Umzug ist, eine Sicherheitsmaßnahme. Trotzdem fühlt es sich an, als ob etwas zu Ende geht.

14

»Ach, Sie schließen schon?«

Guido Hatz lehnt an der Motorhaube seines weißen Pick-ups. Es ist das Modell, mit dem einst die Spinner von Daesh durch die Wüste fuhren. Mit verschränkten Armen lächelt er auf Britta herab, die mindestens einen Kopf kleiner ist als er.

»Was wollen Sie?«

»Mich über Ihr Angebot informieren.«

Sie blicken sich mit derart unterschiedlichem Ausdruck an, Hatz freundlich und erwartungsvoll, Britta schwankend zwischen Angst und Wut, dass es ein Wunder ist, dass sie einander überhaupt sehen können.

»Vielleicht können wir rein?«, fragt Guido Hatz. »Ich würde gern ein bisschen reden.«

Einen Moment spielt Britta mit dem Gedanken, ihn einfach stehen zu lassen und nach Hause zu fahren. Sie ist so müde. Widerwillig schließt sie die Tür wieder auf, tritt ein und stellt sich in die Mitte des Empfangsraums. Als Hatz begreift, dass sie ihm keinen Platz anbieten wird, unternimmt er einen kleinen Rundgang durch die Praxis, besichtigt Rezeption, Sitzecke und Pünktchenbild.

»Wie interessant.« Er beugt sich über Babaks Werk. »Ich kann Energiezentren erkennen. Hier zum Beispiel.« Sein Finger kreist über der Stelle, die Babak zuletzt bearbeitet hat. »Ein Bereich ungeheurer Verdichtung. Etwas, das nach Auflösung schreit. Handelt es sich um eine Methode zur Auffindung von Energieknoten? Haben Sie das selbst entwickelt?«

Er ist gut. Britta könnte tatsächlich nicht sagen, ob er im Ernst spricht oder mit ihr spielt. Sie spürt, wie die Angst hinter ihren Gedanken zu flackern beginnt, und simuliert ein Gähnen, um sich zu entspannen, was Guido Hatz mit Sicherheit durchschaut.

»Kommen wir zur Sache. Worum geht's?«

»Vielleicht hat Ihnen Ihr Mann schon erzählt, dass ich mich für Geomantie interessiere.«

Überrascht hebt Britta die Brauen. Er macht also kein Geheimnis aus seiner Verbindung zu Richard. Auch hat er sich nicht vorgestellt oder nach ihrem Namen gefragt. Offensichtlich geht er davon aus, dass sie beide wissen, wer der andere ist. Eine alte Weisheit besagt, dass die einfachste Lösung meist die richtige ist; demnach wäre Hatz nichts weiter als ein exzentrischer Millionär, dem es Freude macht, das Umfeld seiner Investitionen auszukundschaften. Britta gibt sich einen Ruck und stellt die innere Kompassnadel auf »normales Gespräch«.

»Richard hat mir das Video gezeigt«, sagt sie. »Wo Sie mit geschlossenen Augen über eine Brüstung balancieren.«

»Kinderspiel.« Hatz winkt ab. »Das kann jeder, der sich ein bisschen konzentriert. Aber dies hier«, er zeigt noch einmal auf Babaks Bild, »erfordert wesentlich höhere Einfühlung in die energetische Konstellation. Vielleicht könnten Sie mir kurz Ihre Methode erklären? Ich bin ja gewissermaßen vom Fach.«

»Die *Brücke* hat mit Esoterik nichts zu tun. Ich bin Heilpraktikerin für Psychotherapie.«

»Esoterik ist ein Begriff ohne Bedeutung.« Guido Hatz streicht sich den Schnurrbart. »Wer heilen will, beschäftigt sich mit Energie.«

»Das ist wahr.« Britta nickt langsam, um Zeit zu gewinnen, die sie braucht, um sich an Begriffe aus ihrer Ausbildung zu erinnern. »Die *Brücke* hat Atemtherapie, autogenes Training und Hypnose im Angebot, ebenso Brainspotting, CRM und EDMR.«

Guido Hatz sieht aus, als ob er ein Lächeln unterdrückt.

»Letztlich haben wir uns aber spezialisiert, auch wenn Sie sagen werden, dass Spezialisierung dem Grundgedanken der Heilpraxis widerspricht. Manchmal sind es gerade Widersprüche, die die größte Energie freisetzen.«

Zu diesem rhetorischen Schachzug lächelt er anerkennend.

»Self-Managing, Life-Coaching und Ego-Polishing.«

Seine Stimme verrät keinen Anflug von Ironie, während er die Aufschrift des Praxisschilds zitiert.

»Hinter diesen Begriffen verbirgt sich ein einfacher Sachverhalt«, erklärt Britta. »Die *Brücke* heilt Suizidalität.«

»Werden Ihre Patienten eingeweiht?«

»Wir benutzen ein zwölfstufiges Verfahren.«

»Bis zum vierten Grad?«

»In Einzelfällen. Auch wenn wir es anders nennen.«

»Die anderen scheiden vorher aus?«

»Die überwiegende Mehrheit verlässt uns auf einer der früheren Stufen.«

»Geheilt.«

»Sozusagen.«

»Nicht jeder eignet sich zum Meister.«

»Gewissermaßen.«

»Haben Sie eine Statistik?«

Prüfend sieht Britta ihn an, sein Gesichtsausdruck hat sich nicht verändert, er schaut immer noch freundlich und interessiert.

»Wundert Sie die Frage? Ich bin ein Geldmensch. Zahlen interessieren mich.«

»Die *Brücke* führt über alles Statistik. Aber die Zahlen sind vertraulich.«

»Geben Sie mir eine vage Orientierung. Wie viele Kunden erreichen die letzte Stufe?«

»Weniger als zehn Prozent.«

»Das ist äußerst vage.« Er lacht.

»Lassen wir es dabei.«

»Darf ich kurz Ihre Hände halten?«

Brittas Irritation dauert nur eine winzige Sekunde. Bei der Arbeit für die *Brücke* trifft sie immer wieder Esoteriker. Auf der verzweifelten Suche nach Sinn behängen sich Menschen mit Halbedelsteinen, tragen Magnetarmbänder und verzichten nach Prana-Sitzungen aufs Duschen, um die Energie nicht abzuwaschen. Bis sie eines Tages auf die Idee kommen, dass ein sauberes Ende doch die bessere Lösung wäre. Esoteriker können nicht zuhören und reden viel. Insofern ist Hatz kein typisches Exemplar. Auch trägt er keine Heilsteine. In der Hoffnung, den Überraschungsbesuch damit zu beenden, streckt Britta beide Hände aus, Handflächen nach oben, und Hatz legt seine vorsichtig darauf, eine ganz leichte Berührung, von der Britta kaum sagen könnte, ob sie tatsächlich stattfindet. Schon nach wenigen Augenblicken beginnt er anerkennend zu nicken.

»Kein Wunder, dass Sie so erfolgreich sind«, sagt Hatz. »Das ist außergewöhnlich.«

Britta zieht die Hände zurück und steckt sie in die Jackentaschen. Plötzlich verspürt sie das Bedürfnis, sich mit viel Seife und heißem Wasser zu waschen, am besten im Rahmen einer ausgiebigen Dusche. Aber statt endlich zu gehen, deutet Hatz auf einen der Sessel.

»Was dagegen, wenn ich mich setze?«

Am liebsten würde Britta einen Termin vorschützen, um ihn loszuwerden. Aber die Vernunft sagt ihr, dass sie die Chance nutzen muss, ihn zum Reden zu bringen. Egal, ob er sich als harmloser Spinner oder als Abgesandter irgendeiner feindlichen Macht erweist – sie will wissen, woran sie ist.

Sie bietet ihm einen Sessel an und setzt sich selbst auf die Couch. Hatz macht es sich bequem und scheint abzuwarten, ob sie Kaffee holen will. Als das nicht der Fall ist, lehnt er sich zurück, setzt ein Lächeln auf und wartet ab. Für einen Nervenkrieg fühlt sich Britta heute zu schwach, also macht sie lieber gleich den Anfang.

»Warum investieren Sie bei *Smart Swap*?«

»Oh.« Guido Hatz' Lächeln verbreitert sich zu einem Grinsen. Anscheinend hat er mit dieser Frage nicht gerechnet. »Macht Ihnen das Angst? Haben Sie Sorge, dass ich etwas kaufe, das Ihnen gehört?«

Du kaufst deine Freunde, sagt die Stimme von Brittas Mutter. Du genießt es, dass Richard abhängig von dir ist, weil du dann sicher sein kannst, dass er dich nicht verlässt. Britta konzentriert sich darauf, dass keiner dieser Gedanken an die Oberfläche dringt. Mit unbewegter Miene hält sie dem Blick von Guido Hatz stand.

»Ich investiere, weil ich reich bin.«

»Das ist kein Grund.«

»Weil ich noch reicher werden will.«

»Mit *Swappie*?«

»Die Idee hat Potenzial. Ihr Mann ist gut. Auch wenn Sie ihn für einen Versager halten.«

Volle Breitseite. Offensichtlich will er sie provozieren, aber Britta ist fest entschlossen, sich nicht aus der Reserve locken zu lassen. In der folgenden Stille merkt sie, wie sehr ihr Lassies geschäftiges Summen fehlt.

»Wissen Sie, ich bin vor allem gekommen, um Ihnen zu sagen, dass Sie das Richtige tun.« Hatz signalisiert durch Heben eines Zeigefingers, dass er endlich zum Punkt kommen will.

»Inwiefern?«

»Sie bereiten sich auf eine Auszeit vor. Schmeißen Ihr Handy weg, stöpseln die Rechner aus.«

Bevor sie etwas sagen kann, bewegt er den Zeigefinger in der Nähe seines Ohrs hin und her, was anzeigen soll, dass er dasselbe hört wie sie, nämlich nichts.

»Die Server sind beim Service.«

Hatz hält es nicht für nötig, auf diese absurde Ausrede einzugehen, was Britta ihm nicht verdenken kann.

»Ich kann vielleicht keine Gedanken lesen«, sagt er, »aber Energiefelder schon. Sie haben eine Grenze erreicht. Dahinter wartet der Abgrund.«

Innerlich verrammelt Britta Türen und Fenster, um Hatz' Worte nicht an sich heranzulassen. Sie will, dass er schweigt, erlaubt sich aber nicht, ihm Einhalt zu gebieten. Sie muss hören, was er zu sagen hat.

»Von außen betrachtet, ist alles ganz klar. Sie durchleben eine paranoide Phase, fühlen sich verfolgt, beziehen alles, was geschieht, auf sich. Verwirrung, Zwangsgedanken, Schlaflosigkeit. Angstattacken. Das

Gefühl, etwas Schreckliches stehe bevor. Und dann natürlich die Übelkeit. Die ständige Übelkeit.«

Er beugt sich vor, hebt leicht die Hände, strahlt Mitleid und Zärtlichkeit aus.

»Diagnostizieren Sie sich doch einmal selbst, Britta. Das ist Burnout. Sie stehen kurz vor einem Zusammenbruch.«

Sie weiß, dass sie sich diese Impertinenz nicht bieten lassen darf, starrt ihn aber weiterhin an, reglos wie das Kaninchen vor der Schlange. Wie kann es sein, dass er so viel über sie weiß? Mit ganzer Kraft hält sie sich an ihrem Gesichtsausdruck fest, der bleiben muss, wie er ist, nicht entgleisen darf. Atmen, ein, aus, nicht versuchen zu lächeln, keinen Finger rühren, nicht wegschauen, nicht blinzeln, einfach nur atmen. Ein, aus.

»Sie sind eine starke Frau, Britta. Aber Ihr Schutzengel macht sich Sorgen.«

Britta räuspert sich.

»Mein Schutzengel?«

»Das bin ich.«

Hatz erhebt sich, streicht sich die Hosenbeine glatt.

»Stellen Sie sich einfach vor, ich sei ein Freund der Familie. Einer, der Sie schon lange aus mittlerer Distanz beobachtet und gelegentlich einspringt, ohne seine Taten an die große Glocke zu hängen.«

Jetzt steht es fest, denkt Britta, er ist verrückt. Der Gedanke geht in ein inneres Jubilieren über, verrückt, verrückt, verrückt, ihr Kopf singt es in den höchsten Tönen. Die Erleichterung hebt sie an, als würde sie vom Sofa unter die Zimmerdecke schweben. Ein reicher Spinner, der sich für einen Schutzengel hält, ein millionenschwerer Stalker, der aus irgendeinem Grund beschlossen hat, Richard und ihr Gutes zu tun. Abgedreht, aber harmlos.

»Sie waren erfolgreich, Sie haben eine Pause verdient«, sagt Hatz. »Überlassen Sie Ihrem Mann das Ruder. In ein paar Jahren will ich *Swappie* für gutes Geld an der Börse sehen. Bis dahin kann Richard jede Unterstützung gebrauchen. Es ist wichtig, dass Sie ihm den Rücken frei halten.« Er streicht sich den Schnurrbart und sieht sich noch einmal in den Praxisräumen um. Dann nickt er, als hätte er sich von der Richtigkeit seiner Ausführungen überzeugt.

»Gönnen Sie sich eine Auszeit. Die Dinge werden sich fügen.«

Britta bleibt sitzen, während er sich zur Tür bewegt.

»Und wenn nicht?«, fragt sie, als er schon dabei ist, die Klinke zu drücken. Draußen fällt leiser Nieselregen, fein wie transparenter Stoff, vielleicht ist es auch Nebel, der langsam zu Boden sinkt. Hatz lässt die Tür los, die sich dumpf an der Füllung festsaugt.

»Wenn ich Ihren Rat nicht befolge. Was dann?«

Er sieht sie durchdringend an.

»Ganz ehrlich, Britta«, sagt er. »Ich weiß es nicht.«

15

Ohne ein weiteres Wort hat Guido Hatz die Praxis verlassen und ist in seinen Hilux gestiegen. Britta steht in der leeren Parklücke, als müsste sie sich vergewissern, dass sich dort tatsächlich nichts mehr befindet. Sie hebt den Kopf und lässt es zu, dass der feine Regen ihr Gesicht kitzelt. Am liebsten hätte sie die Arme ausgebreitet und sich unter dem tief hängenden Himmel um die eigene Achse gedreht. Es ist herrlich, auf der Straße zu stehen und ein normaler Mensch mit einem normalen Leben zu sein. Keine bedrängenden Gedanken, keine sinnlos im Kopf kreisenden Fragen. Eine langweilige Passantin, die einen Moment stehen geblieben ist und den Himmel betrachtet, während der Nieselregen allmählich die Schichten ihrer Kleidung durchdringt.

Guido Hatz ist verrückt, also ist Britta es nicht.

Mit einem Mal hält sie es für möglich, dass die Geschehnisse der letzten Zeit gar nichts mit ihr zu tun haben. Ein gescheitertes Attentat, ausgeführt von zwei Idioten, die aus einer schlechten Idee eine noch schlechtere Aktion machen. Ein durchgeknallter Multimillionär, der in einem Geländewagen herumfährt, um Engel zu spielen. Ein toter Möchtegern-Terrorist, der seinem Leben hinter Gittern ein Ende setzt, vermutlich mithilfe von Gürtel oder Schnürsenkeln, welche, entgegen den Behauptungen von Hollywood-Filmen, in Untersuchungshaft durchaus getragen werden dürfen.

Auf die Frage, wie es ihr gelinge, in der heutigen Zeit immer so fröhlich zu sein, hat Janina einmal geantwortet: »Ich genieße es in vollen Zügen, dass mich die allermeisten Dinge nichts angehen.«

In der getönten Seitenscheibe des Multivans betrachtet Britta ihr Gesicht. Überraschenderweise sieht sie genau wie immer aus. Nichts von den Ereignissen hat sich eingegraben. Ihr gefällt, was sie sieht. Das Gesicht ist hübsch auf eine Weise, die nicht im Gedächtnis bleibt. Die Kleider teuer, aber ohne Signalwirkung. Das blonde Haar zu kurz, um gefallen zu wollen. Mittelgroß, mittelschlank, eine Frau ohne Laster oder Leidenschaften, die in Maßen isst, in Maßen liebt, in Maßen Sport treibt. Gelebter Durchschnitt, und so wird es weitergehen, ein auf gerader Linie gelebtes Leben, bis zum Schluss. Während sie sich selbst betrachtet, spürt Britta, wie ihr Bewusstsein wieder an die Oberfläche taucht, nachdem es tagelang in ihrem Inneren herumgegraben hat, wo es nichts zu finden gibt. An der Oberfläche, nicht im Untergrund liegen Gesundheit und Glück. Je tiefer ein

Mensch in sich selbst hinabsinkt, desto verzweifelter wird er. Das weiß Britta von ihrer Arbeit. Sie will jetzt nur noch nach Hause, unter eine heiße Dusche, die sie innerlich und äußerlich reinigen wird, alles abwaschen, was sich seit dem Attentat von Leipzig angehaftet hat. Danach, das weiß sie mit Bestimmtheit, ist sie frei.

Als Vera schläft, spricht sie Richard auf Hatz an. Sie sitzen im Wohnzimmer, jeder mit einem Glas Wein in der Hand, und sehen durch die Panoramafenster nach draußen. Obwohl die Sonne erst in zwei Stunden untergehen wird, ist es fast dunkel, der Nieselregen hat sich in einen Wolkenbruch verwandelt. Aus schwarzem Himmel stürzt das Wasser zu Boden, Pflanzen und Bäume ducken sich unter dem Ansturm, die Autos fahren langsam und schieben kleine Lichthöfe vor sich her.

»Er war in der Praxis. Guido Hatz.«

»Echt? Was wollte er?«

»Im Wesentlichen hat er gesagt, dass ich eine miese Aura habe und er mein Schutzengel ist.«

»Typisch Guido!«

Während Richard lacht, ärgert sie sich, dass er Hatz beim Vornamen nennt. Es klingt affig.

»Außerdem meint er, ich soll eine Auszeit nehmen, damit du bei *Swappie* richtig ranklotzen kannst.«

Mit einem Mal wirkt Richard ernst. »Die nächsten Monate werden in der Tat ziemlich hart.«

»Das höre ich jetzt nicht wirklich«, sagt Britta fassungslos.

»Warte doch mal, Liebes. Du hast in den letzten Jahren so viel gearbeitet, die Familie ernährt, die Hausfinanzierung gestemmt. Warum solltest du nicht auch mal kürzertreten? Wäre doch nur gerecht.«

»Sag mal, kapierst du es nicht?« Britta klingt aggressiver als beabsichtigt. »Wie viel ich arbeite, hat mit dir und *Swappie* überhaupt nichts zu tun.« Sie schaut ihn prüfend an. »Oder glaubst du auch, dass ich Burnout habe?«

Sein Zögern verletzt sie. Er soll glauben, dass sie alles schafft. Immer. Dafür ist er da.

»Nein«, sagt er. »Ich meine, wir müssen deine Bauchschmerzen in den Griff bekommen. Das musst du endlich untersuchen lassen.«

»Hab ich mich jemals beschwert?«

»Darum geht's nicht. Seit ein paar Wochen stehst du irgendwie neben dir. Und bist viel unterwegs. Ständig muss Vera zu Janina.«

»Hast du mit Hatz über mich gesprochen?«

»Nein.«

»Wirklich nicht?«

»Nein! Mit Hatz hat das doch gar nichts zu tun!«

»Hast du dich mal gefragt, ob er verrückt sein könnte?«

Richard wirft ihr einen seltsamen Blick zu.

»Du meinst, man muss verrückt sein, um in meine Ideen zu investieren?«

Jetzt liegt ein Streit in der Luft, den Britta nicht gewollt hat. Das Gespräch läuft in eine völlig falsche Richtung. Sie versucht es mit Ironie.

»Genau! Nur Psychopathen glauben an *Swappie*!« Sie küsst ihn, was ein wenig Überwindung kostet. »Dass Hatz ein komischer Vogel ist, wirst du doch wohl zugeben. Warum verfolgt er mich? Wieso macht er sich Gedanken um meine Gesundheit?«

»Verfolgen? Ich dachte, er war heute in der Praxis.«

»Weißt du, was für ein Auto Guido Hatz besitzt?«

»Wahrscheinlich ziemlich viele.«

»Einen Toyota Hilux.«

»Na und?«

»Das ist ein weißer Pick-up.«

»Ich verstehe nicht, worauf du hinauswillst.«

»Erinnere dich an die Fahrt nach Wiebüttel. Der Geländewagen, der uns bedrängt hat.«

»Britta.« Richard stellt sein Glas ab, um ihre Hände zu nehmen. »Das ist doch Unsinn.«

»Ein paar Tage später ist er hier am Haus vorbeigefahren. Ich hab ihn gesehen.«

»Hör auf damit, bitte!«

»Ich bin ganz sicher. Du musst dich damit abfinden, dass euer Goldesel einen Sprung in der Schüssel hat, und zwar nicht zu knapp.«

»Liebes, merkst du nicht, dass es absurd ist, was du da redest?«

»Findest du es normal, dass er zu mir in die Praxis kommt?«

»Er wollte dich kennenlernen. Er ist halt ein bisschen schräg.«

»Du glaubt also, dass ich spinne und nicht er?«

»Niemand spinnt.« Richard versucht, ihr übers Haar zu streicheln, aber sie weicht ihm aus.

Am nächsten Morgen fährt sie mit dem Fahrrad zur Praxis. Trotz des Streits mit Richard hat sie in der Nacht ein paar Stunden geschlafen und fühlt sich erholt. Etwas wütend ist sie allerdings immer noch auf ihn, am Frühstückstisch haben sie kaum gesprochen.

Im Dentallabor sitzt das blonde Empfangsmädchen im weißen Kittel bereits auf seinem Platz. Als Britta grüßt, starrt es einfach durch sie hindurch. Britta fragt sich, ob das Mädchen die ganze Nacht dort gesessen hat, ob es überhaupt ein Mensch ist oder ein Beobachtungsroboter von Guido Hatz.

Auf einen Blick sieht sie, dass Babak nicht in der Praxis ist. Die Deckenbeleuchtung ist ausgeschaltet, das Pünktchenbild liegt unberührt. Sie macht sich nicht die Mühe, vom Fahrrad abzusteigen und die Tür aufzuschließen, sondern fährt gleich weiter, an den größtenteils leer stehenden Läden der Passage entlang, zurück auf die Kurt-Schumacher-Straße und weiter Richtung Innenstadt. Der John-F.-Kennedy-Platz hat sich schon wieder in eine Baustelle verwandelt, geänderte Verkehrsführung, überall Absperrgitter aus gelbem Plastik, knatternde Presslufthämmer, brüllende Arbeiter. Soweit Britta weiß, soll mitten in der

Kreuzung ein Sport-ist-öffentlich-Treffpunkt errichtet werden, mit Yoga-Fläche, Nordic-Walking-Parcours und Trampolinen, aber sicher ist sie nicht. Seit die BBB auch in der Stadtverwaltung sitzt, verfolgt sie die Lokalnachrichten nicht mehr. Die Monitore an den Ampeln kündigen den Beginn eines Kulturfestivals an, »Volk rockt«, mit Konzerten, Podiumsdiskussionen und Kinderprogramm.

Als sie am Babylon vorbeikommt, wirft sie einen kurzen Blick durch die Scheibe. Am Tresen sitzt nicht Sahid, sondern eine aschblonde Frau. Egal, denkt Britta, es hat nichts mit mir zu tun.

Babaks Wohnung befindet sich in der »Höhe«, einer schmalen Straße, die in die Fußgängerzone mündet. Babak zufolge hat er das Apartment vor allem wegen der Adresse gekauft, weil er so gern »das ist doch die Höhe« denkt, wenn er nach Hause kommt. Vor einigen Jahren hat das Haus einen neuen Anstrich bekommen und strahlt jetzt vor Frische und Sauberkeit, die Fenster sind geputzt, die breiten Balkone sorgfältig bepflanzt und mit bunten Markisen verziert. Bis auf einen, aus dessen Blumenkästen nur ein paar vertrocknete Stängel ragen. Babak weiß mit einem Balkon nichts anzufangen.

Britta schließt ihr Rad an einen Laternenmast und klingelt. Nichts passiert. Damit hat sie gerechnet. Wenn Babak einmal beschlossen hat zu schlafen, dann schläft er, zwölf bis vierzehn Stunden am Stück. Beim dritten Mal hält Britta den Finger auf der Klingel, bis der Türsummer ertönt. Sie läuft durchs Treppenhaus, in dem es nach gebratenem Gemüse riecht, nimmt immer zwei Stufen auf einmal, bis sie die dritte Etage erreicht. Gerade als sie die angelehnte Tür aufdrücken will, wird diese von innen geöffnet.

Ungläubig mustert Britta die Gestalt, die ihr verschlafen entgegensieht. Das ist nicht Babak, sondern Julietta. Aus der grauen, an den Knien abgeschnittenen Jogginghose ragen ihre dünnen Beine wie Streichhölzer. Darüber trägt sie ein übergroßes schwarzes T-Shirt, das vermutlich einst einem Mann gehört hat. Britta schließt die Augen und hofft inständig, dass Julietta verschwunden ist, wenn sie sie wieder öffnet. Es funktioniert nicht. Sie schiebt das Mädchen beiseite und läuft durch den Flur ins Wohnzimmer, das eher eine Art überdimensionale Abstellkammer ist. Seit Brittas letztem Besuch hat sich wenig verändert, außer dass die Menge an Altglas, Zeitschriftenstapeln und Elektronikschrott noch gewachsen ist. Neu ist auch die Matratze im Wohnzimmer, mit zerwühltem Bettzeug, daneben ein kleiner Stapel Bücher, Schreibzeug, Handy mit angeschlossenen Kopfhörern, ein paar schwarze Klamotten sowie ein Nietengürtel, den Britta bereits an Julietta gesehen hat. Ein voller Aschenbecher mit Zigarettenstummeln und Überresten von Joints sowie mehrere Tablettenschachteln, die Britta als Tavor identifiziert. Sie läuft zum Fenster und reißt beide Flügel auf, wie eine Mutter, die von einer Reise zurückkommt und feststellen muss, was ihre

Tochter aus der sturmfreien Bude gemacht hat. Von draußen dringt ein Schwall frischer Luft herein, überraschend kühl, mit einem leichten Duft nach Herbst.

»Es ist nicht so, wie du denkst«, sagt Julietta, die ihr gefolgt ist und im Türrahmen lehnt.

Fast hätte Britta laut aufgelacht, aber dafür ist sie zu wütend.

»Babak ist schwul, blöde Gans«, zischt sie. Ihr Text klingt auch nicht besser als Juliettas. »Wo ist er?«

»Schläft.«

»Nicht mehr lange.«

»Okay«, sagt Julietta, »ich hau mal besser ab.«

Sie geht zu ihrer Matratze, zerrt eine schwarze Jeans aus dem Durcheinander und steigt hinein, ohne die Joggingshorts auszuziehen. Einen Moment sieht Britta ihr zu und registriert erleichtert, dass sie zwar ihre Zigaretten, nicht aber die Tablettenpäckchen an sich nimmt. Die Wohnungstür fällt ins Schloss, so heftig, dass sich nur Sekunden später die Schlafzimmertür öffnet und Babak verschlafen in den Flur blickt, gekleidet in einen viel zu eleganten karierten Seidenpyjama. Der Raum hinter ihm ist schwarz verdunkelt.

»Kaffee?« Ohne eine Antwort abzuwarten, schlurft Babak Richtung Küche.

Britta ist so perplex, dass sie einfach stehen bleibt, mit geballten Fäusten, während in der Küche zwei Kaffeetassen irgendwo rausgezogen und kurz ausgespült werden, woraufhin die Espressomaschine zu lärmen beginnt. Babak erscheint und reicht ihr einen Kaffee, mit viel Milch und Zucker, wie sie es mag. Er hat sich einen Bademantel übergeworfen, der in einer anderen Farbe kariert ist und ebenso wenig zu ihm passt wie der Pyjama. Mit der Tasse in beiden Händen lehnt er sich ins offene Fenster. Da sich im ganzen Raum kein Stuhl befindet und Britta keine Lust hat, auf einem Umzugskarton zu sitzen, bleibt sie einfach, wo sie ist.

»Bist du sauer?«

Angesichts der Lage ist die Frage ein Witz. Auch wenn die *Brücke* keine klare Regel darüber kennt, wo die Kandidaten während des Programms zu leben haben, steht fest, dass eine private Unterbringung bei Babak oder Britta komplett gegen die Idee des Verfahrens verstößt. Es gilt, Distanz zu halten, sich nicht zu identifizieren und schon gar nicht anzufreunden. Vor allem macht es Britta fassungslos, dass Babak ihr nichts von seiner neuen Wohngemeinschaft erzählt hat. Allerdings hat sie ihm auch nichts von Guido Hatz erzählt, jedenfalls bis heute, denn eigentlich ist sie hergekommen, um mit ihm darüber zu sprechen. Der Gleichklang zwischen ihnen ist so perfekt, dass sie sogar zeitgleich Geheimnisse voreinander haben.

»Im Deutschen Haus wird sie belästigt«, sagt Babak.

»Von den anderen Kandidaten?«

»Von den anderen Gästen.«

»Befolgt sie die Anweisung, auf dem Zimmer zu frühstücken?«

»Natürlich. Sie geht weder ins Hotelrestaurant noch in die Bar und hält sich so viel wie möglich im

Zimmer auf. Aber sie wird trotzdem dauernd angequatscht, im Fahrstuhl, auf den Treppen, an der Rezeption. Einmal hat einer an ihre Tür geklopft und gefragt, ob sie einen Kaffee mit ihm trinken geht.«

»Scheiße.« Britta setzt sich auf den Boden und beginnt, mit kleinen Schlucken ihren Kaffee zu trinken. Er schmeckt gut, viel besser als in der Praxis.

»Daran haben wir nicht gedacht«, sagt sie.

Eine Frau, die wochenlang allein in einem Hotel wohnt, erregt Aufmerksamkeit, erst recht eine Frau wie Julietta. Sie haben Julietta im Deutschen Haus einquartiert, weil sie alle dort einquartieren, »Teilnehmer am *Brücke*-Coaching Selbstfindung und Neuanfang«, Abrechnung zu Firmenkonditionen, das Hotelpersonal ist freundlich und diskret, es ist nie zu Beschwerden gekommen. Aber Julietta ist die erste Frau im Programm. Damit haben sie keine Erfahrung.

»Eines Abends stand sie vor meiner Tür. Mir ist auch klar, was dagegenspricht. Aber in einem anderen Hotel wären die Probleme dieselben gewesen.«

»Und wann wolltet ihr mir das erzählen?«

»Gar nicht.« Babak grinst. »Wenn du nicht hier reingeschneit wärst, hättest du es niemals erfahren.« Nach einer Pause fügt er hinzu: »Was willst du eigentlich hier?«

Britta räuspert sich. Sie trinkt ihren Kaffee aus. Ein Flattern im Bauch macht sich bemerkbar. Jetzt ist es an ihr, ein Geständnis abzulegen.

»Wollen wir frühstücken gehen?«

Minuten später sitzen sie vor dem Deli an der Ecke, in Fleecedecken gewickelt, da der Morgen kalt ist, und bestellen Croissants, Erdbeeren und für Britta noch mehr Milchkaffee. Sie wartet, bis sich Babak ein halbes Croissant in den Mund geschoben hat, und beginnt zu erzählen. Von der Fahrt nach Wiebüttel und dem Geländewagen, der sie bedrängt hat. Davon, dass derselbe Wagen wenig später an ihrem Haus vorbeigefahren ist. Von der märchenhaften Investition bei *Swappie*, dem Schnurrbart des Investors und seinem Auftauchen in der Praxis am Tag zuvor. Von Burnout, Schutzengeln und der Idee, eine Auszeit zu nehmen.

Babak kaut, schluckt, spült mit Kaffee nach und schweigt eine Weile, nachdem Britta geendet hat. Sein Gesichtsausdruck schwankt zwischen Verblüffung, Amüsiertheit und Entsetzen. Als er sich mit sich selbst auf eine Reaktion geeinigt hat, hebt er den Kopf und blickt ihr direkt ins Gesicht.

»Und da wirfst du mir vor, dass ich dir nichts von Julietta erzähle?«

»Ich war nicht sicher, ob ich es mir einbilde.«

»Seit wann reden wir nicht mehr über unsere Einbildungen?«

»Du hast recht. Es tut mir leid.«

Sie schauen sich an, erst taxierend, dann liebevoll, und es ist, als würden sie in diesem Augenblick einen Schwur erneuern. Sich alles zu erzählen, stets auf die Meinung des anderen zu hören. Britta legt ihre Hand auf Babaks, er lächelt und erträgt die Berührung einige Sekunden, bevor er die Hand zurückzieht und unter dem Tisch versteckt.

»Lass uns überlegen«, sagt er. »Es gibt eigentlich nur eine mögliche Erklärung.«

»Und die wäre?«

»Ich sage es ungern, aber möglicherweise hattest du von Anfang an recht.«

Zum ersten Mal im Leben freut sich Britta nicht darüber, im Recht zu sein. Ganz im Gegenteil. Babak ignoriert ihren verfinsterten Gesichtsausdruck und fährt ungerührt fort.

»Guido Hatz hat groß investiert.«

»Das wissen wir bereits.«

»Nicht nur bei *Swappie*. Er hat Geld in einen Konkurrenten der *Brücke* gesteckt. Und die setzen jetzt alles daran, uns zu verdrängen.«

»Deshalb taucht er bei mir auf, redet von Burnout und empfiehlt mir, den Laden stillzulegen?«

Babak tupft mit dem Finger Croissantkrümel vom Teller und schiebt sie in den Mund.

»Wäre doch eine plausible Strategie. Mit dem Geld für *Swappie* kauft er die *Brücke* aus dem Markt – und fertig.«

Jetzt fängt auch Britta an, mit ihrem Croissant zu spielen, von dem sie noch keinen Bissen gegessen hat. Was Babak sagt, klingt logisch, gefällt ihr aber trotzdem nicht. Die Idee, dass Hatz verrückt ist, hat sie bereits lieb gewonnen. Dann könnte sie nämlich einfach weitermachen wie bisher.

»Als Nächstes wird er dir drohen, dass er Richards Firma baden gehen lässt, wenn du darauf bestehst, die *Brücke* weiterzubetreiben. Und falls *Swappie* durchstartet, hat er nicht einmal Geld verloren. Zwei Fliegen mit einer Klappe.«

»Woher weiß er überhaupt, was wir tun?«

Britta weiß selbst am besten, dass diese Frage unsinnig ist. Jeder, der es darauf anlegt, kann herausfinden, was die *Brücke* tut. Sie haben nie versucht, sich zu verstecken. Juristisch bewegt sich die *Brücke* in einer Grauzone. Beihilfe zum Selbstmord ist nicht strafbar. Die *Brücke* ist keine terroristische Vereinigung. Planung und Durchführung der Aktionen obliegen den ausführenden Organisationen. Britta und Babak beachten die Gesetze der Vernunft, halten sich bedeckt, sorgen für digitale Hygiene, beschränken die Kontakte mit Endkunden auf ein Minimum, achten darauf, keine Verhaltensmuster zu entwickeln, die einen Profiler nervös machen könnten. Unauffällig bleiben, nicht expandieren. Tatsächlich beschränken sich ihre behördlichen Kontakte auf Strafzettel für rote Ampeln, die Britta gelegentlich mit dem Fahrrad überfährt, sowie auf die jährliche Steuererklärung, bei der sie einen Teil ihrer Einnahmen ordnungsgemäß als Gewinn deklarieren, während der Rest schneller re-investiert wird, als das Finanzamt »Einnahmen-Überschuss-Rechnung« sagen kann.

»Die Frage ist, was wir als nächstes tun.«

Anscheinend findet Babak Gefallen an der Rolle des

Strategen, nachdem er wochenlang gegen jeden von Brittas Schritten protestiert hat. Sie seufzt. Am Nachbartisch sitzt eine junge Frau und starrt mit gebleckem Gebiss in die Selfie-Funktion ihres Smartphones, während sie mit ihren langen Fingernägeln die Zahnzwischenräume reinigt. Schräg gegenüber tritt die Kassenfrau eines Bioladens vor die Tür und zündet sich eine Zigarette an. Eine Gruppe Punks, allesamt über Fünfzig, mit ergrauten Irokesenfrisuren und alten Hunden, zieht vorbei, um sich vor irgendeinem Kaufhaus auf den Boden zu setzen. Etwas weiter hinten leuchten die gelben T-Shirts von Amnesty-Aktivisten, die einen großen Stand aufgebaut haben und darauf warten, Passanten anzusprechen. Britta kommt sich vor wie im Freilichtmuseum. Es gibt tatsächlich immer noch Menschen, die so tun, als könnte man dieser durchgedrehten Welt mit Haltung begegnen. Als würden Punk, Zigaretten und Amnesty noch irgendetwas bedeuten.

Babak hat weitergesprochen, »... etwas richtig Großes«, sagt er gerade. »Was unsere Position am Markt ein für alle Mal etabliert.«

»Schlägst du gerade vor, was ich seit Tagen predige?«, fragt Britta.

»Durch Hatz hat sich die Lage grundlegend geändert.« Babak hebt die leere Espressotasse an den Mund und versucht, letzte Reste herauszuschlürfen.

»Immerhin steht fest, wer für eine Großaktion in Frage kommt«, sagt Britta.

»Das sehe ich auch so«, sagt Babak.

»Dann sollten wir uns bald über mögliche Abnehmer unterhalten.«

»Vielleicht wäre es gut, Julietta möglichst früh in die Überlegungen einzubinden.«

»Julietta?« Britta stellt ihr Glas auf den Tisch, so vorsichtig, als könnte es bei der feinsten Berührung zerbrechen. »Ich dachte an Marquardt.«

»Das ist nicht dein Ernst.«

»Julietta befindet sich erst auf Stufe 3.«

»Sie ist der beste Kandidat, den wir jemals hatten.«

»Das können wir noch nicht wissen. Marquardt ist mit dem Programm so gut wie fertig. Er ist zuverlässig, gewissenhaft, frei von Empathie. Das ist unser Mann.«

»Was ist denn los mit dir?«, fragt Babak. Als sie den Kopf senkt, fasst er sie am Arm. »Du hast Julietta doch genau für diesen Moment ins Programm genommen. Wieso jetzt dieser Rückzieher?«

Stumm schüttelt Britta den Kopf. Sie könnte jetzt eine Reihe vager Sätze äußern. Dass sie ein schlechtes Gefühl hat. Dass sie sich in Juliettas Gegenwart unwohl fühlt. Dass das Mädchen nach Ärger riecht. Babak würde solche Erklärungen mit einer schlichten Handbewegung beiseitewischen. Zu Recht.

Die Wahrheit ist, dass Julietta ihr Angst macht. Aber das würde sie niemals zugeben. Nicht einmal vor sich selbst.

»Sie ist eine Frau«, meint Britta schließlich. »Mit Frauen kennen wir uns nicht aus. Frauen machen einen nervös.«

»*Dich* macht sie nervös.«

»Sie erregt überall Aufmerksamkeit.«

»Eben!«, ruft Babak. »Die Medien werden das an die ganz große Glocke hängen. Ihr Foto wird sich im Netz ausbreiten wie eine Epidemie. Bei guter Planung hat sie das Zeug zum Popstar. Dann wird klar sein: Wenn die *Brücke* solche Kracher im Programm hat, kann Hatz oder wer auch immer sein dilettantisches Start-up gleich wieder einpacken.«

Babaks Eifer hat etwas Ansteckendes. Es ist schön, dass er sich endlich für den großen Plan begeistern kann, es ist schön, wieder an einem Strang zu ziehen. Außerdem weiß Britta natürlich, dass er recht hat. Er beugt sich vor und verstärkt den Druck seiner Finger auf ihrem Arm.

»Marquardt ist eine sichere Bank«, sagt er. »Aber Julietta ist die Bombe.«

16

Eine Stunde später befindet sich Britta allein in Babaks Wohnung und wandert durch die verwahrlosten Räume. Als sie angeboten hat, auf Julietta zu warten, während Babak nach Bochum fährt, hat sie nicht an den Dreck gedacht. Sie kann sich nicht setzen, hält es nicht einmal aus, länger als ein paar Sekunden stillzustehen. Es ist, als würde die Unordnung sie infizieren, wenn sie nicht in Bewegung bleibt. Für Britta ist Schmutz ein existenzielles Problem. Sinn kann nur innerhalb von Ordnung entstehen. Aber egal, was der Mensch tut, am Ende versinkt immer alles in Unordnung und Schmutz. Britta blickt auf Juliettas zerwühltes Bettzeug und den wilden Klamottenhaufen daneben. Die junge Frau scheint sich hier wohlzufühlen. Sie fügt sich nahtlos in Babaks Chaos, als hätte sie schon immer bei ihm gelebt. Was tragen die beiden in sich, dass sie auf äußere Ordnung nicht angewiesen sind?

Britta beginnt, herumliegende Kleidungsstücke einzusammeln und in die Waschmaschine zu stopfen.

Dann bezieht sie Babaks Bett und sortiert Zeitschriften in Klappkisten, aus denen sie ein kleines Regal baut. Im Esszimmer findet sie einen Stapel unbenutzter Umzugskartons, die sie auffaltet und als Bausteine für ein weiteres Regal benutzt. Da hinein sortiert sie alles, was herumliegt, ein Karton für Juliettas Habseligkeiten, einer für Elektronik, einer für Schuhe, ein weiterer für Sonstiges. Sie öffnet die Fenster, räumt Geschirr in die Spülmaschine und saugt die Räume durch.

Als sie heißes Wasser in einen Eimer laufen lässt und in Ermangelung einer Bodenpflege mit Spüli versetzt, dreht sich ein Schlüssel im Schloss der Wohnungstür. Barfuß und mit Gummihandschuhen geht Britta in den Flur, wo Julietta abwartend stehen geblieben ist, den Blick zu Boden gerichtet, das lange dunkle Haar im Gesicht. Wie zynisch von Mutter Natur, eine schwarze Seele in ein engelsgleiches Äußeres zu stecken! Kein Zweifel, Babak hat recht, wenn er sich für sie stark macht. Wenn man Julietta wäscht, kämmt und einkleidet, kann man sie überall einschleusen. Als Volontärin bei einem Fernsehsender, als Flugreisende in der ersten Klasse, als Praktikantin im Reichstag. Sie ist die perfekte Terrorpuppe.

»Alles klar?«, fragt Britta.

Julietta antwortet nicht, schaut sie nicht an, schweigt.

»Babak und ich haben das geklärt«, sagt Britta und drückt ihr den Putzeimer in die Hand. »Du kannst bleiben.«

Juliettas unbewegter Miene gelingt es nicht ganz, die Erleichterung zu verbergen.

»Mein erster Auftrag?«, fragt sie mit Blick auf den Putzeimer. Sie müssen beide lächeln.

Während der folgenden zwei Stunden arbeiten sie sich durch Babaks Wohnung. Britta vergisst, dass sie eigentlich nur mit Putzen begonnen hat, um auf Julietta zu warten. Das Putzen wird zu einem Feldzug, den sie Seite an Seite bestehen, Soldat und Kommandant. Nachdem die Böden gewischt sind, nehmen sie sich die Küche vor. Im Backofen hat sich eine zentimeterdicke Schicht aus verkohlten Pizzakrümeln gebildet. Im Kühlschrank wetteifern eingeschweißte Nahrungsmittel um das am längsten abgelaufene Haltbarkeitsdatum. In der Mikrowelle muss vor langer Zeit einmal ein Glas Milch übergekocht sein. Irgendwann beginnt Julietta zu reden. Sie erzählt von ihrer Katze, die Jessie heißt, nach der Figur in einem Roman, und die ihr nachts tote Mäuse vors Bett legt. Von ihren Eltern, die einem Verein zur Reinerhaltung der deutschen Kultur beigetreten sind. Von der geräumigen Villa, mit einer Sauna, die nicht benutzt, einem Fitnessraum, der nicht betreten, und einer Musikanlage, die niemals eingeschaltet wird. Britta und Julietta arbeiten gemeinsam, stets mit derselben Sache beschäftigt, beugen sich nebeneinander über den Rand der Badewanne, klettern zu zweit auf eine Klappleiter, um Staub auf den Küchenschränken zu wischen, polieren dasselbe Fenster. Julietta bewegt sich konzentriert, mischt Putzmittel und Wasser mit einer Präzision, als erzeuge sie Sprengstoff, zeigt keinerlei Anzeichen von Ermüdung oder Überdruss. Wie herrlich es sein muss, einem fremden Willen zu dienen! Julietta folgt Brittas Bewegungen, nimmt jeden Gedanken vorweg, kommt jeder Anweisung zuvor und wirkt dabei völlig ruhig und ganz bei sich. Fast glücklich.

Zum Abschluss reinigen sie sämtliche Wandfliesen und hängen die fertig geschleuderte Wäsche auf einen Klappständer.

Britta zieht die Gummihandschuhe aus und trocknet sich mit einem Stück Haushaltspapier das Gesicht. Die Wohnung riecht nach Essig und Zitrone. Britta fragt sich, ob Babak wütend werden wird, wenn er das Ergebnis sieht, und lächelt bei dem Gedanken.

Julietta folgt ihr auf den Flur. Etwas ist passiert, das sich nicht in Worte fassen lässt. Ruhig sehen sie einander in die Augen.

»Bis morgen«, sagt Britta.

Gegen sieben am Abend klingelt das Telefon. Richard, der gerade mit einer Schüssel Kartoffelpüree ins Esszimmer geht, wirft einen Blick auf das Display und ruft: »Das ist Babak!«

Beunruhigt nimmt Britta das Gerät entgegen. Sie hatten verabredet, die Ergebnisse seiner Fahrt am nächsten Tag in der Praxis zu besprechen. Eine Minute später läuft sie mit ihrer Jacke zur Tür.

»Muss noch mal weg! Notfall in der Praxis!«

Sie fährt durch das abendlich ruhige Wohnviertel, über die Saarbrückener Straße, am Spielplatz vorbei und noch ein Stück Richtung Norden bis zum Parkplatz des Waldhaus Ölper, wo Babak sie bereits erwartet. Mit seinen Goretex-Schuhen und der Funktionsjacke sieht er aus, als plane er einen Wanderausflug. Sie umarmen sich kurz und gehen die letzten asphaltierten Meter bis zum Ende der Straße. An der Schranke hängt eine verlorene und von freundlichen Spaziergängern aufgehobene Jeansjacke. Ein Trampelpfad umrundet die Absperrung und windet sich in Schlangenlinien zwischen hohen Bäumen ins Unterholz.

Das Ölper Holz ist nicht groß, aber üppig gewachsen, ein Zufallsreservat zwischen Stadt und Autobahn, ideal für Hundespaziergänge, Drogenhandel und erste Küsse. Um die Abendessenszeit ist kein Mensch unterwegs. Es riecht pilzig und zugleich frisch, nach Anfang und Ende. Das Rauschen der Autobahn bildet eine beruhigende Hintergrundmusik. Ein paar müde Vögel piepsen in den Büschen. Der weiche Boden fühlt sich gut an unter den Füßen, sodass Britta für einen Moment ihre Abneigung gegen die chaotische Verfasstheit der Natur vergisst.

Sie gehen nebeneinanderher, Babak hat sofort zu sprechen begonnen. Er schildert, wie er seinen Mietwagen in einer Bochumer Reihenhaussiedlung geparkt hat, zwischen Arbeiterunterkünften aus der großen Steinkohle- und Hochofenzeit, heute verwandelt in die Jägerzaun- und Wäschespinnen-Welt der unteren Mittelschicht. Das Haus der Blattners unterschied sich in keiner Weise von den Nachbarhäusern. Gardinen an den Fenstern, Vogelhäuschen am Baum. Die winzige Rasenfläche vor dem Haus frisch gemäht, sodass Babak sich fragte, ob er die falsche Adresse ermittelt hatte. Aber als Frau Blattner die Tür öffnete, wusste er sofort, dass er hier richtig war. Ihr Gesicht wirkte wie ein altes Stück Papier, so vergilbt, dass man nichts mehr darauf lesen konnte. Sie erklärte, dass ihr Mann zur Arbeit gefahren sei, ein Job bei der Abfallentsorgung, aber Büro, nicht Müllwagen, Arbeit sei seine Art, damit umzugehen. Sie führte Babak in einen Raum, der den Namen »gute Stube« verdiente, mit Häkeldeckchen auf dem Couchtisch und einem Bild über dem Sofa, das Frauen beim Einsammeln von Weizenstroh zeigte. Den angebotenen Kaffee lehnte Babak ab und benutzte beim Sitzen nur die vordere Kante des Stuhls. Frau Blattner klemmte die Hände zwischen die Knie und fragte vorsichtig, woher er Markus gekannt habe. Bevor er antworten konnte, platzte es aus ihr heraus: Sie hoffe, dass er nicht »einer von denen« sei. Babak verstand, er war sein Leben lang »einer von denen« gewesen, wobei die Frage nur darin bestand, ob es gerade ums Schwul-Sein oder um Moslems ging. Er versicherte, aus einer christlich-irakischen Familie zu stammen und in seinem ganzen Leben noch keine Moschee besucht zu haben. Frau Blattner entspannte sich ein wenig. Markus und er, log Babak weiter, hätten sich beim Computerspielen im Internet kennengelernt, persönlich sei er ihm nur wenige Male begegnet.

An der Art, wie Frau Blattner zuhörte, scheinbar unbewegt, in Wahrheit mit kaum unterdrückter Gier, erkannte Babak, dass sie nicht nur unter dem Verlust ihres Sohnes litt, sondern mindestens ebenso sehr unter der Angst, Markus könnte ein Doppelleben geführt haben. Ein Leben »mit denen«, von dem sie keine Ahnung hatte. Babak beschloss, der Frau zu helfen, zumal es zu dem passte, was er ohnehin sagen wollte.

»Ich kann Ihnen versichern, Frau Blattner, Markus war kein Islamist.«

Es dauerte eine Weile, bis die Information zu ihr durchdrang. Fast schien es, als hätten die Medien bereits eine unverrückbare Realität in ihrem Kopf geschaffen, die Bekennerbotschaft von Daesh, die Schlagzeilen zu den Konvertiten von Leipzig, das Getöse von Innenministerin Wagenknecht.

Aber dann gerieten ihre Züge in Bewegung, zeigten erst Verwirrung, dann leise Anzeichen von Hoffnung, die aber gleich wieder von Misstrauen überschattet wurden.

»Woher wollen Sie das wissen?«

Babak erzählte, wie er mit Markus im Teamspeak lange Gespräche geführt habe, manchmal alleine, manchmal gemeinsam mit anderen Spielern. Es sei um Gott und die Welt gegangen, oder, genauer gesagt, um Gottesverlust und Weltschmerz, manchmal auch um ganz intime Ansichten und Angelegenheiten. Um die Glaubwürdigkeit seiner Geschichte zu erhöhen, flocht Babak kleine Details ein, die er von Lassie wusste: dass Markus gerne Liebesromane gelesen hatte, die eigentlich für Frauen geschrieben waren; dass er seine freien Tage vor dem Rechner verbracht und sich dabei von Pistazien ernährt hatte; dass er Martial Arts Filme aus dem letzten Jahrhundert liebte, Angst vor Schlangen hatte und gegen Erdbeeren allergisch war. Frau Blattner sog die Schilderungen gebannt auf und lächelte gelegentlich, wenn sie ihren Jungen besonders deutlich erkannte.

»Wir haben fast bis zum Schluss miteinander gespielt und gesprochen«, sagte Babak. »Wenn Markus beschlossen hätte, zum Islam zu konvertieren, wüsste ich das.«

Frau Blattner begann zu weinen. Sie schlug die Hände vors Gesicht wie ein Kind, schluchzte »Ich wusste es, ich wusste es«, und versuchte schließlich, sich vor Babak auf den Teppich zu knien, was dieser mehr schlecht als recht verhinderte.

Dann rückte Babak mit seinem Anliegen heraus. Markus' Tod lasse ihm keine Ruhe, er glaube nicht, dass er sich umgebracht habe, er wolle unbedingt, dass die Umstände aufgeklärt würden. Er bitte Frau Blattner dringend, eine Obduktion zu veranlassen.

»Falls man Ihnen gesagt hat, dass Sie dabei auf erheblichen Kosten sitzen bleiben, kann ich Ihnen anbieten, dafür aufzukommen. Markus war mein Freund.«

»Zu spät«, sagte Frau Blattner hart. »Er wurde heute Morgen verbrannt.«

Sie haben das Ende des Ölper Holzes erreicht. Der Maschendraht des Zauns, der den Waldrand von der Autobahn trennt, ist an vielen Stellen heruntergetreten, sodass Rehe oder Wildschweine mit Amok-Ambitionen die Fahrbahn problemlos erreichen können. Lastwagen und Pkw donnern in dichter Folge vorbei. Babak und Britta wenden sich nach links, wo der Trampelpfad ein paar Meter parallel zur Autobahn verläuft, um dann in das Waldstück zurückzukehren und sich Richtung Felder zu schlängeln. Für die letzten Stunden des Tages hat sich der Himmel von Wolken befreit, er leuchtet in sattem Blau. Das Licht der Sonne steht warm zwischen den Bäumen und bringt die Mücken zum Tanzen.

»Die Kremierung ist bereits erfolgt?«, fragt Britta.

»Man hat die Eltern angerufen und ihnen eingeredet, dass es so am besten sei. Der Staat würde alle Kosten übernehmen, die Todesursache stehe ohnehin fest. Der Vater war am Telefon und hat sofort eingewilligt. Verbrennt die Drecksau.«

»Und sie wissen natürlich nicht, wer genau angerufen hat.«

»Frau Blattner glaubt, dass es jemand von der Gefängnisdirektion war. Den Namen haben sie nicht verstanden. Gegen Mittag des gleichen Tages kam eine Mail vom Bestattungsinstitut, dass die Urne nach Bochum überstellt wird. Ich habe mir das Schreiben zeigen lassen. Auftraggeber sind die Blattners selbst, ein kurzer Vermerk sagt: Rechnung beglichen.«

»Das stinkt doch zum Himmel«, sagt Britta.

»Es kommt noch besser.«

Zum Schluss hat Babak um ein Foto von Markus gebeten, zur Erinnerung an den Freund. Frau Blattner hat ihn aus dem Wohnzimmer ins Treppenhaus geführt, hinauf auf den Dachboden, der als Abstellkammer diente. Es roch nach dem billigen Waschmittel, das auch Babaks Mutter benutzt, ein süßlicher Geruch, der ihn fast in die Knie zwang. Am Boden lag schäbiger Teppichboden in großen Quadraten, Licht fiel durch eine kleine Dachluke, die blind von Staub und Spinnweben war. Sie bückten sich unter der aufgehängen Wäsche hindurch, gingen an Koffern vorbei, die auf lang geplante Reisen warteten, an Körben voller Spielzeug, das sich vergeblich nach einem Enkelkind sehnte. In der hintersten Ecke leuchtete etwas, und Babak erkannte zwei künstliche Kerzen. Auf einer umgedrehten Kiste hatte Frau Blattner einen geheimen Altar für ihren Sohn errichtet, ein gerahmtes Foto, ein Laptop, aufgeklappt, aber ausgeschaltet, eine Schale Pistazien, ein abgegriffener Teddy. Babak konnte nicht verhindern, dass ihm bei diesem Anblick die Tränen kamen.

»Wenn mein Mann das findet, haut er alles kurz und klein«, sagte Frau Blattner. »Für ihn ist Markus ein Staatsfeind.«

Babak weinte. Um Markus, um dessen Mutter. Weil

er sie belog. Weil sie seine Tränen auch noch als Zeichen für die Echtheit seiner Gefühle nahm. Sie legte ihm einen Arm um die Schulter, als wolle sie ihn trösten, und griff mit der freien Hand nach dem gerahmten Bild.

»Es ist recht neu, keine vier Wochen alt.«

Mit einem Mal beginnt es, in der Ferne zu böllern, ein Zischen und Knattern wie von Maschinengewehren, dann einige tiefe Schläge, die das Blattwerk des Ölper Holzes erzittern lassen. Im Bürgerpark eröffnet die BBB ihr Kulturfest. Der Wald verstummt, Vögel und Insekten scheinen die Luft anzuhalten. Britta mag kein Feuerwerk. Die Detonationen lösen in ihr das Bedürfnis aus, sich auf den Boden zu werfen.

»Hast du das Foto dabei?«

Babak reicht ihr sein Handy. Dem schlechten Licht zum Trotz ist es ihm gelungen, eine passable Aufnahme zu machen. Das Bild zeigt einen Mann Mitte zwanzig, mit kurz geschorenen Haaren und unsicherem Blick.

»Was ist das da an seinem Hals?«, fragt Britta.

Im Ausschnitt von Markus' T-Shirt ist eine Tätowierung zu sehen, mehrere Buchstaben eines Schriftzugs, TYHEA, der Rest verschwindet unter dem schwarzen Stoff. Der nächste Böllerschlag lässt Britta zusammenzucken.

»Ich habe die Mutter gefragt«, sagt Babak. »Die Tätowierung ist neu.«

»Was steht da?«

»*Empty Hearts.*«

»Ein Molly-Richter-Fan?«

»Der Song wird es Lassie schwermachen, etwas Brauchbares dazu herauszufinden.«

Sie sind stehen geblieben und blicken gemeinsam auf Babaks Handy, wie zwei Wanderer, die sich über eine Landkarte beugen.

»Fällt dir sonst nichts auf?«, fragt Babak.

Britta sieht noch einmal genau hin. Unsichere Augen, hohe Stirn, eine etwas zu kleine Nase, breiter Kiefer, ein unsympathischer Ausdruck im Gesicht, der zwischen Schwäche und Anmaßung schwankt. Irgendetwas scheint zu fehlen. Britta konzentriert sich so stark, dass es fast wehtut. Den Lärm des Feuerwerks nimmt sie kaum noch wahr.

»Trägt er normalerweise eine Brille?«, fragt sie langsam.

»Früher«, antwortet Babak. »Inzwischen hat er sich Kontaktlinsen besorgt.«

Im Geist setzt Britta dem tätowierten Mann eine Brille auf. Dann hat sie es. Entgeistert starrt sie Babak an. Die Detonationen erreichen ihren Höhepunkt, werden von heftigem Geknatter begleitet, bis endlich ein abschließender Knall ertönt, nachhallend, in Wellen verebbend, als hätte man irgendwo ein Hochhaus gesprengt.

»Der war bei uns im Programm«, sagt sie.

»Vor mehr als fünf Jahren«, erwidert Babak. »Ist wegen schlechter Führung ausgeschieden.«

17

Am nächsten Abend gibt es Streit mit Richard. Britta hat kurz zu Hause vorbeigeschaut, Vera bei den Hausaufgaben geholfen und Richard gesagt, dass sie noch zu einer dienstlichen Verabredung muss.

»Heißt das, du bist zum Abendessen schon wieder nicht da?«

»Es ist nur heute.«

»Gestern auch.«

»Das war ein Notfall.«

»Wie wäre es, wenn du mal wieder kochst? Wie neulich? Das war doch schön.«

Seit Neuestem flicht er Anspielungen in ihre Gespräche ein. Ob sie am nächsten Tag Vera zur Schule bringen könne. Ob es nicht möglich wäre, dass sie sich auch mal um den Garten kümmert. Oder er fragt sie, wie es ihr gehe. Ob ihr Magen wieder Probleme macht. Sagt, dass sie müde aussieht.

Britta ärgert sich darüber. Seit Jahren ernährt sie die Familie, und nur, weil plötzlich dieser Hatz auftaucht, soll sie umstandslos in Rente gehen. Als ob ihre Arbeit immer nur eine Übergangslösung gewesen wäre, ein Provisorium bis zu dem Tag, da Richard endlich Geld verdient! Als ob man die *Brücke* wie eine Lampe an- und ausknipsen könnte!

»Du musst ja nicht aufhören«, sagt Richard. »Es geht doch nur um ein Sabbatical.«

Am liebsten würde sie erwidern, dass sein *Swappie*, ganz egal, ob es eines Tages Geld bringt oder nicht, doch nur ein weiteres Spielzeug für die Finanzmarkt-Arschlöcher ist. Ein Tool, um die Welt noch ein bisschen schlechter zu machen. Während ihre Arbeit die Welt besser macht. Wer heutzutage einen Attentäter braucht, muss nicht mehr auf verblendete Djihadisten mit narzisstischer Störung zurückgreifen, nicht auf halbe Kinder mit Waffen-Fetisch oder auf Psychopathen, die Ausländer und Frauen hassen. Sondern bekommt einen professionell ausgebildeten, auf Herz und Nieren geprüften Märtyrer, der für eine höhere Sache sterben will. Die *Brücke* hat den Terroranarchismus beendet. Es gibt feste Absprachen und kontrollierte Opferzahlen. Nach und nach hat sich die Branche auf dieses Geschäftsmodell eingelassen. Routiniert berichten die Medien über erfolgreiche Attentate, zeigen Bilder von Sicherheitskräften in Uniformen und befragen Politiker, die betonen, dass die Gefährdungslage nach wie vor hoch, aber kein Anlass zur Panik sei, während ihre Sachbearbeiter das nächste Sicherheitspaket auf den Weg bringen. Der Grad an Hysterie ist erheblich gesunken. Es ist nicht ganz leicht in Worte zu fassen und doch ziemlich offensichtlich: Seit es die *Brücke* gibt, sind Selbstmordattentate weniger schick. Die Zahl der frei flottierenden Nachahmungstäter ist praktisch auf null gesunken. Stattdessen hat das Crash-Fahren erheblich zugenommen, die Zahl der Opfer liegt längst über den Terrortoten. Britta und Babak haben oft darüber gesprochen: Jede industrialisierte Gesellschaft scheint eine bestimmte Menge Amok zu brauchen, während die Erscheinungsform nur eine Frage der jeweiligen Mode ist. Sechzehnjährige, die mit Pumpguns in die Schule rennen. Zwanzigjährige, die sich mit Sprengstoffgürteln in die Luft jagen. Achtzehnjährige, die auf der Autobahn mit verbundenen Augen das Gaspedal durchdrücken. Ein Anrennen gegen die Mauern einer monolithischen Ordnung. Der blinde Fleck im System. Eine juckende Stelle, die jede Gesellschaft braucht, um sich gelegentlich ausgiebig zu kratzen. Die *Brücke* ist Teil eines natürlichen Kreislaufs aus Krieg und Befriedung und erneutem Krieg. Für Britta reicht das, um zu wissen, dass ihre Arbeit Sinn ergibt. Es geht immer um ein Gleichgewicht der Kräfte, um ein Ausbalancieren von Chaos und Ordnung, Sauberkeit und Schmutz. Es genügt ihr, auf der sauberen Seite zu stehen.

Natürlich kann sie das Richard nicht erklären. Er sollte trotzdem wissen, wie wichtig ihre Arbeit ist.

Sie lässt ihn einfach stehen, schlägt die Haustür zu und fährt mit dem Rad in die Stadt. Sie wird das

Feld nicht einfach räumen. Sie wird ihre Pfründe nicht einem steinreichen Wünschelrutengänger und seiner schlecht organisierten Truppe überlassen. Da kann Hatz von Burnout schwafeln und drohen und Richard einkaufen und Druck ausüben, so viel er will.

Die Kiste wird euch um die Ohren fliegen, denkt Britta, während sie ihr Fahrrad vor dem Gute Zeiten anschließt. Zur Not auch buchstäblich. *Empty Hearts,* was ist das überhaupt für ein pubertärer Name.

Bevor sie das Restaurant betritt, atmet sie ein paarmal tief durch, konzentriert sich darauf, das Wetter wahrzunehmen. Heute hat es nicht geregnet, die Luft ist warm, es riecht nach Flieder und Asphalt. Langsam kommt sie zu sich.

Babak und Julietta sind schon da. Sie sitzen an einem Fensterplatz und stecken die Köpfe zusammen; Britta hört, wie Julietta lacht. Die beiden sehen aus wie ein Liebespaar. Oder wenigstens wie gute Freunde. Während Britta sich dem Tisch nähert, schaut sie Babak an und schüttelt leise den Kopf. Das hier ist ein geschäftliches Treffen, kein netter Kneipenabend unter Freunden. Die beiden scheinen diese Auffassung nicht zu teilen. Babak ist guter Laune, und Julietta hat sich sogar ein wenig zurechtgemacht. Ihr Haar ist zu vielen kleinen Zöpfen geflochten, die in einem lockeren Knoten stecken; sie sieht wie eine Dschungelprinzessin aus. Überhaupt wirkt sie aufrechter als sonst, die Gesichtsfarbe ist gesund, Wangen und Augen strahlen.

Mit einem Blick zum Fenster prüft Britta, ob es an der Beleuchtung liegt.

»Alles klar mit dir?«, fragt Babak.

Auch er macht einen ausgeruhten Eindruck, was Britta nur wundern kann. Den Tag haben sie damit verbracht, die neuesten Erkenntnisse zu analysieren, wobei wieder einmal die Wochenberichte liegen geblieben sind. Es hat enorme Mühe gekostet, ein aussagekräftiges Foto des zweiten Attentäters aufzutreiben, Andreas Muradow, der am Leipziger Flughafen gestorben ist. Als Babak endlich eins fand, das sich ausreichend vergrößern ließ, wurde nicht nur klar, dass Andreas ebenfalls eine *Empty-Hearts*-Tätowierung getragen hat, sondern auch, dass es sich genau wie bei Markus um einen alten Bekannten aus früheren Tagen der *Brücke* handelt. Britta meint, sich zu erinnern, dass auch Andreas damals nicht länger als zwei Wochen am Programm teilgenommen hat, aber ganz sicher ist sie nicht. Da sämtliche Daten von abgewickelten Kandidaten vernichtet werden, lassen sich die Einzelheiten nicht rekonstruieren.

Dass es anscheinend frühere Klienten sind, die sich zusammengeschlossen haben, um der *Brücke* Konkurrenz zu machen, stellt nicht gerade eine Verbesserung der Lage dar. Selbst wenn sie nur kurz im Programm waren, kennen sie das Unternehmen von innen. Britta guckt in Babaks und Juliettas aufgeräumte Gesichter. Anscheinend ist sie die Einzige, die sich Sorgen um die Zukunft der Praxis macht.

Das Essen kommt, sie beugen sich über die Teller, Babak lobt die Lasagne und lässt Britta probieren. Vor Julietta liegt ein Steak, blutig, mit Kräuterbutter und Kartoffeln.

»Du isst doch eigentlich kein Fleisch«, sagt Britta, während sie den Löffel in ihre Spinatsuppe taucht.

»Irgendwie dachte ich, Steak ist gut für die Sache.«

Jetzt versteht Britta auch die neue Frisur: Das ist keine Dschungelprinzessin, sondern eine Kriegerin. Wie verabredet hat Babak Julietta darüber informiert, dass sie unter Umständen für einen besonderen Auftrag eingesetzt werden soll, und zwar bald. Und Julietta hat sofort angefangen, sich darauf vorzubereiten. Obwohl sie nicht einmal weiß, worum es geht. Das rührt Britta so sehr, dass sie ihre schlechte Laune vergisst.

»Sie hat mit dem Rauchen aufgehört«, sagt Babak. »Keine Pillen, keine Joints.«

»Ab morgen beginne ich mit Aufbautraining.« Julietta beginnt zu essen, wobei sie das Gesicht nur ganz leicht verzieht.

»Du musst keine Angst haben«, sagt Britta. »Es bleibt alles im Rahmen der üblichen Routine.«

»Ich habe keine Angst«, sagt Julietta. Messer, Gabel und Kauwerkzeuge arbeiten konzentriert zusammen. Man sieht ihr an, dass sie nicht weiß, ob es schmeckt. Sie isst, weil sie beschlossen hat zu essen.

»Normalerweise besprechen wir Einsatzmöglichkeiten erst am Ende des Programms«, eröffnet Britta den geschäftlichen Teil. »Aber es sind besondere Umstände eingetreten, die ein leicht abweichendes Vorgehen erforderlich machen.«

Julietta nickt und kaut. Das Gleiche hat Babak ihr schon gesagt.

»Auf keinen Fall dürfen wir einen Kandidaten anbieten, der sich dann doch noch umentscheidet.«

»Ich entscheide mich nicht um.«

Britta vollführt eine Handbewegung, die anzeigen soll, dass das alle sagen.

»In deinem Fall werden wir das Verfahren beschleunigen. Vor allem gilt es, schnell herauszufinden, wofür du eingesetzt werden kannst.«

»Ich kann alles. Ihr bildet mich aus, und ich mache dann, was ihr von mir verlangt.«

Babak und Britta lächeln über ihren Eifer.

»Wir bilden dich nicht aus. Wir bereiten dich mental vor.«

»Ich würde gerne schießen lernen.«

»Julietta, sieh mich mal an.«

Sie unterbricht das Kauen und hebt gehorsam den Blick.

»Das ist kein Computerspiel. Das ist echt.«

»Hältst du mich für blöd?«

»Es werden Menschen sterben.«

»Unter anderem ich.« Sie lacht und schiebt sich das nächste Stück Fleisch in den Mund. Eine Weile schaut Britta ihr nachdenklich beim Essen zu. Julietta ist fast zu perfekt, um wahr zu sein. Bleibt zu hoffen, dass sie mehr ist als ein Kind, das sich für Mega-Melanie hält. Noch nie ist es Britta so schwer gefallen, Distanz zu halten. Manchmal hat sie Lust, Julietta eine Ohrfeige zu verpassen, manchmal will sie das Mädchen einfach in den Arm nehmen. Reiß dich zusammen, ermahnt sie sich selbst.

»Spielt es eine Rolle für dich, wie viele Opfer es geben wird?«, fragt Babak.

»Machst du Witze?« Juliettas Blick ist ehrlich erstaunt. »Schau dich doch mal um. Wenn's nach mir ginge, würde ich sagen, wir machen was mit Rizin und den Wasserwerken in Berlin.«

»Okay«, nickt Babak. »Message understood.«

»*Wir* machen überhaupt nichts«, sagt Britta scharf. »Wir sind eine Heilpraxis für Psychotherapie. Und die *Brücke* hat klare Regeln in Bezug auf die maximale Opferzahl.«

Julietta und Babak schweigen.

»Wir werden uns heute über mögliche Auftraggeber Gedanken machen«, fügt Britta etwas ruhiger hinzu.

Grundsätzlich macht die *Brücke* keinen Unterschied zwischen den Auftraggebern. Zumal sie, bei Tageslicht betrachtet, alle wenig angenehm sind. Daesh beschäftigt sich mit Erdöl und Geostrategie, ein Nebenprodukt der amerikanischen Außenpolitik und nicht mehr oder weniger widerlich als diese. Die Ökofritzen haben einen Grad von Verblendung erreicht, um den man sie fast schon wieder beneiden kann, und Separatisten fühlen sich stets auf nervtötende Weise im Recht. Bei den Nationalisten weiß man nicht, ob man die dumme oder die schlaue Sorte schlimmer finden soll, und die Frexit-, Spexit- und Schwexit-Leute sind unerträglich wie Kinder, die eine Sandburg zerstören, weil sie einfach Lust haben, etwas kaputt zu machen.

Glücklicherweise ist es nicht Brittas Aufgabe, über die Berechtigung von menschlichen Motiven zu befinden. Für gewöhnlich können ihr die Umstände einer Aktion egal sein, solange alles ordnungsgemäß über die Bühne geht. Da die *Brücke* aber im Begriff steht, zum ersten Mal in ihrer Geschichte im eigenen Interesse zu handeln, kommt es auf eine optimale mediale Reaktion an. Seit Tagen wälzt Britta die Frage, was man machen könnte und mit wem. Als sie letzte Nacht wieder einmal schlaflos neben Richard lag, kam ihr die zündende Idee: Sie werden eine Brücke sprengen, und zwar die Moltke-Brücke in Berlin, direkt hinter dem Kanzleramt. Die *Brücke* sendet ein starkes Symbol in die Branche; der Ort ist spektakulär. Sie braucht nur noch den passenden Auftraggeber. Vielleicht jemand von Rest-Occupy. Oder die bayerischen Separatisten.

Normalerweise werden die Kandidaten in die Entscheidungsfindung eingebunden, Britta findet es wichtig, dass sich die Leute mit ihrem Auftrag wohlfühlen. Hilfreich ist es, wenn wenigstens ein rudimentäres politisches Bewusstsein vorhanden ist, Anti-Brüssel oder pro Klimaschutz oder was auch immer. In den meisten Fällen sind die Kandidaten aber nicht mit Politik, sondern mit ihrem persönlichen Elend beschäftigt, weshalb eine von Brittas Aufgaben im Vermitteln von Überzeugungen besteht. »Weil du selbst keine Überzeugungen hast, bist du so gut darin, sie zu verkaufen«, hat Babak einmal gesagt und es witzig gemeint. Fest steht, dass die Kandidaten umso glücklicher über die letzte Brücke gehen, je stärker ihr Gefühl ist, nicht sinnlos, sondern für eine gute Sache zu sterben.

Julietta ist damit beschäftigt, die zweite Hälfte ihres Steaks in kleine Stücke zu schneiden, die sie anschließend mit Klecksen von Kräuterbutter und je einer Bratkartoffelscheibe verziert, bevor sie die Happen in den Mund schiebt.

»Was hältst du vom Regierungsviertel?«, fragt Britta.

»Viel. Da sitzen die Arschlöcher von der BBB.«

»Wunderbar.« Mit einem Stück Brot wischt Britta ihren Suppenteller aus und nimmt dankend an, als Babak ihr die Reste seiner Lasagne anbietet. »Dann habe ich ein schönes Szenario für dich.«

Julietta nickt. »Hauptsache, es geht um Tiere.«

»Ich dachte an die Moltke-Brücke in Berlin.«

»Was hat das mit Tierschutz zu tun?«

»Nichts.«

»Dann kommt es nicht infrage.«

Plötzlich schmeckt Britta die Lasagne nicht mehr, sie schiebt den Teller weg. Irgendwie war sie davon ausgegangen, Julietta habe die Sache mit dem Tierschutz vergessen. Jetzt ist Julietta die Einzige, die noch isst. Flüchtig schaut sie vom Teller auf.

»Ich mache das für die Tiere. Das habe ich von Anfang an gesagt.«

»Und ich habe gesagt, dass das nicht deine Entscheidung ist.«

»Ganz so stimmt das aber nicht«, wendet Babak ein, aber Britta fährt ihm sofort über den Mund.

»Du hältst dich raus.« Mit einem Finger zeigt sie auf Julietta. Soldatin und Kommandant. »Ich befehle, du gehorchst.«

»Warum sitzen wir dann hier?« Julietta wischt sich mit der Serviette den Mund ab und blickt Britta herausfordernd an.

»Vielleicht ist ein Kompromiss denkbar«, fängt Babak wieder an. »Wir möchten eine großangelegte Aktion, und das kommt Julietta bestimmt entgegen. Vielleicht könnte man die Moltke-Brücke mit einem Auftraggeber wie Green Power kombinieren.«

Jetzt richtet Britta ihre Wut auf ihn.

»Seit wann entwirfst du die Szenarien?«, zischt sie. »Verhandelst du ab jetzt auch mit den Auftraggebern? Kümmerst dich um die Kundenkontakte? Machst den ganzen Papierkram? Vielleicht bist du ja ebenfalls der Meinung, dass ich in Frührente gehen soll?«

»Woaah«, sagt Babak und hebt beide Hände, als wäre Britta ein im Jagdgalopp heranstürmendes Pferd.

»Und du«, wieder richtet Britta den Zeigefinger auf Julietta, »bist nur so scharf auf Tierschutz, weil dein bester Freund eine Katze ist. Kinderkacke! Die *Brücke* ist kein Streichelzoo für gelangweilte Töchter.«

Jetzt schiebt auch Julietta den Teller weg. Zwei Fleisch-Kartoffel-Kräuterbutter-Türmchen liegen noch darauf.

»Im Gegensatz zu dir hab ich Prinzipien«, sagt sie.

Brittas Lachen klingt künstlich.

»Wenn's um niedliche Plüschis geht! Denk doch zur Abwechslung mal an die Menschen. Geh ins Regierungsviertel und setz ein Zeichen für die Demokratie.«

»Demokratie? War das nicht jene Methode, die die Arschlöcher von der BBB an die Macht gebracht hat?«

»Wenn einem das Ergebnis nicht passt, heißt es nicht, dass das Verfahren nicht funktioniert.«

»Ach ja? Guck dir die sogenannten Wähler doch mal an! Nur Idioten und Ignoranten! Jeder Affe besitzt mehr Würde und mehr Mitgefühl. In den meisten Fällen auch mehr Intelligenz.«

»Die Leute haben einfach vergessen, worum es geht.«

»Wird das hier ein Kurs in Gemeinschaftskunde?«, fragt Julietta ungerührt. »Ich dachte, du bist total unpolitisch. Neutral. Professionell.«

»Ist sie auch«, sagt Babak schnell und fasst Brittas Arm, um sie vom Aufspringen abzuhalten. »Es geht allein um die Sache. Nach dem Regularium der *Brücke* liegt die Entscheidung für oder gegen einen Auftraggeber letztlich beim Kandidaten. Britta und ich werden nur beratend tätig.« Er hat in Juliettas Richtung gesprochen, aber Britta gemeint. Dass er sich offen gegen sie stellt und dabei auch noch im Recht ist, vergrößert ihre Wut. Sie spürt, wie sein Griff sich verstärkt, als ihr Arm zu zittern beginnt.

»Verschwinde«, sagt Britta zwischen zusammengebissenen Zähnen.

»Werde ich jetzt wieder weggeschickt, damit ihr sehen könnt, ob ich wiederkomme?«

»Du verschwindest jetzt, damit sich die Erwachsenen unterhalten können.«

»Okay, okay.« Julietta leert ihre Cola und steht auf. »Ich wollte eh noch eine Runde joggen.«

Als sie weg ist, lässt sich Britta im Stuhl zurücksinken und atmet sekundenlang aus. Babak mustert sie prüfend.

»Du haust vielleicht auf den Putz.«

»Ich hab gesagt, lass uns Marquardt nehmen.«

»Die Kleine zeigt Zähne. Das kann uns nur nützen.«

»Sie ist unkontrollierbar. Eine Bedrohung für unsere Pläne.«

»Unsinn. Du bist es einfach nicht gewöhnt, dass man dir widerspricht.«

Erneut legt Babak ihr eine Hand auf den Arm, dieses Mal ganz sanft.

»Niemand ist gegen dich. Julietta hat einfach ein klares Ziel. Und das ärgert dich.«

»Warum sollte es?«

»Weil es dir etwas über dich selbst erzählt.«

Mit einem Ruck entzieht Britta ihm den Arm. »Verschon mich mit Therapeutensprüchen.«

»Wir sind eine Heilpraxis für Psychotherapie. Schon vergessen?«

Wider Willen muss sie lächeln. Als Babak das sieht, atmet er auf.

»Die Moltke-Brücke ist eine grandiose Idee«, sagt er. »Das können wir genauso gut mit Green Power machen. Als Zeichen gegen die Streichung von Tierschutz aus dem Grundgesetz.«

»Und wenn die nicht wollen?«

»Wir können fragen.«

Britta nickt langsam. Wenigstens könnte sie dann mit G. Flossen arbeiten, mit dem sie viel Erfahrung hat.

»Hast du den Evaluierungsplan?«, fragt Babak. »Lass uns doch mal gemeinsam gucken.«

Britta holt ein Blatt Papier hervor, auf dem sie sich Notizen gemacht hat. Babak beugt sich darüber, während Britta mit dem Stift auf die einzelnen Punkte deutet.

»Alles entweder erledigt oder verzichtbar. Das heißt…«, sie malt einen Kringel um die verbleibenden Punkte, »wir machen als Nächstes Stufe 6, und danach tritt sie sofort in die Endphase ein.«

Eine Weile starrt Babak schweigend auf das Papier.

»Können wir Stufe 6 nicht auch weglassen?«, fragt er schließlich.

»Du machst Witze. Stufe 6 ist eine der wichtigsten im gesamten Programm.«

»Aber Julietta ist eine Frau.«

»Die perfekte Kandidatin. Hast du selbst gesagt.«

»Ich weiß.« Babak reibt sich das Gesicht. »Mir ist einfach nicht wohl dabei.«

»Du magst sie.«

Er nimmt die Hände von den Augen. »Wie eine kleine Schwester. Vielleicht erinnert sie mich an mich selbst. Als ich in der Situation war.«

»Du warst nicht annähernd so hart gekocht.«

Er muss lachen. »Da ist was dran.«

»Babak.« Britta wartet, bis er wieder ernst wird. »Wir müssen herausfinden, ob sie wirklich sterben will. Zu ihrem und zu unserem Schutz.«

»Du hast recht.«

»Du kannst nicht ihr Freund sein. Selbstmörder haben keine Freunde.«

»Seit sie bei mir wohnt, wirkt sie so … fröhlich.«

»Das hat nichts mit dir zu tun.«

Babak weiß so gut wie sie, dass es im Programm häufig zu euphorischen Phasen kommt, vor allem gegen Ende, wenn das Szenario Gestalt annimmt. Die Kandidaten nehmen ihre Aufgabe in den Blick und beginnen, Glücksgefühle zu entwickeln. Aber Freude auf den Tod ist nicht dasselbe wie Freude am Leben.

»Du willst sie doch unbedingt für den großen Plan«, sagt Britta.

»Weil sie die Richtige ist.«

»Das entscheiden nicht wir.«

»Sondern Stufe 6. Unter anderem. Ich weiß.«

Sie lächeln sich an, atmen tief durch.

»Zieh jetzt los und schlepp einen ab. Vergiss Julietta für ein paar Stunden. Kehr in dein eigenes Leben zurück. Das ist ein Befehl.«

18

Plötzlich wird es hektisch. Eben noch lag der Platz still im Schein der Laternen, ein silbriger Glanz von Feuchtigkeit auf den Steinen, im Hintergrund die Stahlstreben eines Sicherheitszauns. Dann kommt ein Mann ins Bild. Er schreitet entspannt über die gepflasterte Fläche, hochgewachsen, schlank, schwarz gekleidet, das Gesicht unverhüllt, aber wegen des Zwielichts schlecht zu erkennen. Sein elastischer Gang verrät sportliche Übung, der Oberkörper ist breit, eigentlich zu breit, was am Sprengstoffgürtel unter der Jacke liegt. Der Mann geht ein Stück am Zaun entlang, bis er das Tor erreicht. Neben der verschlossenen Einfahrt befindet sich ein eng eingefasstes Drehkreuz für den Personenverkehr. Am Torpfosten weht eine Fahne, darunter prangt ein Messingschild. Halbmond und Stern.

Es war nicht leicht, für Marquardt das Richtige zu finden. In seiner akribischen Art fand er Argumente gegen jede Konstellation und verfiel immer wieder in gleichförmige Monologe, die Britta schier in den

Wahnsinn trieben. Bis ihr der Geistesblitz mit der PKK kam. Mit kurdischen Anliegen hat Marquardt nichts am Hut, aber ihn stört die schlampige Art der AKP. Britta freute sich, weil es nicht häufig vorkommt, dass sie der PKK etwas anbieten kann. Die Aufmerksamkeit, die ein Nicht-Kurde mit einer Anti-AKP-Aktion erregen wird, ist ein starkes Argument in den Preisverhandlungen. Der Platz vor dem Konsulat ist in den frühen Morgenstunden menschenleer, aber videoüberwacht, und Marquardt wird vor dem Zünden der Bombe ein paar vorbereitete Worte in die Kameras sprechen.

Marquardt tritt auf einer gedachten Linie ein paar Schritte vom Eingang weg; sie haben das Gelände studiert und in Planquadrate eingeteilt. Am Schnittpunkt mehrerer Kamera-Achsen bleibt er stehen. Möglicherweise hebt jetzt ein Wachmann vor irgendeinem Monitor müde den Kopf. Das Vortragen der Botschaft wird zweiunddreißig Sekunden in Anspruch nehmen, danach wird sich Marquardt noch ein Stück Richtung Portal bewegen, um möglichst hohen Schaden zu verursachen.

Gerade hat er den Blick in eine der Überwachungskameras gerichtet, als der Kastenwagen vorfährt, Modell Mercedes Vito, Farbe Silber, keine Kennzeichen. Er bremst direkt neben Marquardt, die Seitentür geht auf. In Sekundenbruchteilen haben zwei maskierte Männer in schwarzen Kampfanzügen Marquardt ins Innere des Wagens gezerrt. Der Vito startet durch und fährt in einer scharfen Kurve mit quietschenden Reifen aus dem Bild.

»Mama!«

»Warte mal kurz«, ruft Britta. Bevor sie auf dem Tablet das nächste Video anklickt, steckt sie Kopfhörer in die Ohren und dreht den Ton herunter, in den folgenden Minuten wird es vermutlich ein wenig laut.

Die Perspektive hat gewechselt, nun ist ein starrer Bildausschnitt zu sehen, der das Innere des Transporters zeigt. Marquardts Gesicht füllt das Display, gut ausgeleuchtet, Bernd strahlt ihm mit einer Maglite in die Augen. Sein Mund ist verzerrt, vermutlich reißt Udo ihm den Kopf an den Haaren nach hinten.

»Haben wir dich erwischt, du Sau«, schreit Bernd nah am Mikrofon. Britta regelt die Lautstärke aufs Minimum. »Für dich ist der Heilige Krieg vorbei.«

»Ich bin kein Djihadist«, keucht Marquardt. Ein Schlag ertönt, und sein Gesicht verschwindet vom Bildschirm. Als er wieder auftaucht, hustet und spuckt er, es sieht aus, als wäre Erbrochenes dabei.

»Du redest nur, wenn du gefragt wirst«, schreit Bernd.

»Wer hat dich geschickt?«, fragt Udo mit ruhiger, freundlicher Stimme. Die beiden sind ein eingespieltes Team, sie machen das seit Jahren, und sie machen es ziemlich gut.

»Das geht Sie nichts an«, erwidert Marquardt, als er den Mund frei hat. Nach dem folgenden Schlag dauert es etwas länger, bis sie ihn wieder aufrichten können.

»Wir lassen dir die Zunge nur drin, damit du erzählen kannst!«, brüllt Bernd.

»Tu uns allen den Gefallen und mach's kurz«, bittet Udo.

In dem Stil wird es noch eine Weile weitergehen, Britta scrollt ein Stück nach vorn.

»Mama! Maaa-maaa!!!«

»Jetzt wartet doch mal kurz.«

»Wir haben eine Fraaa-ge!«

»Stellt sie mir«, sagt Janina, die am Steuer des Multivans sitzt. »Deine Mama muss noch kurz arbeiten.«

»Ihr sollt aber beide zuhören.«

»Dauert nicht mehr lang.« Britta hält das Tablet so, dass außer ihr niemand das Display sieht, und sucht die Stelle, an der die Waffe ins Spiel kommt.

Marquardt kniet am Boden, er ist schon ziemlich fertig, auch wenn man im Gesicht kaum Spuren von Gewalteinwirkung sieht. Udo und Bernd sind Profis. Außerhalb von Stufe 12 hat Britta nichts mit ihnen zu tun, sie kennt nicht einmal ihre richtigen Namen. Sie vermutet, dass es sich bei ihnen um ehemalige Polizisten handelt, die für irgendeinen Sicherheitsdienst arbeiten und sich gelegentlich bei der *Brücke* ein Zubrot verdienen. Zuverlässig, sauber, diskret. Britta weiß, dass sie ihnen bedingungslos vertrauen kann. Gerade setzt Bernd eine Glock an Marquardts Schläfe.

»Deine Bam-Bam-Weste und den ganzen Scheiß hast du dir doch nicht selbst besorgt«, sagt Udo aus dem Off. »Wer hat dir geholfen? Wir wollen Namen.«

»Fick dich«, keucht Marquardt, der offensichtlich die Lust auf gutes Benehmen verloren hat. Bernd presst ihm die Mündung der Glock an den Kopf, die Kiefer zusammengebissen, vor Anstrengung zitternd.

»Dann bist du fällig«, stößt er hervor.

»Mein Kollege hat recht«, sagt Udos Stimme. »So leid es mir tut. Wenn du nichts anzubieten hast, bist du wertlos für uns.«

»Biomüll«, ergänzt Bernd, ein Ausdruck, auf den er mächtig stolz sein muss, jedenfalls benutzt er ihn jedes Mal.

»Ich zähle jetzt von fünf rückwärts«, erklärt Udo. »Bei null drückt mein Kollege ab. Wenn du es dir anders überlegst, heb die Hand.«

Noch bevor Udo mit dem Zählen begonnen hat, fängt Marquardt an, sein PKK-Pamphlet aufzusagen. Freiheitsfalken Kurdistans, Vergeltung für die Massaker der faschistischen AKP. Britta ist gerührt. Marquardt nutzt die letzte Gelegenheit, um wenigstens einen Teil seines Auftrags auszuführen. Er spricht ohne Stocken, betont jedes Wort, mit der gleichen Akribie, mit der er seine Berichte verfasst hat. Wochenlang ist er Britta auf die Nerven gegangen, jetzt fängt sie an, ihn zu bewundern.

Während Marquardt spricht, zählt Udo langsam von fünf bis null, Marquardt schließt die Augen,

Bernd drückt ab. Nichts passiert. Eine Schrecksekunde, dann beginnt Marquardt zu brüllen. Er brüllt immer weiter, während Bernd und Udo beruhigend auf ihn einreden. Sie werden ihm jetzt erklären, dass die Evaluierung nicht zwölf, sondern dreizehn Stufen umfasst und er soeben die letzte durchlaufen hat. Dass alles nur gespielt war. Dass sie ihn jetzt zurück ins Hotel bringen und er alles Weitere von Britta erfahren wird.

Britta schaltet das Tablet aus. Sie muss nicht auf Udos Auswertung warten, um zu wissen, dass Marquardt mit Bravour bestanden hat. Sie hat stärkere Kerle gesehen, die wimmernd zusammengebrochen sind und um ihr Leben gebettelt haben. In diesen Fällen verlassen die Kandidaten noch kurz vor Schluss das Programm und kehren in den Alltag zurück. Meistens profitiert die *Brücke* auch von solchen Verläufen. Die spätbekehrten Kandidaten drücken die Dankbarkeit für ihre Heilung durch besonders hohe Honorarzahlungen aus.

»Hörst du jetzt endlich mal zu?«, schreit Vera von der Rückbank.

»Ja, Schatz, ich bin fertig.« Britta packt das Tablet in den Rucksack, der zwischen ihren Füßen steht, und dreht sich auf dem Beifahrersitz um. »Was gibt's denn?«

»Was ist ein Toff-Tail?«, fragt Cora schnell, während Vera wütend knurrt. Anscheinend läuft eine Art Wettstreit, wer die Frage stellen darf.

»So doch nicht! Molo-Tail!« Beide Mädchen glühen vor Eifer, weil sie zu etwas vordringen, das sie für eine Erwachsenenangelegenheit halten.

»Molotowcocktail?«, fragt Britta.

»Genau!«, ruft Vera. »Was ist das?«

»Etwas Altmodisches.«

»Woher kennst du denn so ein Wort?«, fragt Janina.

»Von Herrn Meyer.« Das ist Veras Mathelehrer. »Er hat gesagt, man müsste mal nach Berlin fahren und einen Molotowcocktail da reinwerfen.«

»So reden eure Lehrer?«

»Nur die Älteren.«

»Kann ich verstehen«, lacht Janina.

»Red keinen Stuss«, sagt Britta scharf.

Janina wendet den Blick von der Fahrbahn und sieht sie erstaunt von der Seite an. »Hast du nicht gehört, was die BBB vorhat? Effizienzpaket Nummer Sechs: Einführung von Zwischenprüfungen in der Grundschule. Schulversager frühzeitig aussortieren. Das ist doch absurd.«

»Hääääää?«, rufen Vera und Cora und freuen sich an der eigenen Lautstärke.

»Vor ein paar Jahren gab es eine Umfrage«, sagt Britta. »Die Leute wurden gefragt, was sie tun würden, wenn sie sich zwischen dem Wahlrecht und ihrer Waschmaschine entscheiden müssten.«

»Was kam raus?«

»Siebenundsechzig Prozent wählten die Waschmaschine. Fünfzehn Prozent waren unentschieden.«

»Also wollten nur achtzehn Prozent wählen.«

»Du bist gut im Kopfrechnen.« Britta hört selbst, wie ätzend sie klingt. »Die BBB ist nicht vom Himmel gefallen. Wenn man Molotowcocktails werfen will, dann vielleicht lieber auf die Bevölkerung.«

»Was ist denn los mit dir?« Wieder wendet Janina den Kopf und schaut Britta prüfend an. »Seit wann regst du dich über Politik auf?«

»Fahr mal da raus.« Sie zeigt auf die Einfahrt einer Tankstelle.

An der Kasse fragt sie nach einem Kartentelefon. Da es natürlich keins gibt, bietet ihr der Tankwart sein Handy an; das hat bis jetzt jedes Mal funktioniert.

Sie wählt eine Nummer, die sie auswendig kennt, und hinterlässt auf einer Mailbox eine kurze Nachricht: Dass der Kandidat zur Verfügung stehe und ab nächste Woche gebucht werden könne. Dem Tankwart gibt sie einen Euro für das Telefonat, kauft vier Lutscher in unterschiedlichen Geschmacksrichtungen und kehrt zum Auto zurück, wo sie Janina vom Fahrersitz verscheucht.

Während Britta schweigend am Steuer sitzt und ihren Lolli lutscht, redet Janina weiter über das sechste Effizienzpaket. Verschlankung des Schulsystems, die sogenannte Justizreform, Ausweitung von Regierungskompetenzen. Dabei ist Britta ziemlich sicher, dass sich auch Janina für die Waschmaschine entschieden hätte. Aus dem Mund der Freundin klingen die Pläne der BBB wie Ausläufer einer schleichenden Naturkatastrophe, die man mit Ekelfaszination beobachten, aber gewiss nicht aufhalten kann. Am liebsten würde Britta ihr sagen, dass sie endlich die Klappe halten soll. Bei Janinas Gerede muss sie die ganze Zeit an Julietta denken. »Die Arschlöcher von der BBB«, und: »Im Gegensatz zu dir hab ich Prinzipien.«

Gleich am Tag nach dem Gespräch im Gute Zeiten ist Britta ein weiteres Mal nach Leipzig gefahren. Stundenlang ist sie durch die Stadt gelaufen, hat sich irgendwann ein Fahrrad gemietet und sämtliche Parks mit allen Mülltonnen abgesucht, ist zu Einkaufszentren, S-Bahnhöfen und den Liegenschaften der Universität gefahren. Nirgendwo eine Spur von G. Flossen. Es ist auch früher schon vorgekommen, dass sie ihn nicht aufspüren konnte, aber dieses Mal brachte sie die Vergeblichkeit ihrer Suche in Bedrängnis. Sie kann sich keine Verzögerung leisten. Und sollte Flossen weiterhin unauffindbar bleiben, weil er eine Weltreise macht, im Krankenhaus liegt oder bei Green Power gekündigt hat, steht Britta mit Julietta wieder am Anfang.

Bis Wiebüttel hat sie den Lutscher aufgegessen und sich wieder im Griff. Janina hat sich müde geredet; die Mädchen hängen gelangweilt in ihren Sitzen.

Als sie in die kleine Ortschaft einbiegen, checkt Britta zum x-ten Mal den Rückspiegel. Kein weißer Hilux in Sicht. Für einen Schutzengel ist Hatz in letzter Zeit nicht sonderlich präsent.

Mit elegantem Schwung parkt sie den Multivan vor dem alten Bauernhaus, das zufrieden vor sich hin döst wie eine Katze im warmen Schein der Morgensonne. Die Mädchen purzeln aus dem Auto und sind im Garten verschwunden, bevor Britta und Janina die üblichen Ermahnungen ausgesprochen haben. Sie sind früh aufgebrochen, es ist ein herrlicher Morgen. Sonnenlicht steckt in blendenden Stäben im Blattwerk der Bäume, die Luft riecht frisch, als wäre die Welt soeben erst erschaffen worden. Den Schlüssel findet Janina unter einem Blumentopf neben der Eingangstreppe. Sie sind ohne Makler hier, eine letzte, private Besichtigung vor einer endgültigen Zusage. Noch einmal die »Vibes checken«, wie Janina sagt.

Die Tür schwingt auf, Britta fährt zusammen, ein Fauchen, etwas huscht an ihnen vorbei, Marder, Iltis, Wiesel, denkt Britta und sieht etwas Graues in den Büschen verschwinden. Doch dann folgt, gemächlich, schwarz-weiß gefleckt, eine dicke Katze. Im Vorbeigehen schaut sie Britta direkt ins Gesicht, als wollte sie sagen: Egal, was ihr vorhabt, wir waren zuerst hier.

Drinnen kommt es Britta vor, als wäre die Staubschicht noch dicker und die Anzahl toter Fliegen noch höher als beim letzten Mal. Ohne Männer und Makler ist es still im Haus. Vogelgezwitscher perlt durch alle Räume, irgendwo muss ein Fenster offen stehen. Trotz Schmutz strahlt das Haus eine gewisse Würde aus. Britta macht sich klar, dass es viermal so alt ist wie sie selbst. Es hat zwei Weltkriege gesehen, Geburten, Tode, menschliches Schicksal in allen Facetten. Im Wohnzimmer mit seinem blonden Dielenboden steht ein altes Schaukelpferd und blickt ihnen aus bernsteinfarbenen Augen entgegen. Das ist ihr beim letzten Mal gar nicht aufgefallen.

Sie sprechen nicht. Sie gehen noch einmal durch alle Räume und steigen die steile Treppe hinauf. Oben befinden sich ein weiteres Bad und mehrere Schlafzimmer, in einem davon steht ein altes Bett. Sie setzen sich auf die Kante und sehen durchs Fenster in die Kronen der alten Bäume, in denen Großfamilien von Spatzen zanken. Janina und Knut haben vielleicht keine Begabung für den Erfolg, möglicherweise aber für das Glück. Britta kann vor sich sehen, wie die beiden hier leben werden, mit wenig Arbeit und wenig Geld, mit Hühnern, Gemüsegarten und einem weiteren Kind, das auf den Holzböden herumkrabbelt. Musterschüler des bedingungslosen Grundeinkommens. Ständig auf Trab gehalten von Alltagssorgen, aber durchdrungen von Liebe zu dem Ort, an dem sie sich befinden. Plötzlich kommt sich Britta altmodisch vor. Vielleicht ist der Traum vom Landleben ein Anachronismus, aber lange Arbeitstage und der ständige Gedanke ans Geschäft sind es ebenfalls. Auf die weiche Janina und den schlaffen Knut mit ihrem altmodischen, dauerbeleidigten Blick auf Gesellschaft und Politik hat sie immer herabgesehen. Aber vielleicht ist Britta mit ihrem Nihilistenstolz auch nur ein Dinosaurier, der sich für den Größten hält, während er ausstirbt.

Als sich Janina rückwärts aufs Bett sinken lässt, tut Britta es ihr gleich. Ein Geruch nach Großmüttern steigt aus der Matratze. Sie liegen nebeneinander und blicken an die Decke, an der noch eine alte Lampe hängt, eine Art umgedrehtes Einmachglas, milchig und mit kleinen Katzen bemalt. Ob hier einst das Kinderzimmer gewesen ist? Hat in dem schweren Holzbett ein kleiner Junge gelegen und nachts, wenn er nicht schlafen konnte, die Katzen an der Lampe betrachtet, von denen sich einige die Pfoten lecken, während andere zusammengerollt schnurren?

Brittas ganzer Körper beginnt zu kribbeln, zum ersten Mal seit Tagen breitet sich Entspannung in ihr aus. Sie spürt, dass sie gleich einschlafen wird. Vielleicht sollte sie doch eine Auszeit nehmen. Es muss ja nicht gleich ein ganzes Jahr sein und auch kein halbes, vielleicht reichen drei Monate oder ein paar Wochen, ein ausgedehnter Urlaub, in dem sie Janina beim Einrichten des Hauses hilft, in dem sie gemeinsam Kirschen ernten und Kuchen backen und an den lauen Abenden für ihre Familien ein Essen unter Bäumen vorbereiten. Britta hat seit Jahren keinen Urlaub gemacht, sie weiß nicht, wie sich ein Leben ohne *Brücke* anfühlen würde.

Wir können Marquardt und Djawad abwickeln und das große Ding mit Julietta durchziehen, denkt sie, und dann gehe ich für eine Weile ins Sabbatical. Was für ein Zeichen von Souveränität! Babak wird die Stellung schon halten, und die kleinen Jungs von *Empty Hearts* werden verstanden haben, dass man einem Dinosaurier nicht ans Bein pinkelt.

Als ihr Zwerchfell zu flattern beginnt, weiß Britta, dass es so nicht kommen wird. Der Gedanke ans Kuchenbacken macht ihr Angst, die Entspannung wandelt sich in Nervosität.

»Stell dir vor, du hast ein Kästchen mit einem roten Knopf«, sagt sie. »Wenn du den Knopf drückst, sterben schlagartig sämtliche Oberspinner der Welt, Freyer, Trump und all die anderen. Was tust du?«

Janina wendet den Kopf und sieht sie von der Seite an.

»Die Molotowcocktails lassen dir keine Ruhe, was?«

»Du musst das Dilemma auflösen. Was machst du mit dem Kästchen?«

»Ich werfe es in hohem Bogen aus dem Fenster.«

»Was?« Britta richtet sich auf. »Du fandest die Molos gut.«

»Das war doch nicht ernst gemeint.« Jetzt stützt sich auch Janina auf einen Ellenbogen. »Wir sind uns völlig einig, Britta. Gewalt ist falsch. Egal, zu welchem Zweck.«

Die Antwort rumort in Brittas Kopf, für einen Augenblick sieht sie nichts mehr, was daran liegt, dass sie die Augen geschlossen hat. Magensäure schießt ihr in die Kehle. Janinas Stimme kommt aus weiter Ferne.

»Meinst du, wir sollten dieses Bett behalten?«

Aber da ist Britta schon aufgesprungen und ins Bad gerannt, um sich zu übergeben.

19

»Liegst du bequem?«, fragt Britta.

Julietta lächelt, sie wirkt eher aufgeregt als ängst-
lich. Britta weiß, was in ihr vorgeht. Julietta denkt,
dass es doch möglich sein muss, die Luft anzuhalten.
Sie glaubt, auf ihre Selbstbeherrschung vertrauen zu
können. Außerdem ist es ja keine »echte« Situation.
Britta wird aufhören, falls etwas schiefläuft. Nach
wenigen Minuten wird alles vorbei sein, sie wird ein
Handtuch bekommen, um sich die Haare zu trocknen, und sie werden einen Kaffee trinken gehen, um
über alles zu reden. Man wird sie nicht in eine Zelle
bringen, wo sie mit Hitze, Kälte oder Lärm weiter ge-
foltert wird. Fast freut sich Julietta auf das Erlebnis,
als würde sie einen Extremsport ausprobieren, Frei-
tauchen oder Fallschirmspringen.

Britta weiß das alles. Sie hat es selbst erlebt. Alles,
was sie den Kandidaten zumutet, hat sie zuerst sich
selbst angetan, inklusive Klinikaufenthalt, fingierter
Entführung und Scheinexekution. Nichts davon war
annähernd so schlimm wie das Waterboarding.

Tagelang hatten Babak und sie sich im Internet schlau gemacht, C.I.A.-Handbücher und Erfahrungsberichte gelesen, bis es keinen Grund mehr gab, die Sache länger vor sich her zu schieben. Während sie in der Gartenabteilung des Baumarkts eine grüne Plastikgießkanne kauften, mussten sie ständig lachen. Sie standen zwischen Gartenschläuchen, Spaten, Düngemitteln und Gummihandschuhen und sahen plötzlich Folterinstrumente in den einfachsten Dingen.

Weil sie noch in Leipzig lebten, kam nur Brittas Studentenwohnung für die Aktion infrage. Sie legten ein breites Brett über die Badewanne, um möglichst wenig Sauerei mit dem Wasser zu machen. Die Münze entschied, dass Britta zuerst an die Reihe kommen sollte. Mit zwei Baumwollschals band Babak sie auf das Brett und zupfte ewig an ihr herum, bis sie ihn anschnauzte, endlich zur Sache zu kommen. Die fröhliche Nervosität war echter Anspannung gewichen. Babak aktivierte den Timer seines Handys. Sie hatten sich auf maximal eine Minute geeinigt. Über vorzeitigen Abbruch entschied die ausführende Person.

Er legte ihr ein Küchentuch übers Gesicht. Britta dachte, dass sie tief Luft holen und den Mund schließen würde, damit kein Wasser eindrang. Eine Minute Luft anhalten war schwieriger, als man glaubte, aber es ging. Britta hatte geübt.

Babak goss Wasser auf ihr Gesicht.

Während der ersten Sekunden kam sie zurecht. Das Küchentuch sog sich voll, kalt lief das Wasser über Gesicht und Hals und plätscherte auf die Keramik der Badewanne. Allerdings merkte Britta schnell, dass einfaches Luftanhalten keine Option war, weil das Wasser durch die Nase eindrang. Sie dachte, wenn sie die Luft ganz langsam ausströmen ließe, könne es für eine halbe Minute reichen, und dann sei die Zeit ja schon fast um.

Doch der Gegendruck beim langsamen Ausatmen reichte nicht. Das Wasser strömte in die Nebenhöhlen, also stieß sie heftig Luft aus, um sich zu befreien. Danach waren die Lungen leer.

Britta versuchte, sich zu entziehen, warf den Kopf hin und her, um durch den Mund einzuatmen, aber der nasse Lappen füllte ihr bereits die Mundhöhle. Wasser drang ihr in Rachen, Nebenhöhlen, Luft- und Speiseröhre, sie wollte es ausstoßen, aber die Lungen waren bereits vollständig zusammengefallen. Sie begriff, dass sie auf keinen Fall die Kontrolle verlieren durfte, und verlor die Kontrolle. Ihr Körper stemmte sich gegen die Fesseln, sie atmete heftig durch die Nase, sog immer mehr Wasser ein, es lief überallhin, es füllte Augen, Ohren, Gehirn. Der Körper tobte. Britta wusste, dass sie sterben würde.

Als das Brett kippte und Babak die Gießkanne fallen ließ, um Britta aufzufangen, waren nicht einmal vierzig Sekunden vergangen. Britta brauchte zehn Minuten, um wieder zu Sinnen zu kommen. Zitternd kroch sie unter das Waschbecken und schlug nach Babak, wenn er sie anfassen wollte. Sie war überzeugt, dass er versucht hatte, sie umzubringen.

An diesem Tag kam Babak nicht mehr an die Reihe. Auch an den folgenden nicht. Britta war nicht in der Lage, das Waterboarding bei ihm durchzuführen. Immer wieder versuchte sie zu erklären, was mit ihr passiert war. Es gab eine Schwelle, hinter der Selbstbeherrschung und Vernunft keine Rolle mehr spielten. Als sie Wasser in den Atemtrakt zog, war sie nicht länger Herr ihrer selbst gewesen. Die Hölle hatte sie verschlungen. Eine auch nur annähernd vergleichbare Panik hatte sie noch nie erlebt. Bei der Vorstellung, es noch einmal durchleben zu müssen, kehrte die Panik sofort zurück. Wenn sie die Wahl gehabt hätte, sich die Finger mit einem Vorschlaghammer zertrümmern zu lassen oder ein weiteres Mal Waterboarding zu erleben, hätte sie ohne Zögern den Vorschlaghammer gewählt. Ihre ganze Familie hätte sie verkauft. Sie hätte alles aufgegeben, alles gesagt, alles getan.

In der folgenden Woche bestand Babak darauf, dass sie ihn der Behandlung unterzog. Sie mussten auf demselben Stand sein. Britta wusste, dass er recht hatte. Sie würde nicht weiter mit ihm zusammenarbeiten können, wenn er nicht das Gleiche erlebt hatte wie sie. Sie verbesserten die Konstruktion, fixierten das Brett. Babak reagierte identisch. Britta weinte die ganze Zeit. Die Stoppuhr zeigte fünfundvierzig Sekunden, als sie die Kanne fallen ließ.

»Ist die voll?« Julietta zeigt auf die grüne Gießkanne. Sie befinden sich im Untergeschoss der Praxis. Julietta liegt auf der Behandlungsliege, die Britta nach

Eröffnung der Praxis im Schlussverkauf eines Sanitärfachgeschäfts erstanden hat. Babak hat die Füße der Liege im Boden verschraubt, um Unfälle zu vermeiden. Der Mehrzweckraum ist gekachelt und verfügt über einen Abfluss, sodass sie das Wasser einfach laufen lassen können.

»Randvoll«, sagt Britta und hebt die Kanne an, um zu zeigen, wie schwer sie ist. Es ist noch dieselbe wie damals.

»Dann werde ich heute Abend wohl keinen Durst mehr haben.«

Auch das mit den Witzen probieren sie alle. Juliettas Augen sind ein wenig dunkler als sonst. Britta fixiert sie mit Spanngurten auf der Liege und lässt sie eine Einverständniserklärung ins Kameraauge des Tablets sprechen, nur für alle Fälle, es hat sich noch niemand im Nachhinein beschwert.

»Ich lege dir jetzt ein Tuch übers Gesicht, und dann geht's los«, sagt sie.

Früher hat sie an dieser Stelle eine kurze Einführung gehalten, hat erklärt, dass es sich um einen rein psychischen Vorgang handelt und dass keine Gefahr für Leib oder Leben entsteht. Dass der Gurt nur der Sicherheit des Kandidaten dient und das Ganze weniger als eine Minute dauern wird. Als ihr klar wurde, dass sie diese Worte nur zu ihrer eigenen Beruhigung sprach, hörte sie damit auf.

Einem Impuls folgend, streicht Britta dem Mädchen eine Haarsträhne aus der Stirn. Julietta zeigt keine Regung, aber Britta spürt trotzdem, dass sie ihr vertraut. Schnell bedeckt sie ihr das Gesicht mit dem karierten Küchentuch. Danach geht es leichter. Britta verwandelt sich in eine Maschine, die simple mechanische Bewegungsmuster ausführt. Gießkanne anheben, leicht kippen, Wasser laufen lassen. Anfangs vorsichtig, damit das Tuch nicht heruntergespült wird, dann großzügiger, wenn der Stoff nass und schwer auf dem Gesicht klebt. Juliettas Gesichtszüge drücken sich durch das Tuch, es sieht aus wie eine Totenmaske.

Ich mache nichts anderes als beim Blumengießen, sagt Britta in Gedanken zu sich selbst. Dasselbe Werkzeug, der gleiche Inhalt, die identische Bewegung.

Juliettas Selbstbeherrschung ist rekordverdächtig. Nach zwanzig Sekunden liegt sie immer noch völlig still. Britta beginnt, sich zu ärgern, was strengst du dich an, du kleine Streberin, du bist auch nur ein Mensch und funktionierst wie alle anderen, es gibt hier keinen Preis zu gewinnen. Nach weiteren fünfzehn Sekunden ist es auch mit Juliettas Widerstand vorbei. Sie hustet, schluckt Wasser, wirft den Kopf hin und her, stemmt sich gegen die Spanngurte. Britta verstärkt den Wasserstrahl, die Kanne wird leichter. Durch das Gezappel wird sie noch aggressiver, ist doch bloß Wasser, denkt sie, reg dich ab, ich dachte, du bist knallhart, du liebst es doch, dich selbst zu quälen, wo ist denn jetzt dein Selbsthass, du Ober-Selbstmörderin?

Die Wut tut gut, sie ist der einzige Weg, mit der Lage

zurechtzukommen. Endlich ist die Kanne leer, Britta schleudert sie durch den Raum, sodass sie klappernd über die Fliesen rutscht. Die Stoppuhr zeigt fünfundfünfzig Sekunden. Britta zieht das Tuch von Juliettas Gesicht und löst die Gurte. Mit beiden Händen sorgt sie dafür, dass das Mädchen nicht zu Boden fällt, nicht in der Nässe ausrutscht, dass sie es bis zu dem niedrigen Sessel schafft, der in der Ecke bereitsteht. Julietta sieht schrecklich aus, das nasse Haar hängt ihr ins Gesicht, sie krümmt sich zusammen, hält sich den Bauch, hustet und spuckt wie eine Ertrinkende. Brittas Verachtung für dieses gebrochene Stück Mensch ist so groß, dass sie sich abwenden muss. Als sich Julietta endlich beruhigt und wie tot im Sessel zusammensinkt, setzt sich Britta auf das trockene Ende der Liege, zieht die Füße hoch und schlingt die Arme um die Knie. Juliettas Brust hebt und senkt sich in gleichmäßigen Atemzügen, fast, als schliefe sie. Gleich wird Britta sie fragen, ob sie das Programm fortsetzen will. Sie stellt sich vor, wie Julietta sie beschimpfen und dann in Tränen ausbrechen wird, heftig wie ein kleines Mädchen, dem etwas Schreckliches zugestoßen ist. Wie sie nur noch nach Hause zu ihrer Mama will. Britta wird sie trösten und ein paar Formalitäten herunterleiern, dass ihr keinerlei Kosten entstehen, dass alle Akten vernichtet werden, dass Stillschweigen auf beiden Seiten selbstverständlich ist. Dass für sie jetzt ein neuer Lebensabschnitt beginnt und sie eines Tages verstehen wird, warum es ein Glück war, mit der *Brücke* zusammenzuarbeiten.

Babak wird traurig sein, wenn Julietta das Programm verlässt. Vielleicht bleiben die beiden in Kontakt und treffen sich einmal die Woche zum Dartspielen. Hat uns die Süße eben doch nur was vorgemacht, große Klappe, nichts dahinter, am Ende nur ein kleines Mega-Mädchen, das sich verlaufen hat. Britta kann nicht verhehlen, dass sie ein wenig erleichtert ist. Marquardt wird sich freuen, wenn sie ihm sagt, dass sie einen Spezialauftrag für ihn hat.

Britta lässt sich von der Liege gleiten, um ein Handtuch zu holen, und überlegt, ob Richard heute Abend Zeit hat, etwas Schönes zu unternehmen, oder ob sie einfach einen gemütlichen Filmabend zu Hause machen – da sagt Julietta etwas, das Britta noch nie gehört hat. Nicht an dieser Stelle, nicht an diesem Ort, nicht nach dem, was in den letzten Minuten passiert ist.

Julietta sagt: »Noch mal!«

20

Weil die Firmenräume von *Smart Swap* in einem netten, aber ziemlich engen Innenstadt-Altbau liegen, hat Richard für die Feier eine Ecke im I-Vent reserviert, wo man vom 17. Stock aus einen schönen Blick über die Stadt genießt. Britta hasst Partys, und dass sie sich noch dazu auf einer befindet, die zu Ehren von Guido Hatz veranstaltet wird, ist absurd. Sie ist nur mitgekommen, weil Richard darauf bestanden hat. Offizielle Begrüßung des neuen Investors, ein großer Moment für *Swappie*. Emil und Jonas würden sonst fragen, wo sie ist.

Seit einer halben Stunde steht sie nun schon mit Lena und Charlotte, den Frauen von Emil und Jonas, am Fenster, hält ein Cocktailglas in Händen und lauscht den Berichten über die Erfolge der jeweiligen Tochter beim Malen, Klavierspielen, Programmieren und Voltigieren. Dann geht es um das sechste Effizienzpaket, das bei Lena und Charlotte gut ankommt, vor allem wegen der Sonderabgabe für in Deutschland beschäftigte Ausländer und weiterer Maßnahmen zum Schutz der einheimischen Wirtschaft. Nachdem der Satz »Sehr demokratisch ist die BBB ja nicht, aber manche Ideen sind wirklich ganz gut« zum dritten Mal gefallen ist, trägt Britta ihr Glas Richtung Toilette, wo sie sich die Hände wäscht und ihr Gesicht lange im Spiegel betrachtet. Seit Janinas Antwort auf das Dilemma mit dem roten Knopf ist die Übelkeit zum ständigen Begleiter geworden. Britta versteht nicht, was mit ihr los ist, sie hat sich in letzter Zeit schlecht im Griff.

Um sich zu beruhigen, sagt sie sich, dass doch eigentlich alles bestens läuft. Julietta hat Stufe 6 bestanden und ist weiterhin im Programm. Seit dem Waterboarding trägt sie das Haar wieder offen, raucht wieder und läuft in den gewohnten schwarzen Schlabberklamotten herum. Sie hat die nächste Häutung vollzogen, der Kriegerinnen-Karneval ist vorbei, sie macht einen ruhigen, besonnenen Eindruck. Vor Müdigkeit wirkt ihre Nase ein wenig zu groß, vielleicht schläft sie schlecht seit der Todesangsterfahrung, aber Schlafentzug ist gut, er setzt Energien frei. Babak weicht nicht mehr von ihrer Seite, begleitet sie beim Joggen im Bürgerpark, wofür sie sich sogar rote Sport-ist-öffentlich-T-Shirts angeschafft haben, um weniger aufzufallen. Er achtet auf ihre Ernährung, macht mit ihr Yoga und Meditation. Britta hat beschlossen, ihn gewähren zu lassen; er ist alt genug, um auf sich selbst aufzupassen, und lange genug im Geschäft, um zu wissen, dass er sich am Ende entsetzlich wehtun wird. Julietta wird ihm zuliebe nicht auf den Selbstmord verzichten, davon ist Britta überzeugt. Spätestens seit Stufe 6.

In Kürze wird sie ein weiteres Mal nach Leipzig fahren, um Flossen zu suchen, und falls sie ihn nicht findet, wird sie Kontakt zu einer anderen Umweltorganisation aufnehmen, schweren Herzens, aber nun gut. Von Guido Hatz hat sie tagelang nichts mehr gehört. Auch heute Abend hält er sich die ganze Zeit an Emil und Jonas und schenkt Britta seit der kurzen Begrüßung keine Beachtung mehr. Sie fragt sich, ob er die Schutzengel-Masche wieder vergessen und vielleicht doch nichts mit den *Empty Hearts* zu tun hat. So oder so wird die Sache, wenn es gut läuft, in zwei Wochen über die Bühne sein, und danach ist Zeit für ein wenig Erholung. Es gibt nichts, worüber sie sich aufregen müsste, aber das scheinen ihre Eingeweide nicht zu wissen.

Als zwei Frauen lachend und redend die Toilettenräume betreten, wendet sich Britta vom Spiegel ab und kehrt auf die Party zurück. Auf den ersten Blick sieht sie, dass Guido Hatz auf sie gewartet hat. Seine hoch aufragende Gestalt ist zwischen den anderen Gästen gut zu erkennen. Als er sie entdeckt, hebt er den Arm, winkt sie heran und deutet auf eine Fensternische.

Britta holt sich an der Bar einen weiteren Cocktail und schlendert betont langsam zu Hatz hinüber, der sich den Schnurrbart streicht und nachdenklich über die Stadt schaut. Wenigstens gibt es hier nichts, über das er mit geschlossenen Augen balancieren könnte.

Mit einem Finger zeigt Hatz über den Hauptbahnhof hinweg auf die Kurt-Schumacher-Blöcke.

»Schauen Sie mal, da hinten.«

Da hinten befinden sich die Praxisräume der *Brücke*, aber Hatz meint etwas anderes.

»Da oben, auf den Wohnblöcken. Dort treffen sich Luftgeister. Können Sie sie sehen?«

»Ich sehe überhaupt nichts.«

»Diese Stadt ist verletzt. Hier wird Schreckliches passieren, wenn keine Heilung erfolgt. Aber wem sage ich das.« Er lächelt ihr zu, völlig frei von Ironie. »Schön, dass Sie hier sind. Eine gute Übung für Ihre neue Rolle als Ehefrau.«

Als sie sich abwenden will, legt er ihr eine Hand auf den Arm.

»Einen Moment noch.«

Während sie sich ansehen, hat Britta das Gefühl, dass sein Blick tiefer dringt als ihrer. Das Unbehagen wächst. Dieser Mann ist kein Spinner, er verfolgt einen Plan. Vielleicht hat er diese Party nur veranlasst, um sie hier zu treffen. Um ihr zu zeigen, dass er sie zwingen kann zu erscheinen.

»Sie sollten keine Angst vor mir haben«, sagt Hatz. »Das lenkt Ihre Energien in eine falsche Richtung.«

Britta will sagen, dass sie keine Angst hat, weiß aber, dass es nicht überzeugend klingen würde.

»Ich bin Ihr Schutzengel. Ich meine es gut mit Ihnen. Ich habe in all den Jahren auf Sie aufgepasst, und jetzt versuche ich zu retten, was zu retten ist.«

»Wieso retten?«

Er beugt sich zu ihr herunter und spricht ihr direkt ins Ohr.

»Verabschieden Sie sich von Julietta, Marquardt und den anderen. Schließen Sie die Praxis, gehen Sie nach Hause und bleiben Sie dort. Das ist Ihre Chance. Ihre einzige, um genau zu sein.«

Er kennt die Namen, natürlich, das sollte keine Überraschung darstellen. Trotzdem wird Britta so schwindelig, dass sie schwankt. Hatz nimmt ihr das Cocktailglas aus der Hand und stellt es auf einen Tisch. Unauffällig stützt er sie am Ellenbogen, bis sich ihr Kreislauf wieder stabilisiert. Als Emil an sein Glas klopft, um eine Rede anzukündigen, ist Britta schon auf dem Weg zu den Fahrstühlen. Mit seiner kieksenden, noch immer nach Stimmbruch klingenden Stimme sucht Emil nach den ersten Worten, dankt dem Investor, lobt den Investor, verspricht allen Anwesenden eine großartige Zukunft. Guido Hatz steht in der Nische, wo Britta ihn zurückgelassen hat, und nickt lächelnd wie der Jubilar einer Silberhochzeit.

Draußen ist es dunkel. Britta steigt aufs Rad und tritt hart in die Pedale. Sie ärgert sich darüber, dass sie so heftig auf das Akte-X-Gequatsche von Hatz reagiert. Um sich abzuregen, fährt sie, so schnell sie kann. Der Fahrtwind zerrt an ihren Haaren, die Luft ist überraschend kalt für einen Sommerabend, beinahe herbstlich; dieses Jahr hat sich das Wetter komplett in den Jahreszeiten verlaufen.

Als sie die Gleise des Hauptbahnhofs unterquert hat und die Kurt-Schumacher-Blöcke vor ihr aufragen, beschließt sie, sich einen Stapel Wochenberichte aus der Praxis zu holen. In dieser Stimmung wird sie ohnehin nicht einschlafen, also kann sie den vergeudeten Abend auch zum Arbeiten nutzen.

In den Pedalen stehend, fährt sie die Rampe hinauf, die von der Schnellstraße zur höher gelegenen Schumacher-Passage führt. Schon von Weitem sieht sie, dass etwas nicht stimmt. Zwar wirkt auf den ersten Blick alles wie immer. Niemand ist unterwegs, alle Geschäfte sind geschlossen. Die Schaufenster der Praxis sind die einzig geputzten in der gesamten Passage und spiegeln das Licht der Laternen. Aber ein winziges Detail stört das Bild. Die Tür scheint nicht richtig zu schließen. Links vom Knauf ist eine Schattenfuge zu sehen, ein senkrechter schwarzer Strich, der dort nicht hingehört. Brittas Gehirn tut das, was alle Gehirne der Welt ständig tun: Es sucht eine Erklärung. Optische Täuschung? Nicht richtig abgeschlossen? Oder ist Babak in der Praxis und hat die Tür angelehnt gelassen?

Scharf bremst sie direkt vor der Tür und beugt sich über den Lenker, das Fahrrad zwischen den Beinen balancierend. Spuren von grobem Werkzeug sind deutlich zu erkennen. Kuhfuß oder Stemmeisen. Das Aluminiumprofil wurde aufgebogen, bis Falle und Riegel aus dem Schließblech gerutscht sind. Die kaputte Tür hat man zurück in die Zarge gedrückt. Als Britta ein wenig daran rüttelt, schwingt sie auf.

Theoretisch könnte sich der Eindringling noch im Gebäude befinden, aber Britta hält sich mit diesem Gedanken nicht auf. Sie durchquert den geräumigen Praxisbereich, der unberührt wirkt, läuft zur Wendeltreppe und hinunter ins Untergeschoss. Dort schaltet sie das Licht an und starrt in den leeren Technikraum, bis ihr einfällt, dass Lassie ja von Babak evakuiert wurde, in weiser Voraussicht, wie sich nun zeigt. Ansonsten scheint alles wie immer, selbst die leere Gießkanne liegt noch an der Stelle auf den Fliesen, wo Britta sie zurückgelassen hat. Sie fragt sich, was die Einbrecher gesucht haben könnten. Für Junkies, die auf gut Glück eine leicht zu knackende Tür öffnen, sind die Räume zu sauber. Außer Lassie besitzt die *Brücke* keinerlei Wertgegenstände, die Einrichtung ist spärlich, die Möbel sind billig, die Kaffeemaschine inzwischen auch schon zehn Jahre alt. Langsam steigt Britta die Treppe wieder hinauf. Um keine unnötige Aufmerksamkeit zu erregen, schaltet sie das Licht nicht an; es dringt genug Helligkeit von der Passage herein. Auch im Erdgeschoss sieht alles aus wie gewohnt, Sitzgruppe, Rezeption, das Tischchen mit den Zeitschriften, die nie jemand liest. Während sie die Gegenstände mustert, die ihrem Leben in den letzten Jahren einen Rahmen gegeben haben, beschleicht sie ein unbehagliches Gefühl, ein zäher Schmerz zwischen Trauer und Angst, und vielleicht liegt es an diesem Gemütszustand, dass es so lange dauert, bis sie das Offensichtliche erkennt.

Der große Arbeitstisch in der Mitte des Raums ist leer. Babaks Pünktchenbild ist weg.

Stattdessen liegt ein Foto auf der Tischplatte, altmodisch glänzend, mit einem weißen Rand, wie man ihn bei den Internetversendern als Gestaltungsoption wählen kann. Behutsam nimmt Britta das Bild in die Hand. Sie muss es ein wenig hin und her bewegen und den richtigen Abstand zu den Augen suchen, bis sie etwas erkennt. Die Aufnahme ist dunkel und verwaschen, bei Nacht ohne Blitz gemacht, orangefarben beleuchtet von Straßenlaternen, wie sie in Leipzig stehen. Ein Körper liegt am Boden, halb unter einem umgefallenen Fahrrad begraben, dessen Satteltaschen ihren Inhalt über den Boden verteilt haben. Die leblose Gestalt ist von Plastikflaschen umgeben, in großer Zahl, auffällig leuchtend im Laternenlicht. Ein seltsames Arrangement, als wäre etwas aus großer Höhe gefallen und sternförmig über Kiesweg und Gras gespritzt. Auch wenn Britta kein Gesicht sehen kann, weiß sie, dass das G. Flossen ist und dass er nicht mehr lebt.

Einen Moment lang ist sie wie gelähmt, dann handelt sie schnell. Sie schiebt das Foto in die Tasche und läuft noch einmal die Treppe hinunter, um eine Klappleiter aus dem Geräteraum zu holen. Mühsam bugsiert sie das sperrige Gerät die gewundenen Stufen hinauf, stellt es vor die Eingangstür und klettert bis auf den höchsten Tritt, um die Chipkarte aus der kleinen Kamera zu entfernen. Danach verlässt sie die

Praxis und zieht die kaputte Tür mit aller Kraft in den Rahmen, damit sie nicht offen steht.

Während der Fahrt durch die Innenstadt wiederholt sich ein Mantra in Brittas Kopf: Bitte, lass Babak und Julietta zu Hause sein. Mach, dass ihnen nichts passiert ist.

Neulich nach der Schule hat Vera gefragt, ob der liebe Gott eine Figur von *Star Wars* sei, und irgendwie hat Britta Stolz auf den Atheismus ihrer Tochter verspürt. Aber jetzt beginnt sie zu beten. Falls da oben wirklich einer sitzt, lacht er sich vermutlich gerade halb tot über sie. Wie sie sich abstrampelt, mit fliegendem Atem und Schweiß auf der Stirn. Wie sie einen Gott anfleht, den es ihrer eigenen Meinung nach gar nicht gibt. Plötzlich merkt sie, dass sie G. Flossen gemocht hat, und beginnt zu weinen.

So kommt sie in der »Höhe« an, außer Atem, verheult. Die Haustür steht offen. Immer zwei Stufen auf einmal nehmend, rennt Britta die Treppe hinauf, drückt Babaks Klingel und schlägt gleichzeitig mit der flachen Hand an die Tür, bis er endlich öffnet, lebendig, unversehrt. Vor Erleichterung geht sie in die Knie. Babak legt ihr einen Arm um die Schultern und bringt sie ins Wohnzimmer, wo Julietta auf ihrer Matratze liegt und verwundert die Stöpsel des Kopfhörers aus den Ohren zieht.

Britta kann nicht sprechen. Sie holt das Foto hervor und wirft es in Ermangelung eines Tischs auf den Boden, so dass Babak sich hinknien muss, um es zu betrachten. Ein paar Sekunden orientiert er sich, dann flüstert er: »Scheiße.« Als Britta die kleine Chipkarte aus der Tasche zieht, reagiert er sofort, holt Kartenleser und Tablet und startet den Film.

Zu dritt hocken sie um das Display herum und stecken die Köpfe zusammen. Gemeinsam sehen sie den Praxisraum der *Brücke* im Halbdunkel liegen, 22:15 h sagt die Anzeige am unteren Bildrand, draußen ist es fast Nacht, durch die Schaufenster fällt etwas Licht herein. Zwei Männer treten in den Bildausschnitt, der eine gedrungen, der andere groß und so dünn, dass sich in seiner überdimensionierten Hose nichts zu befinden scheint. Sie benutzen keine Taschenlampen und sind nicht maskiert. Überhaupt geben sie sich wenig Mühe, ihre Gesichter vor der Kamera zu verbergen; mal sind sie von schräg oben im Profil, mal von hinten oder direkt von vorn zu sehen. Auch die Praxis scheint sie nicht sonderlich zu interessieren, sie sehen sich nicht um, suchen nichts, gehen nicht einmal zur Treppe hinüber. Sie sind nur schnell vorbeigekommen, um etwas abzuholen.

Als sich die Einbrecher über den Arbeitstisch beugen und beginnen, das Pünktchenbild aufzurollen, ruft Babak zum zweiten Mal »Scheiße!« Der Dünne wirft das Foto vom toten Flossen auf den Tisch. Der Gedrungene kratzt sich am Kopf, wobei der Ärmel seines Hemds zurückrutscht und den Blick auf eine Tätowierung freigibt, die nicht vollständig zu sehen, aber dennoch gut zu erkennen ist.

Sie lassen den kurzen Film noch fünfmal laufen, dann schaltet Babak das Tablet aus.

»*Empty Hearts*«, sagt Babak. »Also gibt es noch mehr von denen.«

»Gut beobachtet«, zischt Britta. »Es gibt noch mehr, und sie haben Flossen umgebracht. Aber warum stehlen sie dein verdammtes Bild?«

»Vielleicht sollten wir uns erst mal beruhigen«, wendet Julietta ein, aber damit erreicht sie nur das Gegenteil.

»Halt dich raus«, schnauzt Britta.

»Es ist ein Code«, sagt Babak schnell.

»Ein was?«

»Hörst du schlecht? Ein verdammter Code!«

»Aber für was?«

Sie schreien sich an, das ist nicht gut. Wenn zwei tragende Pfeiler wanken, besteht für das Gebäude akute Einsturzgefahr. Britta versucht, sich in den Griff zu kriegen, merkt aber, dass sie kaum noch Kontrolle über sich besitzt. Nie zuvor hat sie solche Angst empfunden.

»Okay«, sagt Babak, und noch einmal: »Okay.« Er merkt, dass Britta nicht wütend, sondern panisch ist, und versucht jetzt, Ruhe auszustrahlen.

»Wahrscheinlich hätte ich es dir sagen sollen. Aber ich dachte, es ist besser, wenn du nichts davon weißt. Ich wollte ein nicht-elektronisches Sicherheitssystem. Etwas, das unabhängig von Lassie funktioniert.«

Britta starrt ihn an. Langsam dämmert ihr, wovon er spricht, aber sie bekommt den Gedanken noch nicht richtig zu fassen.

»Du meinst... du hast etwas in die Bilder hineingeschrieben?«

»Es sind Datenbanken«, sagt Babak. »Sie enthalten sämtliche Namen, die Lassie jemals ausgespuckt hat, inklusive Evaluierungs-Kennziffern und einem Vermerk, ob der Betreffende ins Programm aufgenommen wurde und wie weit er gekommen ist.«

»Krass«, sagt Julietta und lacht. »Ziemlich genial, Babs.«

Flüchtig registriert Britta den albernen Spitznamen, aber sie hat jetzt nicht die Nerven, sich darüber zu ärgern; sie ist vollauf damit beschäftigt, die Bedeutung dessen zu ermessen, was Babak sagt.

»Du hast eine Geheimschrift entwickelt?«

Für einen Moment überstrahlt Babaks Stolz den Ernst der Lage. Er greift nach einem Stift, der am Boden herumliegt, und zieht ein Death-Metal-Magazin heran, das wahrscheinlich Julietta gehört. Auf der Rückseite der Zeitschrift beginnt er, Pünktchen nebeneinanderzusetzen.

»Für sämtliche Buchstaben und Zahlen gibt es bestimmte Anordnungen, Mehrfarbigkeit erhöht die Kombinationsmöglichkeiten.« Im vertrauten Rhythmus pocht der Stift auf das Papier, und sofort spürt Britta Sehnsucht nach den alten, friedlichen Zeiten. Babak schiebt ihr das Magazin hin. Ein kleines Muster, nicht größer als ein Cent-Stück, füllt eine Ecke.

»Das sind dein Name und dein Geburtsdatum«, sagt er.

»Wie viele Datensätze waren in dem Bild?«

»Eintausenddreiundvierzig, davon rund hundertzwanzig recht vielversprechende.«

»Das entspricht dem Ergebnis unserer Großrecherche.«

Babak nickt. »Es sind die Namen, die Lassie nach dem Attentat in Leipzig zusammengetragen hat.«

Britta blickt ihn aus weit geöffneten Augen an.

»Hundertzwanzig Kandidaten – das ist eine Armee.«

Im Spaß haben sie manchmal überlegt, was passieren würde, wenn man die Kandidaten nicht einzeln vermittelte, sondern zu einer Gruppe zusammenschlösse. Ein Mensch, der mit dem Leben abgeschlossen hat, besitzt das Potenzial einer Splitterbombe. Gut geführt kann er ungeheuren Schaden anrichten. Wie viele Attentäter bräuchte man, um das Land in den Ausnahmezustand zu versetzen?

Babak ist aufgestanden und schaut aus dem Fenster, wo die Laternen der Fußgängerzone die Nacht beim Dunkelsein stören.

»*Empty Hearts*«, sagt er zur spiegelnden Scheibe, und Julietta beginnt leise zu singen: »*When the future has passed, the past will return. One day you'll be asked what you did baby. Full hands, empty hearts, it's a suicide world.*«

»Wie leicht ist das zu entschlüsseln?«, fragt Britta.

»Zeig mal her.« Julietta nimmt ihr das Magazin aus der Hand und betrachtet die Pünktchen, wobei sie die Brauen zusammenzieht. »Ziemlich leicht, würde ich sagen.« Mit dem Finger fährt sie über das Muster, als handele es sich um Blindenschrift. »Letztlich ist das nicht mehr als ein Spiel unter Kindern. Jedem Buchstaben ist eine gleichbleibende Kombination zugewiesen.«

»Mir ging es nicht darum, die Codierungswissenschaft neu zu erfinden«, sagt Babak am Fenster.

»Ich würde das Muster scannen und von einem kleinen Programm auf Häufigkeiten untersuchen lassen«, sagt Julietta. »Das Tool dazu schreibe ich in zwei Tagen.«

Überrascht blickt Britta sie von der Seite an. Sie vergisst immer wieder, dass Julietta mehr kann, als sich selbst wie Müll zu behandeln.

»Die haben in Leipzig etwas ausprobiert«, sagt Babak langsam.

»Und jetzt haben sie das Material, um richtig loszulegen«, ergänzt Britta.

»Vielleicht hatte Leipzig nur den Zweck, Lassie ans Laufen zu bringen. Eine Provokation, damit wir tätig werden und ihnen die gewünschten Datensätze sammeln.«

Darauf antwortet Britta nicht. Sie wissen beide, dass sie es gewesen ist, die nach Leipzig auf der Großrecherche bestanden hat, während Babak immer wieder mahnte, die Füße still zu halten. Der Schmerz darüber, auf so simple Weise hereingelegt worden zu sein, ist so groß, dass er Brittas Angst für den Moment verdrängt.

»Wer ist der Typ auf dem Foto?«, fragt Julietta.

»Der Kunde, an den wir dich vermitteln wollten«, sagt Babak.

»Du meinst, sie haben ihn umgebracht, weil er mich buchen sollte?«

»Woher sollen wir das wissen?«, faucht Britta.

»Britta!«, mahnt Babak. »Sie kann nichts dafür.«

»Lass gut sein, Babs.« Julietta zuckt die Achseln, setzt die Ohrstöpsel wieder ein und lässt sich rückwärts auf die Matratze sinken. Babak kommt vom Fenster zurück in den Raum. Eine Weile sehen sie sich an.

»Das Foto ist eine Botschaft«, sagt Britta, und Babak nickt.

»Dann sind wir uns einig?«, fragt Britta, und Babak nickt ein weiteres Mal.

21

Der Betonwürfel steht dunkel auf seinem Kiesbett und sieht nicht aus wie etwas, das sich mit einem Schlüssel öffnen lässt. Weil Vera heute Nacht bei Cora schläft und Richard mindestens bis eins auf seiner Hatz-Feier bleiben wird, hat Britta es gewagt, auf einen Sprung nach Hause zu kommen. Babak und Julietta sind in die Stadt gelaufen, um sich Fahrräder zu besorgen, vielleicht in Bahnhofsnähe, natürlich außerhalb des Radius der CCTV. Sie haben keinen Bolzenschneider, aber Babak besitzt ein Set aus verschiedenen Zangen, damit müsste es irgendwie gehen. Treffpunkt in neunzig Minuten im Bürgerpark. Keine Handys, keine Tablets, nichts mit Funkverbindung.

Im Haus empfängt sie eine besondere Form von Stille. Die Möbel schweigen wie Partygäste, die eben noch über den Neuankömmling gesprochen haben. Britta hat das Gefühl, nichts anfassen zu dürfen. Wie wenig es braucht, um im eigenen Haus zur Fremden zu werden!

Weil es keinen Dachboden gibt, geht sie zuerst in

den Anbau, der als Garage gedacht war und als Abstellraum benutzt wird. Ihren alten Rucksack aus Studententagen findet sie sofort. Sie zieht ihn aus einer Ecke, er wirkt ein wenig verblichen, aber sauber; Henry hat Anweisung, auch das Gerümpel regelmäßig zu putzen. Beim Anblick des leeren Rucksacks überkommt sie Melancholie. Einst hat er sie auf Urlaubsreisen begleitet, nach Griechenland, Bulgarien und Ungarn, später für ein halbes Jahr nach Taiwan. Wenn sie von Leipzig aus jedes zweite Wochenende zu ihren Eltern fuhr, transportierte der Rucksack Schmutzwäsche, die sie in der Maschine ihrer Mutter wusch. Als sie ihre Hand in die Seitentasche gleiten lässt, ertastet sie dieselbe Mischung aus Stiften, Haargummis, Tampons, einzelnen Münzen und Cremedöschen, die sich schon vor zwanzig Jahren darin fand.

Sie nimmt den Rucksack mit ins Schlafzimmer und stopft ein paar Kleidungsstücke hinein. In der Küche holt sie Konservendosen aus dem Regal, Ravioli, Erbsen, geschälte Tomaten, zwei Pakete Nudeln und ein paar von Veras Trinkpäckchen mit Multivitaminsaft. Danach sucht sie den Campingkocher, den sie zu besitzen glaubt, findet ihn aber nicht. Dafür zwei Fleecedecken, die sich eng zusammenrollen lassen. Zurück in der Garage, nimmt sie weitere Gegenstände aus Regalen und Kartons. Taschenlampe, Taschenmesser, Mückenspray. Je praller der Rucksack wird, desto zuversichtlicher fühlt sie sich. Jetzt steht er schon von allein, wenn sie ihn ins Gleichgewicht bringt, und sieht aus wie etwas, mit dem man leben kann. Kordel, Küchenrolle, Klebeband. Weil Platz ist, noch ein Paar Arbeitshandschuhe. Als er voll ist, hebt sie ihn auf den Rücken und genießt den vertrauten Druck der breiten Riemen auf den Schultern. Sie hat das Haus schon fast verlassen, als ihr klar wird, dass sie auch Geld und eine Zahnbürste benötigt. Im Bad besinnt sie sich außerdem auf Zahnpasta, eine Flasche Duschgel und ein Handtuch. Außerdem fällt ihr ein, dass sie eine Nachricht hinterlassen muss. Sie erschrickt, als hätte sie jetzt erst begriffen, dass das Packen des Rucksacks kein Spiel ist. Sie holt einen Notizblock aus der Küchenschublade, sucht einen Stift. Und weiß nicht, was sie schreiben soll. Lieber Richard, liebe Vera. Das klingt nach Urlaubspostkarte. Aber sie hat jetzt keine Zeit für lange Überlegungen. Sie beugt sich über das Blatt und schreibt:

»Meine Lieben, ein beruflicher Notfall zwingt mich, für ein paar Tage auf Geschäftsreise zu gehen. Macht euch keine Sorgen, wenn ihr eine Weile nichts von mir hört. Ich erkläre alles, sobald ich zurück bin.«

Kurz hält sie inne, dann fügt sie hinzu: »Ich liebe euch, eure Britta und Mama.«

Nichts davon klingt wie etwas, das sie geschrieben haben könnte.

Der Park ist menschenleer und wispert leise vor sich hin, keine nächtlichen Yoga-Gruppen, keine Vierundzwanzig-Stunden-Jogger stören den Frieden. Britta sitzt auf einer Bank und hat einen Arm um den Rucksack gelegt, der neben ihr hockt wie ein Freund. Gemeinsam lauschen sie in die Dunkelheit, auf das Rascheln namenloser kleiner Tiere, auf die Schweigsamkeit der Bäume und die schrillen Schreie nächtlicher Jäger. Alle sind ständig auf der Flucht, denkt Britta, Mensch und Tier. Flucht stellt den Normalzustand dar, man neigt nur dazu, es zu vergessen. Der Gedanke hat etwas Tröstliches.

Das Sirren der Räder ist schon von Weitem zu hören. Babak und Julietta lösen sich als schweigende Schatten aus dem Blätterschwarz eines Gebüschs, er auf einem massiven Damenrad, sie auf einem zu niedrigen Mountainbike, das einem Kind gehört haben muss. Sie halten vor Brittas Bank und blicken sie erwartungsvoll an. Sie sehen aus wie Studenten, die von einer Party kommen, ohne Jacken oder Handtaschen, die Portemonnaies in die Gesäßtaschen der Jeans geschoben.

»Wo geht's hin?« Julietta klingt, als würde sie sich auf einen Ausflug freuen.

»Wirst schon sehen«, sagt Britta. »Macht euch auf eine längere Tour gefasst.«

Sie haben das weitere Vorgehen nicht besprochen, sie wissen auch so, was die Lage verlangt. Die erste halbe Stunde läuft gut. Sie durchqueren das Zentrum Richtung Norden, fahren in zügigem Tempo auf den beleuchteten Straßen. Die Monitore an den Kreuzungen berichten von Börsenkursen, Wetter und sechstem

Effizienzpaket, auf den Zeitanzeigen ist es halb zwei, nur vereinzelte Autos sind unterwegs. Britta empfindet die Bewegung als wohltuend, ihre Muskeln erwärmen sich und arbeiten rhythmisch, der Atem fließt tief in die Lungen, der Kopf mit seinen komplizierten Gedanken ist nicht mehr wichtig, die Beine haben das Kommando übernommen. Sie unterqueren die A392, dann die A391. Hinter sich hört Britta Juliettas leises, versonnenes Summen, *one day you'll be asked what you did, baby,* ein Kind, das den Familienausflug genießt, *you say you do nothing cause nothing is left, but one day you'll be asked what you thought, baby.*

Erst bleiben die Häuser zurück, dann die Straßenbeleuchtung. Britta hat unterschätzt, was es bedeutet, bei Nacht auf einer dunklen Landstraße zu fahren. An ihrem Fahrrad ist das Licht schon seit Monaten kaputt, sie wollte es reparieren lassen und ist dann doch nicht dazu gekommen. An Juliettas Mountainbike hängt ein ächzender Dynamo, der das Vorderlicht zittrig flackern lässt, an Babaks Fahrrad gibt es überhaupt keine Beleuchtung. Einige Lkw ziehen erst im letzten Augenblick auf die Gegenfahrbahn und rauschen mit röhrender Hupe an ihnen vorbei. Das Fernlicht des Gegenverkehrs blendet bis zur totalen Blindheit, die leichte Steigung entlang der Braunschweiger Auen zehrt an den Kräften. Beleuchtete Ortschaften sorgen für etwas Erleichterung, aber auch von ihnen gibt es nach Hülperode immer weniger.

Auf einem unbeleuchteten Rastplatz machen sie

Pause. Juliettas Haare sind an den Schläfen nass von Schweiß, Babak hält sich am Lenker fest, um nicht vor Erschöpfung zu schwanken. Obwohl Britta den schweren Rucksack trägt, ist sie in besserer Verfassung als die anderen, das regelmäßige Radfahren zahlt sich aus. Sie schätzt, dass sie noch nicht einmal die Hälfte der Strecke geschafft haben. Die Stimmung verschlechtert sich, als sich herausstellt, dass Britta kein Trinkwasser in ihrem großen Rucksack hat.

»Wieso das denn nicht?«, fragt Julietta. »Wasser ist doch das Erste, woran man denkt.«

Obwohl die Frage nicht provozierend klingt, weist Britta sie scharf zurück. Bei dem, was ihnen bevorsteht, wird es vor allem darum gehen, die Hierarchie aufrechtzuerhalten.

In den folgenden Stunden kommen sie nur noch langsam voran. Britta legt zahlreiche Pausen ein, plant in kurzen Etappen, lässt die anderen immer wieder Dehnübungen machen und die Beinmuskeln massieren. Der Durst wird zu einer Belästigung, dann zu einem Schmerz, schließlich zu einem Schrei, der im Kopf alles andere übertönt. Als sie an einer geöffneten Tankstelle vorbeikommen, verbietet Britta den Einkauf von Getränken, auch wenn ihr selbst beim Gedanken an eine große Flasche Orangensaft ganz schwindlig wird. Niemand stellt die Entscheidung infrage, niemand meutert. Babak und Julietta folgen ihr wie eine kleine Armee.

Als sie das Haus in Wiebüttel erreichen, spürt

Britta ihre Arme nicht mehr. Die Schultergurte des Rucksacks drücken ihr Blut- und Nervenbahnen ab, die Handflächen kribbeln wie eingeschlafen. Babak ist anzusehen, dass er sich kaum noch auf den Beinen halten kann. Julietta hingegen scheint sich wieder wohlzufühlen, seit die Anstrengung in Masochismus ausartet.

Obwohl das Haus nur zur einen Seite Nachbarn hat und die gegenüberliegende Straßenseite unbebaut ist, weist Britta die anderen an, im Schatten der Hecke zu bleiben, bis sie den Schlüssel gefunden hat. Drei Blumentöpfe hebt sie an, unter dem vierten wird sie fündig. Kaum zu glauben, dass es erst ein paar Tage her ist, dass sie hier stand und den Mädchen nachschaute, wie sie jauchzend in den Garten liefen. Jetzt kommt es ihr vor, als hätte der gemeinsame Ausflug in einem anderen Universum stattgefunden. Sie hat damals nicht gemerkt, wie sehr ihre Welt in Ordnung war. Statt mit Vera über die Wiese zu tollen, hat sie sich über die Bemerkung eines Lehrers zum Thema Molotowcocktails aufgeregt. Statt das Gesicht in die Sonne zu recken und Janinas Freude über das verträumte Landhaus zu teilen, hat sie sich ein Dilemma ausgedacht, bei dem Leute mittels Knopfdruck ins Jenseits befördert werden. Sie hat Vera nicht beachtet und Janina nicht zugehört, weil sie glaubte, das jederzeit tun zu können. Wie lange schon verzichtet sie auf das Schöne, nur, weil es ihr selbstverständlich erscheint?

Als die Tür endlich aufgeht, stürzt sie fast in den

Flur, lässt den Rucksack zu Boden fallen, schafft es nur unter höchster Anstrengung, ihr Fahrrad die Eingangsstufen hochzuhieven. Sie winkt Babak und Julietta, ihr ins Haus zu folgen. Die beiden tragen ihre Fahrräder gemeinsam die Stufen hinauf, lehnen sie drinnen an die Wand, Britta schließt die Tür, und dann stehen sie da, in der absoluten Schwärze eines fensterlosen Flurs.

»Wo sind wir?« Juliettas Stimme kommt aus dem Nichts.

»Der Ort heißt Wiebüttel.«

»Wie weit sind wir gefahren? Hundert Kilometer?«

»Etwas mehr als vierzig.«

»Heftig«, sagt Julietta, obwohl ihrem kurzen Zögern anzumerken ist, dass vierzig nicht so beeindruckend klingt.

»Nicht!«, ruft Britta, als sie hört, wie Babak an der Wand nach einem Schalter tastet. »Licht sieht man von draußen.«

»Okay.« Babak klingt schwach. »Und Wasser? Ich bin am Verdursten.«

»Die Küche ist rechter Hand, wenn ich mich richtig erinnere. Bleibt einfach stehen.«

Sie tastet sich voran, stößt sich das Schienbein an einem der Fahrräder und verbeißt sich den Schrei, obwohl für einen Moment Funken vor ihren Augen sprühen. Als sie die Tür findet und öffnet, wird es ein wenig heller. Durch das Küchenfenster fällt etwas Licht herein, vielleicht der Mond oder erstes

Tageslicht oder jene undefinierbaren Reste von Lichtsmog, die es selbst in ländlichen Gegenden gibt. In der Ecke steht ein weiß emaillierter Kohleherd mit dicker Kochplatte, geschwungenen Füßen und niedlichen Griffen und erinnert an Zeiten, in denen es Weltkriege und Pocken gab. Der blauweiße Küchenboden sagt: »Schäl Kartoffeln und sieh aus dem Fenster. Alles wird gut.« Nur eine Spüle mit Wasserhähnen gibt es nicht.

Britta tastet sich zurück über den Flur, stößt gegen Julietta, die leise kichert, findet das Bad, in dem die alten Fliesen abgeschlagen und nicht durch neue ersetzt worden sind. Eine nagelneue, noch in Folie verschweißte Wanne ohne Anschlüsse steht an der Wand, daneben hängt ein Waschbecken mit Mischbatterie. Als Britta den Hebel für kaltes Wasser betätigt, erklingt ein Stöhnen in den Leitungen, das sich bis tief in die Eingeweide des Hauses fortsetzt. Kein Tropfen.

»Wasser ist abgedreht«, ruft sie in den Flur. »Darum kümmern wir uns morgen.«

»Babs ist völlig am Ende«, ruft Julietta zurück.

Mit einer kleinen Willensanstrengung ignoriert Britta ein weiteres Mal das blöde »Babs« sowie die Tatsache, dass Julietta lieber für ihn als für sich selber spricht.

»Locker bleiben«, sagt sie. »Kommt einfach mit.«

Das Wasser des Bachs fließt schnell und ist kalt, sie müssen sich tief herabbeugen, um es mit Händen zu schöpfen. Britta verdrängt die Vorstellung, dass dieses Wasser lebt, dass kleinste Lebewesen in ihm zappeln, Würmchen und Fischlein und Maden und Egel, ganz zu schweigen von Bakterien und Mikroben, die alle, während sie gierig trinkt, in ihren Körper dringen. Sie trinken, so viel sie können, weil es keine Flasche, keine Kanne, nicht einmal einen Eimer gibt, um einen Vorrat mit ins Haus zu nehmen.

Morgen werden sie sich einrichten. Jedes Haus besitzt Gegenstände, auch ein leer stehendes. Es gibt Keller, Speicher, Geräteschuppen, in denen sich vielgestaltiges Gerümpel befindet, Blumentöpfe, Werkzeug, Reste von Brennholz oder Kohle, Kisten, die man als Tische und Stühle verwenden, Einmachgläser, aus denen man trinken kann, eine alte Schubkarre, vielleicht sogar Kissen oder Decken und einen Hauptwasserhahn. Jetzt ist der helle Streifen im Osten deutlich zu erkennen, sie laufen zurück durch den Garten, erschrecken halb zu Tode, als ihnen an der Tür drei Katzen entgegenhuschen. Kichernd halten sich Babak und Britta aneinander fest, nach dem Trinken fühlen sie sich albern und leicht. Julietta geht in die Hocke und streckt eine Hand aus. Tatsächlich nähern sich die Katzen, erst die graue, dann die schwarz-weiße und schließlich auch die getigerte, mit misstrauisch vorgereckten Köpfen schnuppern sie an Juliettas Fingern, um dann die Schwänze aufzustellen und sich an ihre Knie zu drängen.

Im Haus sieht man inzwischen die Umrisse von Gegenständen, die Fahrräder, den Rucksack, im Hintergrund eine Treppe, die nach oben führt. Britta weist die beiden anderen an, hinaufzugehen und sich in das einzige Bett zu legen, mit einer Matratze, die groß genug ist für zwei. Babaks Proteste fegt sie mit einer Handbewegung beiseite, obwohl sie selbst nicht weiß, warum sie das tut, warum sie nicht selbst hinaufgeht und sich hinlegt, auf die Matratze, die nach Großmutter riecht, unter die Lampe mit den aufgemalten Katzen, dort, wo sie mit Janina geruht hat und glücklich war, ohne es zu wissen. Babak könnte sich neben ihr ausstrecken, und Julietta müsste sich in einem anderen Raum in einer Ecke zusammenrollen, Kommandant und Soldatin, aber stattdessen besteht Britta darauf, den Helden zu spielen, allein zu schlafen, ohne Bett, als ob es irgendetwas nützen würde, wenn sie sich selbst bestraft.

Im Flur umarmt sie den Rucksack und hebt ihn an, er ist fast so schwer wie ein siebenjähriges Mädchen. Sie trägt ihn in die Küche, nimmt alles heraus, stellt die Sachen auf die gusseiserne Platte des Herds. Die Fleecedecken faltet sie der Länge nach und legt sie übereinander, das Handtuch rollt sie zum Kopfpolster. Der Boden fühlt sich hart und kalt an unter den dünnen Decken. Britta starrt auf das heller werdende Viereck des Fensters und denkt so verzweifelt an Vera, dass ihr das Herz wie eine Faust gegen das Brustbein schlägt. Sie ist ganz sicher, nie und nimmer einschlafen zu können; dann schläft sie ein.

Als sie erwacht, weiß sie zuerst nicht, wo sie sich befindet. Die Sonne scheint ihr ins Gesicht, sie kann kaum etwas sehen, die Luft ist mit einer funkelnden Substanz erfüllt, Staub, den sie einatmet, der alles bedeckt, der sich in ihre Haare legt und in alle Poren dringt. Britta fährt hoch und würgt, sie liegt auf dem blau-weißen Fliesenboden, und alles, was sie umgibt, starrt vor Dreck. Ihr erster Gedanke ist, aufs Fahrrad zu steigen und nach Hause zu fahren, die Tür aufzureißen und aus vollem Hals: »Bin wieder da!« zu rufen. Sie sieht vor sich, wie Vera auf sie zurennt, sie spürt den Aufprall des kleinen Körpers, wenn sich das Mädchen in ihre Arme wirft. Aber sie sieht auch den leeren Arbeitstisch in der Praxis und das Foto des toten G. Flossen. Mühsam steht sie auf. Vom Liegen auf dem harten Boden schmerzt jeder Knochen. Sie hätte viel gegeben für einen Blick auf die Uhr. Anhand des Sonnenstands schätzt sie, dass sie höchstens drei Stunden geschlafen hat.

Benommen sichtet sie ihre Schätze auf dem Herd. Unglaublich, wie wenig dort steht, gemessen daran, wie schwer der Rucksack war. Anscheinend hat sie nur unbrauchbare Dinge eingepackt. Ein Turm Konservendosen ist blanker Hohn, wenn man keinen Dosenöffner besitzt. Das Gleiche gilt für Nudeln ohne Topf und ohne funktionstüchtigen Herd. Was sie mit Arbeitshandschuhen und Klebeband anfangen soll, ist ihr völlig schleierhaft. Gierig reißt sie eins der Trinkpäckchen auf und trinkt den Inhalt in einem

Zug, danach gleich noch eins, weil der Multivitamin-saft lustvolle kleine Explosionen am Gaumen verursacht. Nach kurzem Überlegen versteckt sie die verbliebenen vier Päckchen im leeren Rucksack, den sie zusammendrückt und zwischen die Beine des Herds schiebt. Sie schüttelt die Fleecedecken aus, was noch mehr Staub aufwirbelt, wirft sich das Handtuch über die Schulter und geht mit Zahnbürste, Zahnpasta und Duschgel hinaus. Eine rothaarige Katze, die sich nähern will, verscheucht sie mit Händeklatschen und lautem Zischen.

Nachdem sie sich überwunden und Gesicht und Arme mit verseuchtem Bachwasser nass gemacht, Zähne geputzt und sich sogar die Haare gewaschen hat, fühlt sie sich wie ausgewechselt. Sie sagt sich, dass sie ein Mensch mit einem funktionstüchtigen Gehirn ist, sie wird immer für alles eine Lösung finden. Das Sonnenlicht funkelt zwischen den Blättern der Bäume, das Vogelgezwitscher ist herrlich, und plötzlich kann Britta verstehen, warum sich Menschen auf eine ungepflegte Wiese legen und stundenlang in den Himmel sehen. Der leichte Wind nimmt die jämmerlichen Gefühle der vergangenen Nacht mit sich fort, er streichelt Brittas feuchte Arme, kühlt das Gesicht, trocknet ihr Haar. Das ist die Natur, denkt Britta, sie macht einfach immer weiter, ganz egal, was geschieht. Würde Britta mit einem Schlag tot zu Boden sinken, wäre das den Spatzen höchstens ein kurzes, erstauntes Innehalten wert, bevor sie weiter ihren Spatzengeschäften nachgehen würden. Solange die Sonne Energie schickt, wird geflattert, gerannt und gekrochen, begattet, gebrütet, gejagt und gekämpft. Warum soll Britta hier stehen und verzweifelt sein, wenn sich außer ihr nichts und niemand dafür interessiert?

22

Das Schlafzimmer ist sonnenhell. Babak und Julietta liegen auf dem breiten Bett, die Rücken einander zugekehrt, ohne sich zu berühren. Am Fußende schläft die graue Katze. Alle drei sehen aus, als würden sie immer dort liegen, jede Nacht, seit langer Zeit. Eine Weile steht Britta im Türrahmen, betrachtet das Stillleben, lauscht den gleichmäßigen Atemzügen. Irgendetwas empfindet sie, etwas Starkes, aber sie kann nicht sagen, ob es schön oder traurig ist.

Eigentlich wollte sie die beiden wecken, aber dann bringt sie es doch nicht übers Herz. Sie brennt darauf, mit Babak die Lage zu besprechen, aber im Grunde eilt es nicht. Nichts eilt mehr. Das beliebte Gesellschaftsspiel namens Stress, bei dem es darum geht, einen Tag so geschickt zu packen wie einen Koffer, damit möglichst viel hineinpasst, ist für sie einstweilen beendet. Britta hat nichts zu essen, fast nichts zum Anziehen, keine Musik, kein Internet; irrsinnigerweise hat sie nicht einmal etwas zu lesen mitgebracht. Was sie plötzlich im Überfluss besitzt, ist Zeit. Für einen

Augenblick erzeugt diese Erkenntnis einen leichten Schwindel.

Was aber auch an der Unterzuckerung liegen könnte. Sie muss dringend Werkzeug finden, um die Dosen zu öffnen.

Von den ersten Besuchen weiß sie noch, dass der Keller relativ trocken ist, aber nicht mehr, was dort herumsteht. Mit eingezogenem Kopf schleicht sie durch das niedrige Gewölbe, betritt einen Raum nach dem anderen, nimmt sich vor, nicht an Spinnen zu denken und nicht enttäuscht zu sein, sie entdeckt ein paar wacklige Holzregale, auf denen sich außer Staub nur alte Einmachgläser befinden, zerbrochene Holzkisten, mit denen sich beim besten Willen nichts anfangen lässt, und eine Schaufel mit abgesägtem Stiel. Die Einmachgläser sind so schmutzig, dass sie erst nicht wagt, sie zu berühren; dann tut sie es doch und deponiert die Gläser in der Küche, bevor sie ihre Suche auf dem Dachboden fortsetzt. Dort bietet sich kein besseres Bild: eine große, staubige Fläche, Licht, das durch die Ritzen zwischen den Dachziegeln dringt, ein Haufen alter Textilien, die nach Schimmel riechen und nicht als Schlafunterlage infrage kommen.

Im Garten bestätigt sich ihre Erinnerung, dass Janinas Traumhaus weder über eine Garage noch über Geräteschuppen oder Hühnerstall verfügt. Aber Britta hat keine Lust, sich entmutigen zu lassen. Sie geht ums Haus herum, dorthin, wo eine verwilderte

Hecke das Nachbargrundstück verdeckt. Mit beiden Armen schiebt sie die langen Triebe beiseite, ignoriert das Kitzeln und Kratzen auf der Haut, bis sie eine Stelle gefunden hat, an der sie sich durchs Gestrüpp zwängen kann. Geduckt verharrt sie in der Hecke. Auf dem Nachbargrundstück steht eine Art Datsche mit grünen Fensterläden sowie ein Schuppen, dessen Tür mit einem quer gestellten Balken gesichert ist. Zwar ist das Gras stellenweise gemäht, und in einem der Bäume hängt eine Kinderschaukel. Aber die Fensterläden der Datsche sind fest verschlossen, und der Garten atmet die friedliche Atmosphäre des Unbenutzten. Ein Wochenendgrundstück. Britta lässt mehrere Minuten verstreichen, in denen absolut nichts geschieht. Keine menschlichen Stimmen sind zu hören, nichts regt sich außer den Vögeln im Geäst. Schließlich kriecht sie aus der Hecke, läuft geduckt auf den Schuppen zu und jubiliert innerlich, als sich der Balken mit einem schnellen Handgriff entfernen lässt. Die Tür steckt unten im Erdreich fest, Britta muss sie anheben und mit Gewalt über die wulstige Grasnarbe zerren, bis sich ein Spalt bildet, durch den sie schlüpfen kann. Als sich ihre Augen ans Dämmerlicht gewöhnt haben, weint sie fast vor Freude.

Eine geschätzte Stunde später lässt sie sich auf ihre neue Sitzbank aus Obstkisten sinken, die sie in der Küche aufgebaut hat. Ihr ganzer Körper klebt vor Schweiß und Dreck, die Finger sind schwarz, die

Haare zerzaust und mit kleinen Zweigen und Blättern besteckt. Aber das macht ihr nichts mehr aus, sie ist erschöpft und stolz auf das, was sie geleistet hat. Mindestens zehnmal ist sie durch die Hecke gekrochen, hat darauf geachtet, immer wieder einen neuen Weg zu nehmen, um das Gras nicht zu stark niederzutreten. Neben der Toilette im Bad steht jetzt ein Eimer mit Wasser, den sie vom Bach geholt hat; in einem flachen Kistchen liegen einige Blätter Haushaltspapier bereit. In der Küche stehen ein paar Weinflaschen, im Bach gespült und mit Wasser gefüllt, daneben ausgewaschene Einmachgläser als Trinkgefäße. Im Wohnzimmer hat sie zwei Holzböcke aufgestellt, auf die eine ausgehängte Tür als Tisch gelegt werden kann, wofür sie allerdings Babaks Hilfe braucht.

Besonders stolz ist Britta auf einen kleinen Werkzeugvorrat mit Hammer, Zange, Schrauben und Nägeln, dazu ein Schraubenzieher, mit dem sie den Konservendosen zu Leibe rücken wird. Außerdem hat sie einen etwas gerupften Besen plus Kehrblech gefunden, sowie ein paar Töpfe und Pfannen, die mangels Herd allerdings nur zur Aufbewahrung ihrer bescheidenen Habseligkeiten dienen. Zu Deko-Zwecken hat sie sogar einen alten Teppich mitgenommen, im Garten sauber geklopft und in der Küche ausgerollt. Außer der Obstkisten-Sitzbank ist noch eine Obstkisten-Kommode hinzugekommen, die ihre wenigen Klamotten enthält und auf der eine Waschschüssel mit frischem Wasser steht. Zahnbürste und Zahnpasta stecken in einem Einmachglas, das Handtuch liegt ordentlich gefaltet daneben. Aus einem Set von Kissen und Polstern, die normalerweise als Auflagen für Gartenmöbel dienen, hat sie ein vergleichsweise bequemes Bett gebaut.

Auf der Sitzbank unter dem Fenster streckt sie die Beine von sich und döst ein, als im oberen Stockwerk ein dumpfer Schlag ertönt, gefolgt von ausgelassenem Gelächter. Entweder ist einer von den beiden aus dem Bett gefallen, oder sie balgen zum Spaß miteinander. Gleich darauf poltern Schritte die Treppe hinunter, Julietta ruft »Huhu!« und Babak »Britta?«, und dann stehen sie bei ihr in der Küche, als wäre das die natürlichste Sache der Welt, und vielleicht ist es das ja auch.

»Wow«, sagt Babak und sieht sich um. »Du hast dich schon eingerichtet.«

»Sieht toll aus«, fügt Julietta hinzu, und Britta lässt sich von der guten Laune ihrer Mitbewohner anstecken, obwohl ihr schleierhaft ist, woher sie die nehmen.

Auf einer kleinen Besichtigungstour führt Britta die beiden durchs Haus und erklärt, was sie alles herübergeschafft und gebaut hat. Während Babak mit mäßigem Interesse nickt und verhalten gähnt, zeigt sich Julietta begeistert, lobt das Werkzeug, die Sitzmöbel und sogar den Wassereimer neben dem Klo.

Der eine verschlafen, die andere in Abenteuerlaune. Britta verspürt Neid bei dem Gedanken, dass sich Babak und Julietta keinerlei Sorgen um Eltern, Freunde, Lebensgefährten oder Kinder machen müssen. Für die beiden spielt es keine große Rolle, an welchem Ort sie sich befinden. Ein paar Tage im Exil ohne Kontakt zur Außenwelt, die Unsicherheit, ob ihnen jemand auf den Fersen ist, die Vorstellung, weiter fliehen zu müssen, vielleicht sogar ins Ausland – das alles bereitet ihnen vielleicht ein paar Unannehmlichkeiten, aber gewiss keine existenziellen Probleme. So zu leben, muss sich wie ein Videospiel anfühlen.

Mit Babaks Hilfe heben sie die Wohnzimmertür aus den Angeln und legen sie über die Böcke. Dann setzen sie sich auf die Obstkisten rund um den neuen Tisch, wobei ihre Köpfe nur knapp über die Tischkante ragen, und auch wenn sie darüber lachen müssen, liegt über der Szene etwas Feierliches. Der Tisch macht sie zur Gruppe, vielleicht sogar zur Familie; zu Menschen, die essen, streiten und Dinge besprechen.

»Jetzt ein ausgiebiges Frühstück«, sagt Babak.

»Ist Kaffee schon fertig?«, fragt Julietta.

»Schön wär's«, sagt Britta.

»Ich geh mal gucken, was wir haben.« Julietta steht auf, um in die Küche zu gehen, aber Britta hält sie zurück.

»Die Küche ist mein Territorium. Niemand außer mir betritt den Raum.«

Beschwichtigend hebt Julietta beide Hände. »Kein Problem. Dann schwinge ich mich am besten aufs Fahrrad und suche in der Gegend nach einem Dorfbäcker. Oder einer Tanke.«

»Niemand verlässt das Haus. Wer Bewegung braucht, kann die Treppe hoch- und runterlaufen.«

»Britta«, sagt Babak. »Sie meint es nicht böse.«

Britta verschwindet in der Küche und kehrt mit einer Flasche Wasser, drei Einmachgläsern und einer kleinen Schale trockener Nudeln zurück. Auf dem improvisierten Tisch sehen die Sachen wie die Karikatur einer Bewirtung aus.

»Das ist nicht dein Ernst«, sagt Julietta.

»Anscheinend begreifst du die Lage noch nicht.«

»Dann lasst uns darüber sprechen«, mischt Babak sich ein. »Wie groß ist die Bedrohung?«

Britta zieht das Foto aus der Tasche, das sie seit gestern Abend unablässig am Leib trägt, und wirft es auf den Tisch. Die Kanten sind bereits abgestoßen, die ehemals glänzende Oberfläche matt und brüchig. Alle drei betrachten es schweigend.

»Wenn die *Empty Hearts* vorhaben, uns auszuschalten, warum haben sie es dann nicht längst getan?«

»Weil sie etwas von uns wollten. Wir sollten Lassie laufen lassen und die Datenmenge aufbereiten, bis eine Anzahl brauchbarer Namen übrig bleibt. Das haben wir gemacht. Sobald Babaks Code entschlüsselt ist, sind wir höchstens noch lästig, vielleicht sogar eine Gefahr.«

»Woher wussten die das mit den Pünktchen?«, fragt Julietta.

Babak und Britta sehen sich an und zucken die Achseln.

»Vielleicht hatten sie einen Verdacht. Immerhin waren einige von ihnen im Programm.«

»Der mit der zu großen Hose war Philipp«, sagt Babak.

»Du hast ihn auf dem Video erkannt?«

»Du nicht?« Er steckt eine trockene Nudel in den Mund, das krachende Geräusch zwischen seinen Zähnen klingt lächerlich laut. »Ist fünf oder sechs Jahre her. Ganz netter Typ. Wollte unbedingt für die Frauenbewegung sterben.«

Vage erscheinen vor Brittas innerem Auge die Konturen eines jungen Mannes, der beim Sprechen vor sich hin nickt, als müsste er sich ständig selbst bestätigen, dass Sinn ergibt, was er erzählt.

»Der mit der Angststörung«, sagt sie langsam.

»Einer der wenigen, die auf Stufe 5 ausgeschieden sind«, ergänzt Babak.

»Als er Tavor bekam, ging's ihm plötzlich bestens.«

»Mit Tränen in den Augen hat er uns damals gedankt.«

»Und jetzt verbünden sich die Schweine gegen uns!«

Britta schlägt mit der flachen Hand auf den Tisch, ein Wasserglas fällt um. Julietta rennt ins Bad und kommt mit Haushaltspapier zurück.

»Spinnst du?« Britta reißt ihr das Kästchen weg »Das Zeug ist kostbar. Oder willst du dir mit der Hand den Hintern abwischen?«

»Gegen uns verbünden ist nicht ganz richtig«, sagt

Babak. »Die verfolgen einen Plan. Muss mit uns gar nichts zu tun haben. Außer, dass sie unsere Ressourcen nutzen.«

»Aber was für einen Plan?«, fragt Britta.

»Einen Raubüberfall«, schlägt Julietta vor.

»Keine schlechte Idee.« Nachdenklich blickt Britta sie an. Die graue Katze hat lautlos den Raum betreten und läuft ohne Zögern auf Julietta zu. Das Hinterteil senkt sich, die Katze zielt, dann springt sie mit einem Satz auf Juliettas Schoß. Routiniert beginnen die Hände des Mädchens, das Tier zu streicheln, das sich unter der Liebkosung räkelt und dehnt.

»So ein Mega-Ding«, sagt Julietta eifrig. »Mega-Kämpfer, Mega-Planung, Mega-Kohle.«

»Kannst du bitte aufhören, mega zu sagen?«

»Die Goldreserven der Europäischen Zentralbank«, schlägt Babak vor.

»Oder ein paar Sparkassen«, meint Julietta. »Die sitzen auf richtig viel Geld.«

»Alles vorstellbar«, sagt Britta. »Sie planen also einen Großangriff, der fette Beute bringt. Und die nötigen Leute dafür holen sie sich aus unserem Programm.«

»Nicht aus dem Programm«, korrigiert Babak, »sondern aus der Vorauswahl. Sie haben die Daten von eintausenddreiundvierzig Kandidaten, die meisten davon mit einem durchschnittlichen Suizidalwert von sechs Punkten, das würde im Normalfall noch nicht mal für eine Einladung der *Brücke* reichen.

Hundertzwanzig haben rund neun Punkte erhalten, davon wären etwa vierzig in die engere Wahl gekommen, und selbst bei denen weiß man nicht, wie sie sich im Programm entwickelt hätten.«

»Die *Empty Hearts* scheißen eben darauf, ob die Leute tatsächlich suizidal sind. Die suchen einfach Männer, die mitmachen wollen. Ein bisschen Testosteron-Klimbim mit englischem Titel und Tätowierung und weiß der Kuckuck was noch für Ritualen. Denen geht es nicht um Sorgfalt, sondern um Schlagkraft.«

»Vielleicht sollten wir eher mal darüber sprechen, wie es jetzt für uns weitergeht«, sagt Julietta.

In der folgenden Stille ist das Schnurren der Katze laut zu hören, wie der Motor einer unermüdlich arbeitenden Zufriedenheitsmaschine. Mit einer Hand die Katze streichelnd, zündet sich Julietta mit der anderen eine Zigarette an. Erstaunt sieht Britta, wie das Rauchen Julietta komplettiert, wie Katze und Zigarette sie zu einem vollständigen Menschen machen. Wahrscheinlich bedeutet Rauchen für sie das, was für andere Menschen ein Bett, ausreichend Essen und eine funktionierende Dusche sind.

»Warum geht ihr nicht zur Polizei?«

Als Babak lacht, wendet sich Julietta an ihn.

»Ihr habt den Einbruch, die Videoaufzeichnung, das Foto von dem toten Kerl. Das reicht den Bullen doch, um diese Heart-Typen hochzunehmen.«

Babak lacht immer noch leise vor sich hin, Britta bringt ihn mit einer Handbewegung zum Schweigen.

»Wir können nicht zur Polizei«, erklärt sie. »Wir sind nicht die Guten.«

»Dann eben ein Gegenschlag.« Julietta kommt langsam in Fahrt. »Euer Algorithmus ermittelt den Kopf der Gruppe.«

»Lassie ist nicht der liebe Gott«, sagt Babak. »Außerdem ist sie nicht hier.«

»Sei doch nicht so ein Waschlappen, Babs! Wenn die wirklich hundertzwanzig Leute rekrutieren, erzeugt das ein gewaltiges Rauschen. Kann nicht so schwer sein, die Fäden zusammenzuführen.«

»Und dann?«, fragt Babak.

»Wie, und dann?« Julietta schüttelt ihre ungekämmte Mähne. »Dann basteln wir eine Sprengstoffweste oder irgendetwas in der Art, und ich marschiere da rein und – BAMM!«

BAMM! – Problem gelöst. Britta muss so intensiv an Vera denken, dass ihre Augen feucht werden. Sie wischt sich mit dem Handballen übers Gesicht.

»Die *Brücke* macht keine eigenen Anschläge«, sagt Babak. »Wir vermitteln nur. Wir sind Dienstleister, keine Terroristen.«

Natürlich hat Babak recht, aber der Gedanke hat etwas Verlockendes. Es wäre Notwehr, sagt eine leise Stimme in Brittas Hinterkopf.

»Würdest du das denn tun?«, fragt sie.

»Was?«

»Für uns in den Krieg ziehen. Statt für den Tierschutz.«

Julietta schweigt. Für einen Moment hat sie sich von der Begeisterung davontragen lassen. Britta sieht zu, wie sie erst von Zweifeln befallen wird, dann gänzlich in Nachdenken versinkt. Dabei gerät auch in Britta etwas in Bewegung. In ihrem Inneren öffnet sich eine Luke, hinter der sich ein großer dunkler Raum verbirgt, den sie seit langer Zeit nicht mehr betreten hat. Sie stellt sich ein Schild neben der Luke vor: »Prinzipienlager – Zugang nur für Berechtigte!« Sie hat sich immer eingeredet, dieser Raum sei vollkommen leer, weshalb es keinen Grund gebe, gelegentlich die Bestände zu sichten. Während Julietta mit ihrem Dilemma ringt, keinem ausgedachten, sondern einem echten, einem von der Sorte, der man nur begegnet, wenn man eine klare Idee vom Leben hat, verspürt Britta den Drang, einen schnellen Blick in den eigenen inneren Lagerraum zu werfen. Plötzlich kommt es ihr vor, als würde sich dahinter der Grund für ihre Übelkeit befinden. Aber dann schaut Julietta auf, und die Luke knallt zu.

»Tut mir leid«, sagt das Mädchen bedauernd. »Das geht leider doch nicht.«

23

Nach dem Meeting ordnet Britta an, den Rest des Tages mit Eingewöhnung und Einrichtung des neuen Standorts zu verbringen. Sie schätzen die Uhrzeit auf dreizehn Uhr dreißig. Julietta und Babak erhalten die Erlaubnis, an den Bach zu gehen, um sich zu waschen. Britta räumt das Konferenzzimmer auf und macht sich daran, die Küche einer gründlichen Reinigung zu unterziehen, so gut das ohne Putzmittel möglich ist. Um vierzehn Uhr dreißig gefühlte Zeit gibt sie die Order aus, eine Ravioli-Dose zu öffnen. Sofort versammeln sich alle um den Tisch.

Es geht schwerer als gedacht. Der Schraubenzieher rutscht ab, der Hunger treibt die Ungeduld ins Unerträgliche. Babak führt den Hammer, Britta und Julietta überbieten sich gegenseitig mit guten Ratschlägen, am liebsten würde jede von ihnen den Hammer an sich reißen, um es selbst zu versuchen. Das erste Loch entsteht mit einem Knall, roter Saft spritzt bis zur Decke.

»Passt auf, dass ihr euch nicht schneidet«, ruft Babak. »Haben wir eigentlich Verbandszeug?«

Als Britta verneint, verdreht er die Augen, was sie bissig kommentieren will, aber in diesem Moment gelingt es Julietta, den Deckel ein Stück aufzubiegen. Weil sie weder Löffel noch Gabeln haben, lassen sie die kalten, glitschigen Teigtaschen durch den Spalt im Deckel direkt in die Hände flutschen. Rote Soße tropft auf Tisch und Boden, bald sieht es aus, als hätten sie jemanden umgebracht. Weil Britta darauf besteht, dass auch Julietta ihren Anteil isst, bleibt für jeden nur eine enttäuschend kleine Menge, die den Hunger eher anstachelt als besänftigt.

Danach putzen und wischen sie gemeinsam das gesamte Erdgeschoss, entfernen Staub, Spinnweben und tote Fliegen, bis Britta das Gefühl hat, sich ohne Beklemmungen durch die Räume bewegen zu können.

Als sie gegen sechzehn Uhr gefühlter Zeit eine weitere Expedition zum Geräteschuppen im Nachbargarten durchführen wollen, hören sie plötzlich Stimmen hinter der Hecke und kehren mit rasenden Herzen ins Haus zurück, wo sie die Tür von innen verschließen und sich im Flur auf den Boden legen, für den Fall, dass jemand versucht, durch die Fenster zu sehen. Eine halbe Ewigkeit liegen sie herum, ohne dass irgendetwas geschieht. Schließlich gibt Britta Entwarnung und erlaubt das Aufstehen.

Plötzlich wird ihr klar, dass es ab jetzt absolut nichts mehr zu tun gibt. Die Wassereimer neben der Toilette sind gefüllt, ebenso die Vorratsflaschen. Der Boden ist gefegt, die Betten sind gemacht. Eingewöhnung und Einrichtung des Standorts abgeschlossen. Britta schätzt die Uhrzeit auf halb fünf am Nachmittag. Sie besitzen keine Smartphones, Tablets, Netbooks, Fernseher, Mediaplayer, Life Watches oder digitalen Brillen; nicht einmal Juliettas altmodischer iPod ist vor Ort. Keine Zeitungen, keine Bücher, kein Stift, kein Stück Papier. Halb fünf an einem mittelprächtigen Sommertag. Vor ihnen liegt das Nichts.

Britta geht in die Küche und zieht die Tür hinter sich zu, als wäre das ihr Arbeitszimmer, in dem sie allein sein möchte, um irgendetwas Wichtiges zu tun. Mit dem Rücken zur Wand setzt sie sich auf die Obstkistenbank und testet die Stille. Wartet ab, was passiert, wenn sie einfach nur da sitzt. Sofort beginnen die Gedanken, sich zu überschlagen. Sie zeigen ihr Vera, Richard und ihr blitzblankes Betonhaus. Danach die aufgebrochenen Räume der Praxis, den toten G. Flossen und das schnurrbärtige Gesicht von Hatz. Die Stille rauscht, Britta hört Stimmen, steht auf und öffnet das Fenster, aber da ist nichts. In ihrem linken Ohr beginnt es zu piepen, in der Schule sagten sie immer: »Da denkt jemand an dich!«, nur, dass es jetzt gar nicht mehr aufhören will, auch im rechten Ohr, der Piepton wird lauter, und Brittas Herz fängt an, hart gegen die Rippen zu schlagen. Das ist ein Tinnitus, der bleibt für immer, der wird dich in den Wahnsinn treiben, du wirst verrückt, sie springt auf und sucht den Raum ab, nach irgendetwas, das dieses Piepen erzeugt, aber es gibt keine Elektronik und keine

Elektrik, nicht mal einen Toaster, außerdem hat sie im Keller den Strom abgedreht.

Immer wieder schaut Britta aus dem Fenster, um zu prüfen, ob es dämmert, aber die Sonne steht hoch, anscheinend vergeht die Zeit nicht, vielleicht hat sie sich in Bezug auf die Uhrzeit total verschätzt, und es ist erst früher Nachmittag oder Mittag oder Vormittag, vielleicht haben Einrichten, Meeting, Ravioli und Putzen in Wahrheit nicht mehr als anderthalb Stunden in Anspruch genommen, Britta würde alles geben für einen Blick auf die Uhr, sie ist eine Verirrte ohne Landkarte in einer Wüste aus Zeit.

Der Magen schmerzt so sehr, dass sie gegen ihren Willen den zusammengefalteten Rucksack hervorzieht und die beiden letzten Päckchen Vitaminsaft austrinkt. Danach wird das Bauchweh noch stärker, sie schlingt die Arme um den Leib und krümmt sich. Ausgestreckt auf den Polstern, die ständig auseinanderrutschen, schließt sie die Augen und versucht, an etwas anderes zu denken. Als Erstes sieht sie einen Teller Gorgonzolanudeln, wie Richard sie zubereitet, dampfende Linguini, von dicker Soße bedeckt. Geschälte Tomaten, zwei flache Quader Gorgonzola, frischer Schnittlauch, ein Becher Sahne.

Als Nächstes sieht sie Julietta, schwarz gekleidet, im Morgenlicht eine Straße entlanggehen, die Bewegungen verlangsamt wie in Zeitlupe, der Oberkörper verbreitert von einer Sprengstoffweste, die sie unter der dunklen Jacke trägt. Sie wirft ihr Haar von einer

Seite zur anderen wie in einer Shampoo-Werbung, sie schwebt eher, als dass sie geht, die Arme elegant an den Seiten schwingend, ein großartiger Anblick. Julietta betritt einen Raum, in dem sich mehrere Männer von ihren Stühlen erheben, ein großer Dünner, ein kleiner Gedrungener und noch drei weitere, die Julietta anstarren, alle fünf mit aufgekrempelten Ärmeln und offenen Hemdkrägen, sodass man die Tätowierungen sieht, *Empty Hearts*, Julietta dreht sich um und lächelt Britta zu, dann zündet sie die Bombe. In Zeitlupe fliegt alles auseinander, Britta sieht das Entsetzen auf Gesichtern, die gleich darauf in Stücke gehen, herumfliegende Gliedmaßen, verflüssigtes, pulverisiertes, in bloße Biomasse verwandeltes Fleisch. Ein Glücksgefühl durchströmt Britta, ein Gefühl von Erleichterung, Euphorie, Menschenliebe.

Etwas berührt sie im Gesicht. Sie fährt hoch, sie schreit, sie liegt auf dem Boden, ist von den Polstern gerutscht, sie hat tatsächlich geschlafen, sie rudert mit den Armen, schafft es endlich, sich aufzurichten, und sieht eine Katze, die sich in die Ecke neben der Tür duckt und drohend das Gebiss zeigt. Das Mistvieh hatte sich irgendwo versteckt. Als sie die Tür öffnet, flitzt es hinaus. Brittas Herz rast, als hätte jemand versucht, sie umzubringen. Ich pack das nicht, denkt sie. Ich halte es hier nicht aus. Ich kann das nicht. Ich will nach Hause. Sie taumelt über den Flur Richtung Bad, geht aufs Klo und wirft versehentlich das Kästchen mit Küchenpapier zu Boden. Dabei entdeckt sie unter den Papierlagen eine zerdrückte Medikamentenpackung, Tavor, zwei breite Streifen, es fehlen nur drei Tabletten, Julietta muss vor der Flucht einen Vorrat eingesteckt haben. Das ist Juliettas Gepäck, das sind ihre ganzen Habseligkeiten. Britta nimmt die Pillen an sich, innerlich frohlockend, denn damit hat sie das Mädchen in der Hand. Wenn Julietta so süchtig ist, wie Britta vermutet, wird sie nach zwei Tagen Entzug bereitwillig auf den Tierschutz verzichten.

Sie versteckt die Tabletten in der Klappe des antiken Herds; dann bettet sie sich mit einem Stöhnen auf die Polster. Die Erschöpfung dröhnt im Schädel, Arme und Beine schmerzen vor Schwäche. Sie kann nicht schlafen. Es juckt am ganzen Körper. Bestimmt gibt es Ungeziefer im Haus, Milben, Zecken, Flöhe, irgendetwas, das sie bei lebendigem Leibe frisst, wenn sie nicht in Bewegung bleibt. Sie springt auf und tigert durch den Raum. Es ist immer noch nicht richtig dunkel, es wird nie wieder dunkel, oder dämmert es vielleicht? Ist es etwas dunkler als vorhin, oder wenigstens weniger hell? Es gibt nichts zu tun. Absolut nichts zu tun. Britta kniet vor dem Herd. Sie holt die Pappschachtel hervor, drückt eine Pille heraus, steckt sie in den Mund.

Das Nächste, was sie weckt, ist eine Hand, die an ihrer Schulter rüttelt. Dazu eine Stimme: »Komm. Das musst du dir ansehen.«

Es sind Babaks Hand und Babaks Stimme. Schlaftrunken rappelt Britta sich auf.

»Wie viel Uhr ist es?«

Babak lacht. Er geht voran durch den Flur. Es ist Nacht, stockdunkle Nacht. Hintereinander steigen sie die Treppe hinauf, oben brennt Licht. Das muss meine Taschenlampe sein, denkt Britta, sie waren bei mir im Zimmer und haben die Taschenlampe genommen, aber gleich darauf sieht sie ein Flackern und dann die Lampe selbst: eine Gaslaterne, die am Haken an der Wand hängt.

»Woher habt ihr...«, fängt sie an, dann steht sie im Türrahmen und hat freien Blick auf das Bett. Auf der Kante sitzt Julietta und strahlt wie eine Künstlerin bei der Vernissage. Auf dem Bett liegen kunstvoll arrangiert drei Tüten Chips, eine Prinzenrolle, drei Flaschen Cola, mehrere Päckchen mit Gummibärchen sowie eine große Papiertüte, in der Britta Brötchen und Croissants vermutet. Während sie schaut, schweigen die anderen.

Einer von ihnen hat das Haus verlassen; den Blicken nach zu urteilen, ist es Julietta gewesen. Sie hat Brittas Befehle missachtet und ist irgendwohin gefahren, um einzukaufen. Britta müsste sie anschreien, zurechtweisen, vielleicht aus dem Programm werfen. Aber ihr läuft so sehr das Wasser im Mund zusammen, dass sie nicht sprechen kann. Ehe sie es sich versieht, hat Julietta ihr einen Keks in die Hand gedrückt, und sie beißt hinein. Sie weiß, dass sie langsam essen sollte, lieber ein Brötchen statt Kekse, gründlich kauen und vorsichtig schlucken, aber sie stopft sich drei weitere Kekse in den Mund und streckt die Hand nach dem fünften aus. Babak holt mit beiden Händen Chips aus der Tüte; Julietta sitzt daneben, isst nichts und lächelt stolz. Sie zündet sich eine Zigarette an und beginnt zu erzählen, während Babak und Britta heftig kauen. Sie sei recht weit gefahren, bis Celle zur ARAL, dort habe es außer ihr keine Kunden gegeben, der Junge am Nachtschalter habe ihr die Bestellung in schönster Gleichgültigkeit zusammengesucht, klarer Fall, das habe wie der Stoff für den letzten Akt einer Party ausgesehen, wenn niemand mehr Lust auf Alkohol verspürt. Apropos Zeitpunkt, es sei kurz nach zwei gewesen, als sie den Einkauf tätigte, also sei es jetzt vermutlich gegen vier, sie sollten den Moment genießen, in dem sie die Uhrzeit kennen, und tatsächlich genießt Britta dieses Wissen fast so intensiv wie die Schokolade in ihrem Mund.

Julietta spricht weiter, sie habe das Gesicht so gut wie möglich vor den Überwachungskameras an der Tankstelle verborgen, aber ohne sich auffällig wegzudrehen, schließlich werde sie von niemandem gesucht, sei niemandem ein Begriff, und auch wenn Britta weiß, dass das nicht ganz stimmt, weil jeder, der die *Brücke* kennt und eine Weile beobachtet hat, wissen wird, dass Julietta zu den Kandidaten gehört, räumt sie innerlich ein, dass es für die *Hearts* kaum eine Möglichkeit gibt, zufällig über ein Mädchen zu stolpern, das bei Nacht mit dem Fahrrad im Gewerbegebiet von Celle herumfährt. Britta gönnt Julietta die

Freude über den gelungenen Coup, die Begeisterung hat etwas Rührendes und gipfelt in dem Satz: »Ihr seid die RAF, und ich bin eure Unterstützerszene«, worüber sie alle lachen müssen.

Nach dem achten Keks ist Brittas Hunger so weit gestillt, dass sie sich wieder unter Kontrolle bringt. Sie erhebt sich, leicht schwankend vom Zuckerrausch, und verabschiedet sich, um sich noch ein bisschen hinzulegen.

Julietta folgt ihr auf den Treppenabsatz.

»Geht's dir besser mit den Tabletten?«, fragt sie und klingt so unschuldig, so frei von Vorwürfen, Spott oder Ironie, dass Britta nicht anders kann, als stumm zu nicken.

»Lass uns den Vorrat gut einteilen«, sagt Julietta und berührt Britta kurz an der Schulter, bevor sie sich umdreht und zurück in ihr Zimmer geht.

24

Die neue Order hat Britta gleich am nächsten Morgen ausgegeben. Ab jetzt fährt Babak jede Nacht mit dem Rad nach Braunschweig. Er begibt sich an Lassies geheimen Standort, bringt den Server ans Netz und beginnt damit, nach den Rekrutierungsbewegungen der *Hearts* zu suchen. Er muss vor Tagesanbruch zurück sein, was bedeutet, dass er die vierzig Kilometer jeweils in deutlich weniger als zwei Stunden zu bewältigen hat. Auf keinen Fall darf er unterwegs anhalten, mit irgendjemandem sprechen oder gar eine Tankstelle aufsuchen. Fürs Beschaffen von Lebensmitteln ist Julietta zuständig. Mit ihrem viel zu kleinen Mountainbike soll sie in einem Radius von zwanzig bis dreißig Kilometern nach Einkaufsmöglichkeiten suchen, ohne zweimal am selben Ort aufzutauchen. Beide verlassen das Haus bei Einbruch der Dämmerung, beide sind froh, eine Aufgabe zu haben.

Sie haben ausgiebig darüber nachgedacht, wie lang es dauern wird, bis Lassies Suchaktivitäten im Netz bemerkt werden. Babak sagt, das hänge davon ab, ob sich ein IT-Experte in den Reihen der *Hearts* befinde und wie fähig dieser sei. Selbst wenn Lassie Aufsehen erregen würde, wäre es noch kein Kinderspiel, Rückschlüsse auf ihren gut gesicherten Standort zu ziehen, weshalb er davon ausgeht, dass ihnen mehrere Tage, vielleicht sogar zwei Wochen bleiben.

Die härteste Last trägt Britta. Sie darf das Gebäude nicht verlassen, sie hält den Haushalt in Ordnung, wäscht und trocknet Socken, sorgt dafür, dass die Wasservorräte aufgefüllt, der Tisch sauber und die Lebensmittel sortiert sind, was sie kaum eine Stunde am Tag kostet. Einen Vormittag verbringt sie damit, das Fell des Schaukelpferds im Wohnzimmer mit Duschgel einzuschäumen, Sattel und Zaumzeug zu reinigen und die bernsteingelben Augen zu polieren. Als das Schaukelpferd wieder weiß statt grau ist und nach Vanille duftet, dehnt sich die Zeit erneut ins Unendliche.

Meist schlafen Babak und Julietta nach ihren nächtlichen Touren bis in den Tag hinein, während Britta durchs Haus schleicht, gewissenhaft ihre bescheidenen Aufgaben erledigt und versucht, die Aggression im Zaum zu halten. Die Polster ihrer Bettstatt hat sie mit Kordel und Klebeband verbunden, sodass sie nicht mehr auseinanderrutschen, und dank der täglichen Tavor-Ration schläft sie nachts ein paar Stunden. Dennoch wird sie die Unruhe nicht los, es ist, als führe ihr System einen permanenten, hoffnungslosen Stellungskrieg gegen sich selbst.

Sie gibt Babak zwei Briefchen mit. Keine Umschläge, kein Absender, keine Unterschrift. Trotzdem ist das Risiko unverantwortlich hoch, weil damit zu rechnen ist, dass die bekannten Standorte observiert werden. Aber Britta kann nicht anders, und die anderen verkneifen sich jede Bemerkung dazu.

Auf dem ersten Zettel steht: »Mir geht es gut. Ich liebe euch.«

Auf dem zweiten: »Operative Pause. Bereithalten.«

Den ersten wirft Babak in den Briefkasten des Betonwürfels, nachdem er zwanzig Minuten in einer Hecke gehockt und sich vergewissert hat, dass kein menschliches Wesen in der Nähe ist. Den zweiten gibt er beim Nachtportier des Deutschen Hauses ab; er ist für Djawad und Marquardt bestimmt. Danach fährt er eine Stunde lang mit dem Rad kreuz und quer durch die nächtliche Stadt, wobei er im Minutentakt überprüft, ob er verfolgt wird, bevor er ins Hauptquartier zurückkehrt.

Am schlimmsten sind die Nachmittage, eine zähe Masse, die sich weigert zu vergehen. Der Sommer besinnt sich noch einmal auf seine Fähigkeiten und malträtiert das schlecht isolierte Haus mit unbarmherziger Sonneneinstrahlung. Staub und Hitze vereinigen sich zu etwas, das den Namen Luft kaum noch verdient und sich schlecht atmen lässt. Wenn die Hitze unerträglich wird, verwendet Britta einen ihrer Freigänge in den Garten darauf, sich für eine Viertelstunde in den Bach zu legen. Im Kirschbaum lärmen die Spatzen, das kühle, fließende Wasser ist pure Wohltat, und für ein paar Augenblicke kann Britta alles hinter sich lassen. Sie schaut in den blauen Himmel und verspricht einem Gott, an den sie nicht glaubt, alles, was er will, wenn er sie lebend hier heraus holt, und zwar schnell.

An irgendeiner Tankstelle hat Julietta Tischtennisschläger und Bälle gekauft, und jetzt knien die beiden nachmittags im oberen Flur und schlagen einen Ball hin und her, was ein nervenaufreibendes Geräusch erzeugt. Britta erträgt es, so lange sie kann, dann läuft sie in den Flur, brüllt: »Ruhe, verdammt!«, und zieht sich wieder zurück, während Babak und Julietta oben vernehmlich maulen. Meistens klopft es wenig später an die Küchentür, und einer von beiden verlangt etwas zu essen oder stellt eine sinnlose Frage, die nur dazu dient, Streit vom Zaun zu brechen. Dann werfen sie sich gegenseitig vor, schuld an der Situation zu sein. Britta nennt Babak einen Versager und er sie einen herrschsüchtigen Kontrollfreak, und wenn Julietta sich einmischt, verbieten sie ihr gemeinsam den Mund. Britta droht ihr, die tägliche Tavor-Ration zu kürzen, und Julietta fragt, ob sie vorhabe, die Moltke-Brücke allein zu sprengen. Es ist schrecklich, sich zu streiten, und gleichzeitig tut es gut, es ist wie ein Insektenstich, an dem man ständig kratzen muss.

Manchmal reagiert Babak auf sämtliche Vorwürfe oder Fragen nur noch mit »Mir doch egal!«, was Britta so wütend macht, dass sie ihm durchs Haus hinterherläuft und auf ihn einredet, bis er sich die

Ohren zuhält wie ein kleines Kind. Sie will, dass er weint, und weil er das nicht macht, wächst ihre Verzweiflung bis zu einem Punkt, an dem sie selbst zu heulen beginnt. Irgendwann lassen sie aus Erschöpfung voneinander ab, jeder verkriecht sich in seinem Winkel und wartet auf den Einbruch der Dunkelheit, Babak und Julietta, damit sie das Haus verlassen können, Britta, damit sie ihre Pille nehmen und zu Bett gehen kann.

Wenn sie auf ihren Polstern liegt, denkt Britta manchmal an einen Film über die RAF, den sie vor Jahren gesehen hat. Er zeigt, wie die Kämpfer im Untergrund langsam, aber sicher verrückt werden. Wie sie anfangen, einander zu misstrauen, sich gegenseitig aufzureiben, einander zu hassen. Damals hat Britta gedacht, dass die RAF-Terroristen schwache Menschen gewesen sein müssen und dass sie selbst es an ihrer Stelle besser gemacht hätte.

Aus Langeweile tut Britta etwas, das sie seit Ewigkeiten nicht gemacht hat: Sie liest Zeitungen. Von Julietta hat sie sich die beiden letzten Blätter mitbringen lassen, die noch eine nennenswerte Auflage besitzen, die Darmstädter Allgemeine Zeitung und die KULT. Die DAZ hat schon vor Jahren aufgehört, die BBB schlimm zu finden, und liefert statistische Fundamente und intellektuellen Putz für rechtsnationale Gedankengebäude. Die eingefleischten CDU-ler von der KULT hingegen werden nicht müde, die Vergangenheit unter Angela Merkel zu verklären. Alle anderen

Zeitungen produzieren eine Mischung aus Ticker-Abschriften, Regionalnachrichten und Fußballergebnissen, die so billig ist, dass sie keine Anzeigen mehr verkaufen müssen. Die wenigen verbliebenen Denker haben sich in die Blogs zurückgezogen, wo sie in einer Kombination aus Selbstanklage und Schuldzuweisung noch immer darüber streiten, wer für den Siegeszug der BBB verantwortlich ist.

Druckbild und Geruch der Blätter versetzen Britta in eine andere Zeit. Wie stolz sie als Mittelstufenschülerin mit dem Zeitunglesen begonnen hat! Es bedeutete, die Welt mit Erwachsenenaugen zu betrachten. Britta erwarb Meinungen und probierte sie an ihren Eltern aus, übte Argumentationsmuster und Empörungsvokabular. Ohne Zögern war sie ein Teil der großen Bürgergemeinschaft geworden, deren Aufgabe darin bestand, die Demokratie zu verteidigen, nicht am Hindukusch, sondern in Wohnzimmern, Großraumbüros und an Kneipentischen. Noch an der Uni fühlte sich Britta als Teil der demokratischen Großfamilie, auch wenn die Fronten verschwammen und die Gemeinschaft zu erodieren begann. Damals war Trump noch nicht Alltag, sondern Skandal; Begriffe wie Pluralismus, Gleichheit, Integration besaßen noch Bedeutung. Das Zeitunglesen war wie ein Mitgliedsausweis, es verschaffte ein Zugehörigkeitsgefühl. So erstaunlich es Britta aus heutiger Sicht erscheint: Damals gab es etwas, an das sie glaubte.

Jetzt liegt sie ausgestreckt auf dem Bauch, die kühlen Fliesen des Küchenbodens unter sich, und ignoriert die Tatsache, dass das Sonnenlicht schon wieder Katzenhaare in den Ecken aufspürt. Sie liest abwechselnd Artikel aus DAZ und KULT. In der DAZ sind die Texte lang und ohne Bilder; Begriff der Nation und des Nationalen, Kulturmorphologie, Entwurf für ein neues Waffengesetz. In der KULT prangen noch immer die üblichen fetten Schlagzeilen, Hände weg vom Freihandel, fünf Gründe, warum Angela Merkel recht hatte, dazu Fußball und halb nackte Fußballerfrauen. Je länger Britta liest desto größer wird ihr Unbehagen, es wächst zu einem Schmerz, erst seelisch, dann körperlich, so stark, dass sie die Lektüre unterbrechen, sich auf den Rücken drehen und in den Bauch atmen muss, und während sie liegt und atmet und durchs Fenster ins sonnenhelle Grün der Bäume schaut, begreift sie mit einem Mal, was mit ihr geschieht, was ihr wehtut, warum sie damals aufgehört hat, Zeitungen zu lesen und über die Welt nachzudenken. Es liegt am Paradoxien-Schmerz. Demokratieverdrossene Nicht-Wähler gewinnen Wahlen, während engagierte Demokraten mit dem Wählen aufhören. Intellektuelle Zeitungen arbeiten für die Überwindung des Humanismus, während populistische Schundblätter an den Idealen der Aufklärung festhalten. In einer Welt aus Widersprüchen lässt sich nicht gut denken und reden, weil jeder Gedanke sich selbst aufhebt und jedes Wort sein Gegenteil meint. Zwischen Paradoxien findet der menschliche Geist keinen Platz, Britta kann nicht mehr Wähler oder Bürger sein, nicht einmal Kunde und Konsument, sondern nur noch Dienstleister, Angehöriger eines Serviceteams, das die kollektive Reise in den Abgrund unterstützend begleitet. In einer solchen Welt kann man gegen politische Gewalt sein und ein Unternehmen wie die *Brücke* führen.

Der Schmerz darüber hat sie nie verlassen. Er hat sich eingekapselt, abgesenkt in die Keller ihrer Persönlichkeit. Um jede einzelne Zeitungsseite möchte Britta einen schwarzen Rand malen, denn es sind Traueranzeigen, Nachrufe auf einen verstorbenen Freund. Ruhe sanft, öffentlicher Diskurs, du warst der größte Gastgeber aller Zeiten. Hattest immer Platz an deinem Tisch, warst für lebhafte Abendessen oder Kneipenbesuche stets zu haben, konntest Kampf sein und Spiel, aber auch Heimat und Ziel. Wir bleiben zurück, ungetröstet, vereinzelt, verstört.

In der Nacht hat Britta einen Albtraum. Sie träumt von Unruhen. Durch ein getöntes Autofenster sieht sie zu, wie auf dem Braunschweiger Domplatz mehrere Menschen von einer Gruppe Männer zu Tode geprügelt werden. Die Polizei greift nicht ein, der Mob zieht weiter, Britta versteht nicht, worum es geht, hört nur, wie sie skandieren, *Full Hands Empty Hearts Full Hands Empty Hearts*. Sie weiß, dass es ihr als Nächstes an den Kragen geht, ihr und ihrer Familie, und sie rast im Auto durch die Stadt, um Vera und Richard zu schützen, die arglos im Bett liegen und schlafen, sie will sie abholen und mit ihnen fliehen, bevor der

Mob das Wohnviertel erreicht, aber sie findet das Haus nicht, sie findet nicht einmal die Straße oder die Nachbarschaft, Braunschweig dreht sich um die eigene Achse, und Britta fährt immer schneller, wird immer hektischer, die Zeit läuft ihr davon, sie versagt, sie wird alles verlieren, sie erwacht mit einem Schrei.

Schwer atmend liegt sie auf ihren Polstern, kämpft gegen den Drang, eine weitere Tavor zu nehmen, sagt sich, dass die Panik von selbst vergehen wird, dass sie den Körper nicht schädigt, auch wenn das Herz schmerzt und der Sauerstoff knapp wird, dass sie nichts weiter als eine physische Überreaktion erlebt, so hat sie es in der Ausbildung gelernt. Sie steht auf und öffnet das Fenster. Die kühle Nachtluft ist ein Geschenk, sie streicht über den Körper wie eine zärtliche Berührung. Es ist so still, dass Britta die Fledermäuse hören kann, die im Garten jagen. Das weiche Flattern ihrer Flügel, wie von windbewegtem Stoff, könnte sich kein Mensch ausdenken, und trotzdem ist es da, ganz unabhängig von menschlicher Vorstellungskraft. Die Fledermäuse stürzen durch die Dunkelheit, und falls ihr Flug eine Botschaft besitzt, so lautet diese: Hab keine Angst.

25

Den Rest der Nacht verbringt Britta damit, auf Babak zu warten. Die Sekunden vergehen wie Minuten und die Minuten wie Stunden. An einer Tankstelle hat Julietta drei Kinderuhren aus Plastik gekauft. Eine davon, in grellem Grün, liegt neben Brittas Lager. Ohne Uhr zu leben war eine Folter, aber jetzt wird auch das Anstarren des Ziffernblatts zur Qual. Trotz Tavor hat sie nicht mehr als zwei Stunden geschlafen. Beim Gedanken daran, dass die Pillen aufhören könnten zu wirken, bekommt sie Herzrasen und Atemnot, was sie als Beweis wertet, dass die Pillen nicht mehr wirken, wodurch sich das Herzrasen verstärkt, bis Brittas Brust so wehtut, dass sie ein weiteres Mal aufstehen und das Fenster aufreißen muss, um Luft zu bekommen. Fast alle Kandidaten werden bei ihrem Klinikaufenthalt auf Stufe 5 mit Tavor behandelt, man sagt, dass die Abhängigkeit nach vierzehn Tagen einsetze und der Entzug ähnlich brutal sei wie bei Heroin. Julietta benötigt zwei Tabletten am Tag, um funktionsfähig zu bleiben; ihr ist die Abhängigkeit egal, sie hat nicht vor, das Ende ihres Tavor-Vorrats zu erleben.

Kurz vor fünf kehrt Julietta zurück und gibt die Einkäufe ab, Nahrungsmittel, Zeitungen, Zigaretten, die Britta in ihr Ressourcenverwaltungssystem einsortiert und nach festen Regeln austeilen wird. Julietta ist so erschöpft, dass sie sich kaum auf den Beinen halten kann. Jede Nacht muss sie ein bisschen weiter fahren, ohne zu wissen, wo und wann sie die nächste Tankstelle mit 24-Stunden-Service antreffen wird. Heute ist sie hinter Celle gewesen und hat es unter Aufbietung ihrer letzten Kraft gerade noch rechtzeitig nach Hause geschafft. Sie fragt Britta, ob sie ab heute bereits bekannte Tankstellen ein zweites Mal ansteuern darf, jeweils mit ausreichendem zeitlichem Abstand zum vorherigen Besuch. Britta erwidert, dass sie den Punkt auf die Tagesordnung der nächsten Lagebesprechung setzen werde, legt das Meeting auf fünfzehn Uhr fest und fragt, wo Babak sei. Julietta zuckt die Achseln und geht zu Bett.

Britta bleibt am Küchenfenster stehen. Erstes Tageslicht löst die Dunkelheit auf. Zu dieser Stunde ist kein Tier zu sehen, weil die Nachtaktiven schon schlafen und die Tagaktiven noch nicht aufgestanden sind. Jeden Moment muss Babak erscheinen, frustriert von seinen Versuchen, Lassie die gewünschten Ergebnisse abzuringen, obwohl der Algorithmus für eine andere Form der Suche geschaffen ist. Britta hat sich daran gewöhnt, nicht zu wissen, wo er die Nächte verbringt. Selbst wenn er in einem feuchten Kellerloch vor dem Bildschirm hockt, beneidet sie ihn darum. Alles ist besser als dieses Haus. Mit jeder vergehenden Minute wächst ihr Ärger. Als äußerste Grenze für die Heimkehr hat sie fünf Uhr angeordnet, jetzt ist es bereits Viertel nach fünf, und von Babak keine Spur. Die Unruhe macht es unmöglich, sich noch einmal hinzulegen. Britta beginnt, durchs Haus zu laufen, späht durch alle Fenster, beobachtet den rötlichen Schein auf den Baumkronen an der Ostseite des Gartens, zuckt zusammen, als sie den ersten Singvogel hört. Warum kann Babak nicht einfach tun, was man ihm sagt? Selbst Julietta gibt alles, um rechtzeitig zu Hause zu sein. Britta wird ihn maßregeln müssen, und er wird wieder behaupten, dass sie ihre Paranoia nicht unter Kontrolle habe. Dass es ihr Spaß mache, andere Menschen herumzukommandieren, weil sie sich auf andere Weise nicht geliebt fühlen kann.

Es ist halb sechs. Britta kocht vor Zorn. Sie schwitzt, dass ihr das T-Shirt am Rücken klebt. Der Staub macht sie wahnsinnig, die Katzen machen sie wahnsinnig, es gibt kein Entkommen, die Hitze wird sich steigern, die Katzen werden weiterhin auf den Stühlen des Konferenzzimmers sitzen, auf der Fensterbank, sogar auf dem Schaukelpferd, auf Brittas Lager, wenn sie nur eine Minute vergisst, die Küchentür zu schließen, ganz egal, wie oft sie die Viecher verjagt, sie kommen immer wieder, wechseln die Farben, werden weniger und dann wieder mehr, ein weiterer sinnloser

Tag beginnt, sich in quälender Langsamkeit um die eigene Achse zu drehen, nur, um am Ausgangspunkt wieder anzukommen, immer wieder Sonnenaufgang, und inmitten dieses implodierenden Universums, das nur noch von Regeln zusammengehalten wird, hält sich Babak nicht an die Regeln, kommt und geht, wann es ihm passt, als wäre das hier ein Familienausflug, als wäre er wieder einmal nicht imstande, den Ernst der Lage zu erkennen, als wäre Britta das einzige vernünftige Wesen auf der Welt, seine Verspätung macht sie unerträglich einsam, wenn die *Hearts* ihn geschnappt haben, denkt sie, dann bringe ich mich um.

Es ist kurz vor sechs, als die Haustür aufgeht und Babak sein Fahrrad in den Flur trägt und einfach auf den Boden fallen lässt. Ob Britta oder Julietta schlafen, scheint ihn nicht zu interessieren, ebenso wenig wie die Frage, ob der Krach auf der Straße zu hören ist. Wie erstarrt steht Britta im Konferenzzimmer, wo sie während der letzten Minuten pausenlos um den Tisch gegangen ist.

»Guten Morgen«, sagt Babak.

Er ist blass. Er hält sich an der Wand fest. Er schwankt. Er ist die pure Anklage, ein menschgewordener Vorwurf, etwas, das man mit beiden Händen umstoßen will, um es nicht mehr sehen zu müssen. Sein Anblick steigert Brittas Wut.

»Bist du betrunken?«

»Quatsch.« Babak schüttelt müde den Kopf. »Aber

du siehst irgendwie komisch aus«, sagt er und lächelt schief.

Britta blickt an sich herunter. Sie trägt nichts außer Unterhose und T-Shirt. Dennoch schwitzt sie. An ihrer Haut klebt Dreck, sie braucht Wasser, das ist alles, muss sich waschen, dann ist sie wie neu.

»Lenk nicht ab«, sagt sie. »Du bist zu spät.«

»Weißt du, wie ich mich beeilt habe, um nach Hause zu kommen?«

»Offensichtlich nicht genug.«

Mit einem Seufzer fällt Babak in sich zusammen, gibt den Versuch auf, mit ihr reden zu wollen, schüttelt erneut den Kopf und will an ihr vorbei, die Treppe hinauf.

»Hiergeblieben, Freundchen.«

Nie zuvor hat Britta jemanden »Freundchen« genannt, aber derzeit tut sie viele Dinge zum ersten Mal. Als Babak trotzdem weitergeht, packt sie ihn am Arm, erwischt den Ärmel seines T-Shirts und hört das Reißen von Stoff, der irgendwie morsch gewesen sein muss, denn so fest hat sie doch nicht zugefasst. Eine Wolke von männlichem Schweiß steigt auf. Wir stinken alle, denkt Britta, wir sind schmutzig, wir haben den Kampf gegen den Dreck verloren. Im grellen Morgenlicht kann sie erkennen, wie schlecht rasiert Babak ist, Julietta hat ihm Rasierklingen und Schaum von der Tankstelle mitgebracht, aber sie haben keinen Spiegel. Wir sind keine Menschen mehr, jedes Tier ist sauberer, wir sind hygienisch am Ende.

»Du hast mir den Ärmel abgerissen.« Babak klingt fassungslos.

»Du bist zu spät«, murmelt Britta, während sie das Stück Stoff in ihrer Hand von allen Seiten betrachtet.

»Mal im Ernst, Britta.« Er will sie anfassen, aber sie schlägt seine Hand weg. »Du musst dich in den Griff kriegen. Wenn du so weitermachst, treibst du uns alle in den Untergang.«

»Ich? Euch?« Sie lacht, es tut gut, so zu lachen, das ist der beste Witz, den sie seit Langem gehört hat. »Ich mache die Regeln. Ich trage die Verantwortung. Ich halte den ganzen Laden zusammen.«

»Britta.«

Babak versucht es noch einmal mit Anfassen. Britta weicht zurück und prallt gegen die Wand.

»Es stimmt was nicht mit dir«, sagt Babak. »Du entgleitest uns. Du entgleitest dir selbst.«

»Du!« Sie streckt einen Zeigefinger aus. »Sprich gefälligst nicht so mit mir! Du bist nicht einmal in der Lage, die Uhr zu lesen. Nein! Jetzt rede ich.« Sie hat wirklich Lust, etwas zu sagen. Die Gedanken, die sie in vielen schlaflosen Nächten gefasst hat, müssen endlich raus. Sie erinnert sich daran, viele Erkenntnisse gehabt zu haben, auch heute wieder, sie hat auf ihrem Polster gelegen und Zusammenhänge erkannt, während die Gegenstände im Raum sie anstarrten statt umgekehrt. Da sind auch Dinge, die mit Babak zu tun haben, die muss sie jetzt äußern, auch wenn sie irgendwie Schwierigkeiten hat, sich zu konzentrieren. »Du willst, dass ich mich schlecht fühle. Das hat schon angefangen, bevor wir hergekommen sind. Egal, was ich mache oder sage, auf einmal findest du alles scheiße.«

»Britta ...«

»Halt die Fresse!« Es ist ihr egal, wie laut sie wird, sie hat ein Recht darauf, das ist ihr Haus, es gibt einen Vorvertrag und einen Notartermin, Begriffe, die sie erneut zum Lachen bringen, Notartermin, als ob so etwas irgendeine Bedeutung besäße. »Seit wir hier sind, zeigst du dein wahres Gesicht. Du bist niemals mein Freund gewesen. Du hast einfach nur jemanden gebraucht. Eine Schwester, eine Mutter, einen Babysitter. Jetzt hast du Julietta, und deshalb behandelst du mich wie Dreck.« Da ist es wieder: Dreck. Erstaunt hält Britta einen Moment inne. Alles hat mit allem zu tun. Babak lehnt an der Wand, direkt am Fuß der Treppe, sein Kopf ruht auf der Brust, er weiß, dass sie recht hat, das ist die Haltung eines Menschen, der etwas Wahres hört.

»Wenn das hier vorbei ist, schmeiße ich dich raus. Deine Zeit bei der *Brücke* ist vorbei. Mit einem Menschen, der es nicht schafft, um fünf zu Hause zu sein, will ich nichts mehr zu tun haben.«

Babak hebt den Kopf, er weint.

»Ich habe ...«, beginnt er, aber Britta lässt ihn nicht weitersprechen.

»Vielleicht fährst du gar nicht zu Lassie. Vielleicht triffst du dich mit deinen Liebhabern, und ihr macht zusammen einen drauf. Während ich hier herumhocke und mir den Kopf zerbreche, sitzt du im I-Vent und lachst dich über mich kaputt.«

»Es hat heute länger gedauert, weil…«

»So war es doch immer, ich hab immer alles allein gemacht, du musstest keine Entscheidungen treffen, keine Verantwortung tragen, du hast dich von mir ziehen lassen wie…« Ihr geht die Kraft aus, sie kann nicht mehr, sie rafft sich noch einmal auf, das hier muss zu Ende gebracht werden. »Wie ein Karren im Dreck.«

»Die Spur führt nach Berlin«, sagt Babak. »In die Chausseestraße. Es ist wahrscheinlich Guido Hatz.«

26

Als sie erwacht, spürt sie ein Kitzeln im Gesicht. Sie will »Richard, lass das!« rufen, versucht, die Hand auszustrecken, kann sich aber nicht bewegen. Unter sich fühlt sie keine feste Matratze, sondern rutschende Polster. Da begreift sie, dass sie nicht *aus* einem Albtraum erwacht, sondern *in* einem Albtraum. Sie öffnet die Augen, ohne etwas zu sehen; entweder ist es stockdunkel, oder sie ist blind. Bei jedem Versuch, sich zu bewegen, schmerzt ihr Körper, also liegt sie still und horcht. Jemand ist im Raum. Etwas Kühles legt sich auf ihre Stirn, ein feuchter Lappen, das fühlt sich gut an, Britta dämmert wieder weg.

Beim nächsten Erwachen weiß sie sofort, wo sie ist. Als sie sich aufsetzen will, wird sie zurück auf die Polster gedrückt. Sie kämpft und spürt die eigene Schwäche, sie ist gefangen in einer zähen Masse, ein Insekt, das in einen Harztropfen gefallen ist. Die Kapitulation bringt Erleichterung. Britta ist nicht sicher, wer sich im Raum befindet, sie hört eine Stimme, weiblich, freundlich, dann kommt der kalte Lappen, der sie beruhigt, früher hat ihre Mutter auf der Bettkante gesessen und ihr die Stirn gekühlt, wenn sie krank war, Mama, denkt Britta, warum hast du mich verlassen, mit dir wäre das alles nicht passiert.

Sie träumt, die *Hearts* hätten sie geschnappt. Sie sitzt auf einem Stuhl, und jemand macht sich daran, ihr die Augenlider an den Brauen festzunähen, damit sie die bevorstehende Folter mit offenen Augen verfolgt.

Schrei, schrei, schrei. Jemand hält sie fest, etwas Großes wird ihr in den Mund gesteckt, ein Kieselstein oder eine Walnuss, dann kommt Wasser hinzu, Stufe 6, denkt Britta, die Panik setzt sofort ein, sie wehrt sich mit Armen und Beinen, das Wasser fließt ihr aus dem Mund, du musst schlucken, sagt jemand, ihre Kiefer sind zwischen Händen eingezwängt, du musst schlucken, irgendwann schluckt sie unter Schmerzen, der Kieselstein zwängt sich durch ihre Kehle, dann ist es vorbei, sie sinkt auf das Polster, sie schläft.

Jetzt kann sie sehen. Es ist Tag, die Sonne scheint, lässt Staubkörnchen glitzernd durch die Luft tanzen. Eine graue Katze sitzt in der Mitte eines Sonnenflecks, öffnet und schließt behaglich die Augen, ein Bild des Friedens, und Britta ist so glücklich, dass es ihr nicht einmal gelingt, die Katze zu hassen. Sie will sich aufsetzen, eine Hand drückt sie zurück aufs Lager.

»Du siehst besser aus. Aber bleib liegen.«

Es ist Julietta, die neben ihr auf dem Boden sitzt, eine weitere Katze auf dem Schoß. Sie lächelt. Als sie sich vorbeugt, kitzeln die Spitzen ihrer Haarsträhnen

Brittas Gesicht. Sie reicht ihr eine Pille, nicht so groß wie eine Walnuss, aber auch nicht gerade klein.

»Ibuprofen«, sagt sie, stützt Brittas Kopf und gibt ihr Wasser dazu. Als Britta geschluckt hat, streicht ihr Julietta lobend über das Haar. »Die ersten musste ich dir reinzwängen. Du hast dich gewehrt, als wollte ich dich umbringen.« Lächelnd stupst sie ihr einen Finger auf die Nase. »Über 40 Fieber. Wir haben uns echt Sorgen gemacht, weißt du?«

Britta will etwas sagen, bringt aber nichts heraus. Für einen Moment schließt sie die Augen.

»Du quälst dich dauernd«, sagt Julietta. »Du denkst, du kannst die Leere in dir auskotzen. Aber Leere kann man nicht auskotzen. Man muss sie füllen.« In einem Eimer plätschert Wasser, noch einmal der kühle Lappen auf der Stirn. Juliettas Anblick beginnt, sich zu wellen, ihre Stimme schwillt an und ab, Britta ist nicht mehr sicher, ob Julietta tatsächlich spricht oder ob ihre Worte nur in Brittas Kopf erklingen. Eine Hand streicht ihr über das Haar, der Druck auf ihrer Brust löst sich, ein tiefer Atemzug weitet die Lungen. Plötzlich eine Bewegung, Britta reißt die Augen auf. Julietta sitzt immer noch neben ihr, die graue Katze auf dem Schoß. Aber jetzt hält sie in der rechten Hand einen großen Stein.

»Schau hin«, sagt sie.

Die Hand mit dem Stein fährt durch die Luft, trifft die Katze auf dem Kopf. Das Tier gibt ein keuchendes Geräusch von sich, es beginnt zu zappeln und zu schreien. Julietta drückt sich die Katze aufs Bein, schlägt mehrmals schnell hintereinander, dann ist es vorbei. Stille. Sie hebt die Katze hoch, so dass Britta sie genau sehen kann, schlaff wie ein Lappen hängt sie in ihrer Hand, Julietta hat Blutspritzer im Gesicht.

»Bist du verrückt geworden«, bringt Britta hervor, sie rollt sich zur Seite und würgt, dieses Mal kommt etwas, ein wenig Schleim, sie spuckt auf den Boden und wälzt sich zurück auf das Polster. Julietta lächelt, ihre Augen strahlen, das dunkle offene Haar bedeckt die Schultern wie ein Umhang. Sie hält die tote Katze, sie scheint von Licht umgeben, Britta ist nicht sicher, ob sie das alles wirklich sieht.

»Wie krank ist das denn«, flüstert sie.

»Ich dachte, du hasst Katzen«, sagt Julietta.

»Aber deshalb musst du sie doch nicht…«

»Merkst du was? Du weißt genau, was richtig ist und was falsch.«

Britta hustet, vielleicht weint sie auch, sie will etwas tun, sich aufrichten, nachschauen, ob die Katze vielleicht doch noch lebt, aber sie ist zu schwach, um auch nur die Hand zu heben. Julietta beugt sich über sie, erst will Britta sich wehren, Katzenmörderin, aber dann atmet sie Juliettas Geruch ein, nach ungewaschenen Haaren, Zigaretten und Schweiß, eine Mischung, in die sie vollständig eintaucht, so köstlich, dass sie plötzlich versteht, warum ein Mann in der Lage ist, eine Frau zu lieben, mit allen Sinnen, bis zur Besinnungslosigkeit, bis zum Wahnsinn.

»Du bist nicht leer«, sagt Julietta sanft. »Du trägst alles in dir. Du musst dir nur erlauben, auf dich selbst zu hören.«

Brittas Körper wird schwer, Julietta summt eine Melodie, *you say you don't think cause thoughts don't make sense but one day they will ask why you ran baby*, und Britta würde gern sagen, dass sie begriffen hat.

Getrampel wie von hundert Füßen. Eine Armee bringt sich in Stellung. Mit einem Satz springt Britta von ihrem Lager und ist schon auf den Beinen, bevor sie sich fragen kann, ob die sie tragen werden. Der Schwindel wirft sie an die Wand. Mit einem Schlag tritt die Welt an sie heran, die Hitze, der Staub, der Geruch nach Katzen und Mäusen. Durchs Fenster scheint verschwenderisch die Sonne, später Vormittag, schätzt Britta, und auch wenn sie keine Ahnung hat, um welchen Wochentag es sich handelt, lässt sie die Farbe des Lichts an einen Sonntag denken. Friedlich. Still. Vogelgezwitscher. Ihr Blick gleitet durch den Raum, sucht den Boden nach dem Körper einer toten Katze ab, da ist nichts, auch keine Blutspritzer, sie hat jetzt keine Zeit, darüber nachzudenken, denn der Aufruhr setzt wieder ein, Schritte, aufgeregtes Geflüster. Britta verlagert das Gewicht nach vorn, stößt sich leicht von der Wand ab, setzt einen Fuß vor den anderen und verspürt ein jähes Glücksgefühl, als die Übung gelingt. Sie steht aufrecht, sie bewegt sich, ihr Kopf befindet sich auf der richtigen Höhe. Sie lebt. Schwungvoll geht sie über den Flur und tritt ins Wohnzimmer. Das Geflüster wird zu einem scharfen Zischen.

»Runter! Scheiße, runter!«

Britta braucht eine Weile, um zu verstehen, was gemeint ist. Es gibt so viel zu sehen. Unter den Fenstern kauern ihre Freunde. Julietta hat sich so weit aufgerichtet, dass sie knapp über die Fensterbank nach draußen spähen kann. Babak starrt Britta mit entsetzt aufgerissenen Augen an. Neben den beiden liegen Gegenstände am Boden: Stuhlbeine, Seil, mehrere faustgroße Steine.

Einzeln spazieren die Gedanken durch Brittas Kopf. Schönes Wetter. Etwas ist passiert. Die haben sich bewaffnet. An Waffen hat sie nicht gedacht. Sie denkt doch sonst immer an alles. Sie will ihnen sagen, wie toll sie die Initiative findet. Auf allen vieren kriecht Babak auf sie zu, ergreift ihr Handgelenk und versucht, sie auf den Boden zu ziehen.

»Runter, verdammt!«

In diesem Augenblick fällt Brittas Blick durchs Fenster. Am Straßenrand parkt ein weißer Hilux. Die Fahrertür öffnet sich, ein Mann steigt aus, groß gewachsen, mit einem dunklen Schnurrbart. Aufmerksam mustert er die Fassade, sucht nach Anzeichen von Leben. Als Britta sich bewegt, fokussiert sein Blick, der Schnurrbart hebt sich über einem Lächeln. Seine rechte Hand geht in die Höhe, er winkt, und Britta winkt zurück. Babak und Julietta stöhnen auf.

Guido Hatz, denkt Britta.

Erst als ihr Gehirn den Namen aufsagt, kommt die Reaktion. Die Spur führt nach Berlin, in die Chausseestraße. Es ist Hatz. Wer hat das neulich gesagt? Die Schweißdrüsen auf ihrem Kopf beginnen zu prickeln, der Bauch wird heiß, der Nacken kalt.

»Scheiße«, flüstert sie. Draußen macht Guido Hatz ein paar schnelle Schritte Richtung Eingangstür. Britta lässt sich neben Babak auf die Knie sinken.

»Tut mir leid«, flüstert sie.

»Vielleicht gar nicht so schlecht«, sagt Julietta mit unterdrückter Stimme. »Ich glaube, er ist allein.«

»Okay.« Babak krabbelt zurück zu der kleinen Sammlung von Gegenständen und nimmt ein Stuhlbein und den Strick.

»Steh auf«, sagt Julietta zu Britta. »Geh in den Flur. Wenn er klopft, warte, bis Babak und ich in Stellung sind. Ruf irgendetwas, Moment!, oder: Komme gleich! Auf mein Zeichen öffnest du die Tür und lässt ihn an dir vorbei ins Haus. Du musst ihm den Vortritt lassen, verstanden?«

Britta nickt. Es klopft. Julietta nimmt so viele Steine, wie sie tragen kann, und schleicht geduckt auf den Flur. Bevor Babak ihr folgt, stupst er Britta an.

»Moment!«, ruft Britta. »Ich komme gleich!«

27

Als Britta ein Kind war, hörte ihre Mutter häufig einen Popsong, in dem es um Gott ging. *No one laughs at God in a hospital / No one laughs at God in a war.* Einmal fragte sie, was der Text bedeute, und die Mutter erklärte es ihr. Beim Abendessen kam Britta auf das Thema zurück.

»Warum gibt es Menschen, die an Gott glauben?«, fragte sie.

Die Eltern sahen sich an, amüsiert und stolz auf die klugen Fragen ihrer Tochter, aber auch ein wenig unbehaglich.

»Für manche Leute ist das Leben einfacher mit einem Gott«, sagte der Vater schließlich.

»Warum?«, fragte Britta.

»Weil sie dann jemand haben, zu dem sie beten können«, sagte der Vater. »Wenn sie im Krieg sind oder im Krankenhaus.«

»Und weil sie dann wissen, wozu sie auf der Welt sind«, ergänzte die Mutter.

»Wir glauben aber nicht an Gott?«

»Ich nicht«, sagte der Vater.

»Wissen wir trotzdem, wozu wir auf der Welt sind?«

»Aber natürlich, Mäuschen.«

»Wozu denn?«

Das Unbehagen der Eltern wuchs, sie sahen aus, als hätten sie sich gern zur Beratung zurückgezogen, bevor sie das Gespräch fortsetzten.

»Sieh mal, Schatz«, sagte die Mutter, »du fragst im Grunde nach dem Sinn des Lebens.«

»Ein schwieriges Problem«, sagte der Vater.

»Was ist der Sinn des Lebens?«, fragte Britta.

»Das muss jeder für sich entscheiden«, sagte die Mutter. »Möchtest du noch Suppe?«

»Und wofür habt ihr euch entschieden?«

»Oder etwas Brot?«

»Was ist euer Sinn des Lebens?«

Die Eltern tauschten Blicke, lachten ein wenig; der Vater zuckte die Achseln und streckte dann die Arme zur Seite, um den Rücken zu dehnen. Die Mutter trank ihren Wein aus.

»Dass wir hier so schön zusammensitzen und es uns gut geht«, sagte der Vater. »Das ist für mich der Sinn.«

»Aber so ist es ja schon«, sagte Britta.

»Eben.« Die Mutter beugte sich vor, um Britta über den Kopf zu streicheln. »Dafür können wir dankbar sein.«

»Und wenn es uns nicht mehr so gut ginge, dann wäre das Leben sinnlos?«, fragte Britta.

»Nein, natürlich nicht«, sagte der Vater. »Es wäre nur einfach nicht mehr so gut.«

Eine Minute verging, in der niemand wusste, was er sagen sollte.

»Wenn du groß bist«, sagte die Mutter schließlich, »wirst du selbst herausfinden, wofür du leben möchtest.«

»Das nennt man Freiheit«, ergänzte der Vater.

»Gott, bin ich froh, euch zu sehen«, sagt Guido Hatz, nachdem sie ihm das Klebeband abgenommen haben.

Er sieht nicht aus wie jemand, der Grund hat, sich zu freuen. Als er das Haus betrat, stürzten sich Babak und Julietta aus ihren Verstecken links und rechts der Tür. Babak fing Hatz' Beine mit dem Strick, Julietta zog ihm einen Stein über den Kopf, nicht so fest, dass er das Bewusstsein verloren hätte, aber fest genug für eine Beule an der Stirn, die schnell anschwillt. Sie haben ihm Hände und Füße mit Klebeband gefesselt. Julietta durchsuchte seine Taschen und förderte ein Cryptofon und einen Kugelschreiber zutage. Keine Waffen, keine Papiere.

Es war nicht leicht, Guido Hatz die Kellertreppe hinunterzutransportieren. Ihn selbst gehen zu lassen, kam nicht infrage, also schleiften sie ihn über den Boden, wobei sie nicht sonderlich sanft mit ihm umgingen; sie achteten lediglich darauf, dass sein Kopf nicht allzu heftig auf die Steinstufen schlug.

Im Licht der Taschenlampe sieht der niedrige Raum gespenstisch aus. Es riecht nach dem Öltank, der hier früher einmal stand. Fenster gibt es nicht, den helllichten Tag draußen vergisst man sofort. Britta und Julietta können knapp aufrecht stehen; Babak, der ein wenig größer ist, hält sich schief und zieht den Kopf ein. Guido Hatz sitzt auf einer Obstkiste und wirkt leichenblass im Lichtstrahl der Taschenlampe, den Babak ihm direkt ins Gesicht fallen lässt.

»Wo sind die anderen?«

»Welche anderen?«

»Du bist doch nicht allein hier.«

»Und ob ich allein hier bin.«

Als Julietta das Stuhlbein hebt, duckt Hatz sich instinktiv zusammen. Dass er tatsächlich Angst vor ihnen hat, überrascht Britta im ersten Moment, fast scheint es ihr, als würden sie alle ihre Rollen nur spielen – er das verängstigte Opfer, sie die grimmigen Täter. Aber dann bemerkt sie, wie sein Blick durch den Raum hetzt, und begreift, dass seine Angst echt ist. Mit einem Mal sieht sie sich mit seinen Augen, eine Frau, die seit zehn Jahren erfolgreich in der Terrorbranche arbeitet, Verhör- und Foltertechniken beherrscht und regelmäßig Leute von Handlangern zusammenschlagen lässt, um sie anschließend in den Märtyrertod zu schicken. Momentan blass, schmutzig, halb nackt und mit Ringen unter den Augen, begleitet von zwei Kompagnons, die auch nicht besser aussehen als sie selbst. Sie sind nicht die freundlichen

Dienstleister eines umgekippten Jahrhunderts, sie sind selbst Gefährder.

»Wie hast du uns gefunden?«, fragt Julietta.

Hatz lacht, was ein wenig unecht klingt.

»Ihr zieht eine Energiespur hinter euch her, die im Dunkeln leuchtet.«

»Schwachsinn.« Babak streckt den Zeigefinger aus. »Ihr habt im Netz eine Menge Radau veranstaltet, weil euch Bewegungsdaten fehlten.«

»Warum fragt ihr, wenn ihr schon alles wisst?«

»Ich hab euch erst gefunden«, sagt Babak, »als ich auf die Idee kam, diejenigen zu suchen, die uns suchen.«

»Der Dienst hat eine Menge Zeit mit Leipzig und Berlin verschwendet«, erklärt Hatz. »Ich habe gleich gesagt: Braunschweig und Umgebung. Da sprachen die Energiefelder eine klare Sprache. Schwamm drüber, ist ja noch mal gut gegangen.«

»Gut gegangen?« Zum ersten Mal macht auch Britta den Mund auf. »Was zum Teufel ist gut gegangen?«

Guido Hatz lächelt ihr flüchtig zu, außer Angst liegt Sympathie in seinem Blick.

»Gut gegangen ist, dass ich hier bin. Und zwar vor den anderen.«

»Welche anderen?«, fragt Julietta.

»Die, vor denen ihr euch versteckt.« Er bewegt sich vorsichtig auf seiner Kiste, sucht eine bequeme Position, was mit gebundenen Händen und Füßen schwierig ist. »Ich will ehrlich zu euch sein.« Britta registriert, wie sich sein Tonfall ändert, er versucht, in eine aktive Gesprächsposition zu kommen. »Bei der Sache mit euch sind Fehler passiert, auch von meiner Seite. Niemand hat damit gerechnet, dass ihr abtaucht, und dann auch noch so schnell. Und professionell.« Wieder ein Lächeln, dieses Mal mit Bewunderung versetzt, er macht seine Sache gut, wie er da gefesselt vor drei abgerissenen Gestalten sitzt und ihnen etwas von Professionalität erzählt. »Euer Verschwinden kam völlig überraschend, wir waren nicht vorbereitet. Ich wollte von Anfang an eine kooperative Strategie und bin nach wie vor sicher, dass wir uns einig werden. Der dämliche Einbruch wäre nicht nötig gewesen. Aber die anderen haben kalte Füße bekommen, auf einmal läuft ihnen die Zeit davon.«

»Welche anderen?« Juliettas Schärfe ist beängstigend, sie ist die Jüngste und Schmächtigste von ihnen, aber offensichtlich auch diejenige mit der kürzesten Lunte. Guido Hatz hat das längst verstanden, er beobachtet sie aus dem Augenwinkel und vollführt mit dem Kopf eine beschwichtigende Geste in ihre Richtung. Aber bevor er sich die nächsten Worte zurechtgelegt hat, fährt das Stuhlbein durch die Luft. Julietta schwingt es wie einen Baseballschläger und trifft Hatz am Schienbein, gut gezielt und mit Wucht. Er stöhnt auf, krümmt sich zusammen, fast wäre er von der Kiste gefallen, mit großer Anstrengung kämpft er um sein Gleichgewicht. Niemand hilft ihm, niemand richtet ihn auf. Sie schauen einfach zu, in einer Mischung aus Mitleid und Ekel, vernehmen die wimmernden Töne aus seinem Brustkorb, Geräusche von Qual und Selbstbeherrschung.

Britta wirft Babak einen Blick zu und erkennt, dass er dasselbe fühlt wie sie. Inständig hofft sie, dass Hatz nichts tun wird, um Julietta weiter zu provozieren. Sollte sie erneut auf ihn losgehen, wäre keiner von ihnen bereit, sie aufzuhalten.

»Das war wirklich völlig überflüssig«, sagt Hatz zwischen zusammengebissenen Zähnen. »Ich bin hier, um Versäumnisse wettzumachen, nicht, um euch in Schwierigkeiten zu bringen.«

»Und wir müssen wissen, ob du allein bist«, sagt Julietta. »Wenn ich dich zu Brei schlage und niemand rettet dich, können wir sicher sein, dass es keine Nachhut gibt.«

»Ich bin allein, verdammt noch mal«, schreit Hatz. »Ich will nur mit euch reden!«

Seine Verzweiflung wirkt echt, und als Julietta sich zu Britta umdreht, nicken sie einander zu. Soldatin und Kommandant.

»Für Spielchen, egal, welcher Art tragen Sie selbst die Verantwortung«, sagt Britta. »Ich denke, das haben Sie mittlerweile begriffen.«

»Okay, okay.« Er stöhnt noch einmal und spuckt auf den Boden. »Wir fangen noch mal von vorne an. Erinnert ihr euch an euren ersten Einsatz?«

Innerlich rücken Babak und Britta ein Stück näher

zusammen. Natürlich erinnern sie sich. An Dirk, ihren ersten Kandidaten. An die ausufernden Diskussionen auf jeder Evaluierungsstufe, an vorsichtige Erstkontakte mit verschiedenen Gruppen. An das quälende Warten auf die Durchführung der Aktion und die erlösenden Bilder vom kenternden Walfänger. Ein Abglanz des Nervenkitzels von damals liegt seitdem auf jeder Operation.

»Ich war der zuständige Offizier und habe die Sache sofort an mich gezogen.«

»Sie arbeiten also wirklich für den BND«, sagt Babak.

»Für wen ich arbeite, könnt ihr euch ausmalen, wie es für euch am bekömmlichsten ist. Ihr werdet in jedem Fall einigermaßen richtig liegen.«

»Seit wann beschäftigen die Dienste Wünschelrutengänger?«

»Die Dienste beschäftigen Leute, die den Job beherrschen. Habt ihr euch in den vergangenen Jahren gefragt, warum ihr von den Behörden in Ruhe gelassen werdet?«

»Nein«, sagt Britta. »Wir sind immer davon ausgegangen, dass unsere Arbeit dem Gemeinwohl dient.«

»Selbstbewusste Antwort.« Guido Hatz lacht. »Ein wenig größenwahnsinnig vielleicht. Ich bin es, der seit elf Jahren eine schützende Hand über euch hält.«

»Doch wohl kaum persönlich«, sagt Babak.

»Je ferner die Dinge von staatlicher Kontrolle passieren, desto persönlicher werden sie.« Hatz lächelt versonnen. »Ich habe mich immer zurückgehalten, ihr seid immer in eurem Rahmen geblieben, es war wie ein stillschweigendes Abkommen zwischen uns. Dann kam das Attentat von Leipzig.« Hatz verzieht das Gesicht, entweder schmerzt ihn die Erinnerung oder das Schienbein. »Wir wussten sofort, dass ihr das nicht wart. Die Maschinerie geriet in Aufregung. Unser Job ist es nicht, Dinge zu verhindern, sondern zu wissen, was passieren wird.«

Britta wirft einen schnellen Blick zu Babak, er denkt das Gleiche wie sie. Leipzig war ein Störfall, der das Gleichgewicht der Kräfte durcheinandergewirbelt hat. Britta hatte recht, von Anfang an. Eine Tatsache, die ihr in diesem Kellerraum keinerlei Genugtuung bereitet.

»Erinnert ihr euch noch an Enrico? Enrico Stamm?«

Bei Nennung dieses Namens erscheint vor Brittas innerem Auge eine Gestalt, ein Mann, wie aus verschiedenen Teilen zusammengesetzt, muskelbepackter Körper, Oberarme wie Schweineschenkel, schwellender Brustkorb und mächtiges Kreuz, darauf ein kleiner Kopf mit Stoppelfrisur und Nickelbrille wie bei einem Philosophiestudenten im ersten Semester. Es ist eine Weile her, dass Enrico ins Programm eintrat, Britta kann nur schätzen, vielleicht acht Jahre, es kann nicht lange nach Angela Merkels Rücktritt gewesen sein. Enrico war ein fanatischer Anhänger von Merkel, er redete ununterbrochen von ihr, mit einer leicht nörgeligen Stimme, die genau wie sein Kopf zu klein für den Körper wirkte. Offensichtlich verband ihn mit der Ex-Kanzlerin ein ausgewachsener Mutterkomplex. In einer Welt, die sein Idol auf so demütigende Weise davongejagt hatte, wollte er nicht weiterleben. Sein traumatisches Erlebnis waren die erzwungenen Neuwahlen, die »Merkel muss weg!«-Rufe der aufgebrachten Menge, die sich vor dem Kanzleramt zusammenballte, der Augenblick, als Angela nach offizieller Verkündung des Wahlergebnisses vor die Kameras trat und die Verantwortung für das starke Ergebnis der BBB übernahm. Sie formte die Hände zur Raute und erklärte in ihrer unterkühlten, leicht lispelnden Art, dass sie im heutigen Wahlergebnis nicht nur eine Katastrophe für Deutschland, sondern das Scheitern ihrer persönlichen Laufbahn sehe. Unter den Buh-Rufen einiger anwesender Journalisten brach die selbstbeherrschte Fassade der Ex-Kanzlerin schließlich zusammen. Eine Träne lief ihr über das Gesicht, während sie, die Zwischenrufer übertönend, ins Mikrofon rief: »Ich wünsche unserem Land, ich wünsche uns allen viel Glück!« Dann verließ sie das Podium, die Schultern hochgezogen, und wirkte dabei plötzlich wie eine alte Frau.

Enrico Stamm hatte sich diese Szene wieder und wieder angesehen, er hatte eine quälende Fixierung auf den Moment von Merkels Abgang entwickelt, sprach von nichts anderem und flehte Britta an, ihm dabei zu helfen, seinem Leben so schnell wie möglich ein Ende zu setzen. Britta hatte sich nach Kräften bemüht, den Muskelberg zu seinen wahren Motiven zu führen, hatte sämtliche Evaluierungsschritte übergründlich durchgeführt und war doch nie über die Angela-Merkel-Leier hinausgekommen. Enrico gehörte zu den wenigen Kandidaten, die aufgrund eines externen psychologischen Gutachtens aus dem Programm ausschieden. Der von der *Brücke* beauftragte Psychiater bescheinigte ihm eine massive narzisstische Störung, hielt ihn allerdings nicht für suizidal.

Als sie Enrico das Ergebnis eröffnete, flackerte purer Hass in seinen Augen. Einen Moment lang glaubte Britta sogar, er würde handgreiflich werden und auf sie losgehen. Dann aber spuckte er nur auf den Boden, schrie etwas wie »Ihr werdet schon sehen!« und verließ die Firmenräume. Seitdem hat sie nichts mehr von ihm gehört.

»Genau der.« Hatz nickt, als hätte er ihren Erinnerungen zugehört. »Nachdem er bei euch rausgeflogen ist, hat er ein paar Leidensgenossen um sich geschart.«

»Die Leute fliegen nicht raus«, korrigiert Babak. »Sie erhalten nach ausgiebiger Evaluierung eine Kennziffer, die …«

»Ja, ja!« Hatz hätte gern beide Hände gehoben. »Jedenfalls hat Stamm im Programm der *Brücke* ein paar andere Kandidaten kennengelernt, und er blieb am Ball, verfolgte die Entwicklungen, recherchierte, kontaktierte immer mehr Leute. So hatte er bald eine Gruppe von Männern zusammen, die immer noch glaubten, für eine höhere Sache sterben zu wollen, nachdem sie erfahren mussten, für die *Brücke* nicht gut genug zu sein.«

»Es geht doch nicht darum, dass die Kandidaten ...«

»Lass gut sein«, sagt Britta.

»Mit den Jahren hat Stamm eine Parallelstruktur aufgebaut.«

»Die *Empty Hearts*.«

»So nennen sie sich seit dem Eintritt in die operative Phase.«

»Und davon haben die Dienste nichts gewusst?«, fragt Britta.

»Manches haben wir gewusst, anderes nicht, vieles geschehen lassen.« Hatz zuckt die Achseln, eine Geste, die ihm in verschnürtem Zustand möglich ist. »Die *Hearts* haben vorsichtig kommuniziert und waren lange Zeit inaktiv. Bis zum Attentat von Leipzig.«

»Die größte Schwachsinnstat aller Zeiten.«

»Im Gegenteil.« Hatz lacht. »Entweder ist Enrico Stamm ein Genie oder der Prototyp vom dümmsten Bauern mit den dicksten Kartoffeln. Die Sprengsätze, die Markus und Andreas dabeihatten, waren nicht scharf. Außerdem wurden die Behörden kurzfristig über den bevorstehenden Anschlag informiert.«

»Stamm hat seine eigenen Leute verraten?«

»Es ging ihm nicht darum, den Leipziger Flughafen zu sprengen. Leipzig war eine Nebelkerze für euch, eine Einladung an uns und eine Feuertaufe für die eigene Truppe.« Wieder zuckt Hatz die Achseln. »Für Stamm ist es optimal gelaufen. Das müssen wir alle zugeben. Ihr habt ihm die Daten besorgt, die er brauchte, und von uns bekam er Besuch.«

»Was soll das heißen?«

»Es blieb keine Zeit, die Gruppe zu infiltrieren. Nach der Leipzig-Sache sind wir offen an ihn herangetreten. Er hat auf gemeinsame Interessen spekuliert, und er hatte recht.«

Unmerklich hat sich während der letzten Minuten die Atmosphäre im Kellerabteil entspannt. Babak hält die Taschenlampe zu Boden gerichtet, um niemanden zu blenden. Julietta hat sich das Stuhlbein über die Schulter gelegt wie einen Wanderstab. Britta lehnt mit verschränkten Armen an der Wand. In ihrer Mitte sitzt Hatz und wirkt nicht mehr wie ein Folteropfer, sondern eher wie der Märchenonkel. Für eine Weile spricht niemand, sie hängen ihren verschiedenen und doch irgendwie gemeinsamen Gedanken nach. Draußen fährt ein Auto vorbei und gibt Zeugnis von einem ganz normalen Tag, an den hier unten niemand glaubt. Britta versucht gar nicht erst, Ordnung in die vielen Informationen zu bringen. Sie stellt fest, dass sie bestialischen Hunger hat und dass Hatz als Nächstes endlich sagen muss, was diese gemeinsamen Interessen denn nun sind.

»Und was sind nun diese gemeinsamen Interessen?«, fragt Babak.

»Die *Empty Hearts* planen einen Putsch«, sagt Hatz. »Sie wollen die BBB-Regierung beseitigen und Merkel wieder ins Amt setzen.«

Nach diesem Satz herrscht eine andere Form von Schweigen. Die Erklärung ist verblüffend einleuchtend und trotzdem schwer zu glauben. Babak ist der Erste, der die Sprache wiederfindet. Sein strahlendes Lächeln zeigt, wie gut ihm die neue Information gefällt.

»Putsch ist super«, sagt er.

»Merkel ist über siebzig«, sagt Julietta.

»Adenauer war dreiundsiebzig bei Amtsantritt«, sagt Hatz.

»Und was kommt danach?«, fragt Britta.

»Gute Frage«, sagt Hatz. »Kanzler und Minister kann man austauschen, leitende Verwaltungsbeamte auch. Aber worauf es ankommt, ist der Mittelbau.« Er macht eine Pause und blickt in die Runde, seine Augen leuchten, als gehe es für ihn um den heiligen Gral. »In den Verwaltungen, im Militär, überall sitzen bis heute Anhänger der alten Parteien, überzeugte Demokraten, die seit Jahren darunter leiden, für Regula Freyer und ihre Leute arbeiten zu müssen.«

»Bei euch auch?«, fragt Julietta.

»Wir dienen keiner Regierung, sondern einem Prinzip. Unsere Aufgabe besteht darin, die Demokratie zu verteidigen, den Kontinent zu schützen, die Errungenschaften der vergangenen Jahrzehnte zu bewahren.«

»Zur Not mithilfe eines Putschs?«

Hatz beginnt, an seinen Fesseln zu zerren, zum Reden braucht er den ganzen Körper. »Wenn die BBB mit dem Grundgesetz fertig ist, wird nur noch eine leere Hülle übrig sein. Europa wird sich endgültig auflösen, die Bündnisse mit russischen, türkischen und amerikanischen Autokraten werden die Welt zurück ins 19. Jahrhundert katapultieren. Es gibt ein Widerstandsrecht.«

»Immerhin wurden die Spinner gewählt«, sagt Britta.

»Die NSDAP auch, schon vergessen?« Hatz lacht bitter. »Abgesehen davon, muss man sich fragen, was eine demokratische Wahl wert ist, die massiv aus dem Internet gesteuert wird. Politische Meinung ist längst zur Ware geworden, produzierbar und verkäuflich. Demokratie ist nicht mehr so romantisch wie vor fünfzig Jahren. Was ist los mit dir?«

Erst als er fragt, merkt Britta, dass sie sich an der Wand festhält, dass sich ihre Kopfhaut eiskalt anfühlt und dass sich der Kellerraum um die eigene Achse dreht. Sie würgt und versucht gleichzeitig zu sprechen. Julietta ist als Erste bei ihr, hält sie mit beiden Armen fest, so dass Britta ihren Körpergeruch einatmen kann, lebendig und gut, der Duft eines Menschen, der an ihrem Bett gesessen hat, während sie glaubte zu sterben.

»Sie ist unterzuckert«, sagt Hatz. »Gebt ihr Wasser und was zu essen, ihr Trottel. Und zieht ihr was an.«

»Hunger«, flüstert Britta, »Hunger«, und dann ist plötzlich ein Stück Schokolade in ihrem Mund

und bringt die Geschmacksknospen zum Explodieren. Jemand hält ihr ein Glas Wasser an die Lippen, ein anderer zieht ihr einen Pullover über den Kopf und hilft ihr in die Hose. Der Keller hört auf, sich zu drehen. Julietta lässt sie los, Babak klopft ihr auf die Schulter, in seiner hilflosen Art, als wären Menschen Wesen, die man eigentlich nicht anfassen darf.

»Geht's wieder?«, fragt Hatz, und sie nickt. Trotz seiner Fesseln werden sie langsam zum Team, Britta weiß nicht, ob das gut ist oder schlecht. Wahrscheinlich läuft es optimal für Hatz. Er hat eindeutig Oberwasser.

»Ich würde jetzt gern das weitere Vorgehen diskutieren.« Wieder blickt Hatz in die Runde, als säße er an einem Konferenztisch. Sein Tonfall ist selbstbewusst und gleichzeitig respektvoll, er spricht Britta und ihre Leute auf Augenhöhe an, noch ein kleiner Schritt, und sie werden sich als Verbündete fühlen. »Stamm hat die letzten Tage damit verbracht, mit Hochdruck Kämpfer aus euren Listen zu rekrutieren, und soweit wir das verfolgen können, ist er äußerst erfolgreich dabei. Wir schätzen, dass die Gruppe inzwischen mehr als fünfzig Personen zählt. Die Kämpfer werden tätowiert, eingewiesen und wenn nötig trainiert, alles im Schnellverfahren. Wenn die *Hearts* mit über fünfzig Mann losschlagen, kommt das einem Erdbeben gleich. Die Hauptstadt ist unvorbereitet. Selbstmördern hat niemand etwas entgegenzusetzen.«

»Was ist der Plan?«, fragt Babak.

»Kanzleramt, Parteizentrale, Fraktionsbüro, sämtliche Ministerien.«

»Wow«, sagt Julietta. »Mit etwas Glück erwischt es große Teile der BBB-Führungselite.«

»Ganz genau.« Guido Hatz strahlt. »Danach muss es einfach nur schnell gehen.«

Jetzt lächeln sie alle. Zehn weiße Kleintransporter fahren im Konvoi durch die Straßen Berlins, sie fallen auf, bleiben aber unbehelligt. Im Regierungsviertel trennen sich die Fahrzeuge, verschwinden in kleine Straßen zwischen großen Gebäuden, die gemeinsame Mission teilt sich in Einzelkomponenten. Drei Männer in legerer Kleidung registrieren sich, ausgestattet mit Presseausweisen, an der Pforte des Reichstags. Weitere vier in Anzügen verschwinden zwischen den hohen Säulen des Kanzleramts, wo an diesem Morgen eine Kabinettssitzung stattfindet. Auch vor der BBB-Zentrale in Charlottenburg hält ein Kleintransporter, ebenso vor Innen- und Außenministerium, vor dem Ausländeramt und der Bundeszentrale für Leitkultur. Nicht alle Männer tragen Geschäftsanzüge, manche sind in blaue Handwerker-Latzhosen gekleidet, in die Uniformen von Putzkolonnen oder die Jeans-und-Sakko-Ausrüstung der Medienvertreter. An ihren Hälsen baumeln Batches mit Dienst-, Haus-, Presse-, Besucher- oder Lobbyisten-Ausweisen. Sie riechen auffällig nach Rasierwasser, was die Ausdünstungen von Adrenalin und Testosteron überdeckt, sie tragen Aktentaschen, Rucksäcke, Werkzeugkästen, oder sie schieben Handwagen mit Reinigungsmitteln vor sich her. In den meisten Fällen wirken ihre Oberkörper ein wenig aufgebläht.

Britta kann es sehen, alles bis ins kleinste Detail. Um Punkt zehn an diesem strahlenden Sommertag fallen die ersten Schüsse. Sekretärinnen schreien, wissenschaftliche Mitarbeiterinnen und Praktikanten werfen sich in den Fluren zu Boden, eine Sprinkleranlage, die alles falsch verstanden hat, setzt Abgeordnetenbüros unter Wasser. Drei Polizisten greifen nach ihren Waffen, ihre hochrutschenden Ärmel enthüllen ebenfalls die zackigen Buchstaben des *Empty-Hearts*-Logos. Auf dem Weg über Flure ins Zentrum der Macht schießen die Männer auf Lampen und Fenster, verschonen die niederen Angestellten, sorgen nur für ausreichend Lärm und Panik, eliminieren hier und da einen Sicherheitsbeamten, alles geht unglaublich schnell, sie kennen die Architektur der Gebäude, sie sind genau instruiert, sie haben ihre jeweiligen Ziele klar vor Augen, sie gehen zügig, ohne zu rennen, und jedes Team öffnet schließlich die Tür zu einem bestimmten Raum, in dem ihnen einige Personen mit schreckgeweiteten Augen entgegenblicken. Die Explosionen erschüttern Berlin. Britta, Babak, Julietta und Hatz sehen Wolken von Rauch, Staub und Glassplittern, die aus Fenstern fahren. Sie hören Alarmanlagen, Martinshörner, durchdrehende Sicherheitssysteme, sehen panische Menschen, die unter Schreibtischen kauern oder kopflos aus Gebäuden fliehen, sehen, wie sich auf den Straßen Menschenansammlungen zusammenballen, wie der Verkehr zum Erliegen kommt, Kommunikationsnetze versagen, Panzer durch Berliner Straßen rollen.

In wenigen Minuten sind die Explosionen vorbei, aber die Hysterie geht weiter. Der Notstand wird ausgerufen, Internet und Telefonnetze abgeschaltet. Polizisten erteilen Platzverweise, evakuieren das Regierungsviertel, schicken Menschen in ihre Wohnungen, verhängen eine Ausgangssperre. Dabei schwebt längst Stille über den Leichen und Trümmern. Überall liegen Tätowierte, in Einzelteilen oder mit zerschossenen Köpfen, in Konferenzräumen und Büros. Währenddessen beginnt die geräuschlose Übernahme. Schwarze Limousinen gleiten durch die Stadt, gut gekleidete Männer und Frauen steigen aus, zeigen Ausweise, betreten Gebäude, übernehmen Verantwortung. Sie bilden etwas, das sie Übergangsregierung nennen. Freundlich, gelassen, professionell. Während die Beileidsbezeugungen internationaler Staatschefs eingehen, die Medien von Kriegszustand sprechen und über die Herkunft der *Empty Hearts* rätseln, arbeitet der Staatsapparat weiter, unbemerkt, gut geölt, säubert sich, scheidet aus, entlässt BBB-Mitglieder und holt die Treuen aus alten Tagen zurück, zieht Steuern ein, vergibt Bauaufträge, verheiratet Paare, verteilt Strom und Wasser, lässt Züge, Busse und Müllautos fahren und kündigt Neuwahlen für eine unbestimmte Zukunft an.

Sie sehen es wie etwas, das bereits stattgefunden hat. Logisch, zwingend, unausweichlich. Berauschend in seiner Folgerichtigkeit. Britta spürt, wie das Blut in ihren Adern zu prickeln beginnt. Wegfegen, ausräuchern, sauber machen. Eine Aktion von historischem Ausmaß. Der Aufstand der Gerechten, Terror der Guten, demokratisches Großreinemachen. Sie malt sich aus, wie ein Sturm der Erneuerung durchs Land fegen wird, der nicht nur die BBB-Elite mit sich reißt, sondern auch deren Anhänger, jene notorischen Nörgler, die seit Jahrzehnten mit ihrer Missgunst und Kleinkariertheit an den Fundamenten der Demokratie graben. Die das Internet in eine Schlammschleuder verwandelt haben, die nur glücklich sind, wenn sie auf andere herabschauen können. Die sich und ihre kindischen Bedürfnisse über alles stellen. Die lieber simplen Verschwörungstheorien glauben, als sich mit der komplizierten Wahrheit auseinanderzusetzen. Die ständig fordern, dass sich etwas ändern muss, und durchdrehen, wenn jemand Vorschläge macht. Deren Undankbarkeit nur von ihrer Egozentrik übertroffen wird, sodass sie in der Lage sind, noch im Zustand größtmöglicher Saturiertheit alle anderen zu beneiden. Deren größte Freude in anonymer Gehässigkeit liegt. Jener Bodensatz aus schlecht gelaunten Postdemokraten, die erfolgreich dabei sind, die größte zivilisatorische Errungenschaft der Menschheitsgeschichte ihren persönlichen Minderwertigkeitskomplexen zu opfern. Zur Hölle mit ihnen!

»Krass«, sagt Julietta.

»Wahnsinn«, sagt Babak.

»Okay«, sagt Hatz. »Ihr habt begriffen, worum es geht. Was ich von euch will, ist denkbar einfach. Ihr sollt euch bedeckt halten. Das Programm einfrieren, gar nichts tun. Ich hätte von Anfang an mit offenen Karten spielen sollen, dann wäre uns allen viel Ärger erspart geblieben.« Er schenkt ihnen ein zerknirschtes Achselzucken. »Ihr könnt euch ausmalen, dass die Geheimhaltungsstufe einer solchen Aktion es nicht gerade leicht macht, für die Einweihung von Außenstehenden zu werben. Stamm war von Anfang an dafür, euch zu eliminieren, sobald er die Datensätze hat. Aber das hätte zu viel Aufsehen erregt, sowohl polizeilich als auch in der Szene. Mal ganz abgesehen davon…« Zum ersten Mal, seit Hatz gefesselt auf der Obstkiste Platz genommen hat, sucht er nach Worten. Jetzt sieht er nur noch Britta an, spricht direkt zu ihr. »Gut möglich, dass du nie verstehen wirst, was ein Schutzengel ist. Es hat etwas mit Liebe zu tun, und du bist nicht in der Lage zu spüren, wenn andere etwas für dich empfinden.« Das Schweigen im Raum vertieft sich, nimmt eine andere Farbe an. »Ich wollte nicht zulassen, dass man euch etwas antut. Das sollst du wissen. Euer Abtauchen war furchtbar für mich.« Er reckt sich, so gut es geht, sitzt aufrecht, scheint im Sitzen auf seiner Obstkiste zu wachsen. »Aber gut, das ist nun vorbei, ab jetzt arbeiten wir Hand in Hand. Es handelt sich nur noch um ein paar Tage, maximal eine Woche. Ich schlage vor, dass ihr an diesem Ort bleibt, er hat sich als relativ sicher erwiesen.

Natürlich werde ich eure Versorgungslage perfektionieren und das Gelände unauffällig sichern lassen. Ihr bekommt Kommunikationstechnologie und macht ein paar Tage Urlaub.«

»Und ich?«, fragt Julietta.

»Du erhältst einen exponierten Platz bei den *Hearts*. Wenn du möchtest. Marschierst in vorderster Front. Wie wäre das?«

»Ich will für eine gute Sache sterben.«

»Das ist die beste Sache der Welt!« Hatz wendet sich wieder an Britta. »Nach dem Wechsel wird es mit der *Brücke* nicht so weitergehen können wie bisher. Die Welt wird nicht mehr dieselbe sein. Aber ich kann euch persönlich garantieren, dass ihr im neuen System euren Platz finden werdet. Einen guten und gut bezahlten, interessanten und wirkungsvollen Platz. Leute wie ihr werden mehr als dringend gebraucht. Ihr seid das Salz in der Suppe der kommenden Ordnung.«

Guido Hatz hat geendet. Es ist völlig klar, was nun folgen wird. Britta wird auf ihn zugehen, etwas Feierliches wird in ihren langsamen Schritten liegen. Sie wird ihn losbinden, damit sie sich die Hand geben können. Guido Hatz wird sich erheben, den Rücken strecken, vielleicht werden sie einander sogar kurz umarmen. Dann wird er in sein Auto steigen, und die Dinge nehmen ihren Lauf.

Britta setzt sich in Bewegung. Hatz sieht ihr entgegen, in seinem Blick liegt die Zuneigung eines Vaters, der seine Tochter nach langer Zeit wiedersieht. Britta erwidert seinen Blick. Sanft legt sie ihm eine Hand auf die Schulter, während sie sich bückt und das zusammengerollte Paar Socken aufhebt, das am Boden neben der Obstkiste liegt. Mit einer einzigen, schnellen Bewegung schiebt sie ihm die Socken zwischen die lächelnd geöffneten Zähne und umwickelt seinen Kopf mit Klebeband, zwei Mal, drei Mal, wobei sie seinen Oberkörper an sich presst. Sie prüft, ob er Luft durch die Nase bekommt, und lässt ihn los. Sofort fällt er zu Boden, wälzt sich, tobt, schnellt seinen Körper umher wie ein Fisch auf dem Trockenen. Die Laute, die er dabei durch die Nase erzeugt, haben nichts Menschliches mehr. Er versucht, zu sprechen, zu schreien, Britta zu erreichen, die einen Schritt zurücktritt, wenn sich sein über den Boden robbender Körper ihren Füßen nähert. Fassungslos verfolgen Julietta und Babak das Schauspiel.

»Was hast du vor?«, fragt Babak.

»Das Gegenteil von dem, was Hatz möchte.«

»Und warum?«

»Weil es das Richtige ist«, sagt Britta. »Gib mir das Handy.«

Julietta braucht einige Sekunden, bis sie die Aufforderung versteht; dann reicht sie Britta das Cryptofon, das sie in Hatz' Sakkotasche gefunden hat.

Britta lässt sich Zeit dabei, die Korrespondenz der vergangenen Tage zu sichten. Als sie sicher ist, den Kontext verinnerlicht zu haben, schreibt sie eine Textnachricht an »Herz«: »Füchsin an Bord, ihr bekommt Familienzuwachs, Rufnamen Libelle, Eber, Frettchen, Treffen Achtzehn Null Null, Koordinaten erbeten.«

Es dauert keine Minute, bis die Antwort eintrifft. Längen- und Breitengrad, bis zur vierten Stelle hinter dem Komma. Britta prägt sich die Zahlen ein, reicht das Handy an Babak weiter, weist ihn an, ein Auge auf Hatz zu haben, steckt den Schlüssel des Hilux in die Tasche und verlässt mit Julietta das Haus.

Das Sonnenlicht blendet. Auf der obersten Stufe der Eingangstreppe sitzt eine graue Katze und verzehrt etwas Selbstgefangenes.

28

Das Summen der Nadeln erzeugt einen besonderen Frieden, wie Grillenzirpen oder Vogelgezwitscher an einem Sommerabend. Es herrscht konzentrierte Stille im Raum, irgendetwas zwischen Chirurgie und Kunsthandwerk, dazu die Erschöpfung. Zum ersten Mal seit Wochen ist Britta in der Lage, sich zu entspannen.

Nachdem sie das Haus in Wiebüttel verlassen haben, sind Britta und Julietta staunend durch einen ganz normalen Tag gefahren, tatsächlich ein Sonntag, wie sich herausstellte, als sie den Wochenendausflüglern auf der B214 begegneten, ganz gewöhnlichen Autos, zwischen denen sie nicht weiter auffielen, zwei junge Frauen in einem großen Geländewagen auf dem Weg zurück in die Stadt.

Als sie das Ortsschild von Braunschweig passierten, entschied sich Britta gegen alle Vernunft für einen kleinen Umweg. Sie bog von der Hauptstraße in das ruhige Wohnviertel ab, lenkte den Hilux durch die engen Straßen, parkte ihn, auffällig und überdimensioniert, zwischen Fahrrädern und Familienautos und lief, während Julietta im Wagen wartete, über den gepflasterten Weg zum Haus. Als Richard die Tür öffnete, sprang sie ihm mit der ganzen Kraft ihres ausgemergelten Körpers in die Arme. Danach wirbelte sie Vera durch die Luft, genoss ihr glückliches Kreischen und die »Mama-Mama«-Rufe und umarmte Richard ein weiteres Mal. Seine aufgerissenen Augen waren wie Etiketten auf einem großen Sack voller Fragen. Britta erklärte ihm, dass nun alles bald vorbei sei, dass sie wiederkommen werde, dass sich ihr Leben ändere, aber weitergehe, dass er sich keine Sorgen machen solle, dass alles gut werde. Danach lief sie davon, zurück zum Auto, begleitet von Veras Weinen und Richards Entsetzen, sprang auf den Fahrersitz und fuhr wieder los.

Auf dem Weg zum Deutschen Haus befiel sie Unruhe, seit Tagen hatte es keinen Kontakt zu den Kandidaten gegeben, Britta konnte nicht mit Sicherheit wissen, ob sie sich noch im Hotel aufhielten. Aber die Sorge erwies sich als unbegründet, die beiden befanden sich auf ihren Zimmern, hatten sich nicht von der Stelle gerührt und geduldig auf weitere Anweisungen gewartet. Marquardt begrüßte Britta mit herzlichem Händedruck, sein Gesicht war fast verheilt, er sah gut aus und reagierte euphorisch auf die Nachricht, dass es jetzt endlich weitergehe. Auch Djawad war glücklich, sie zu sehen, »Wallah, Frau Britta, was lässt du uns so lang allein.« Die beiden Männer stiegen auf die

Rückbank des Hilux und beugten sich zwischen den Sitzen nach vorn, um Julietta abzuklatschen.

An einer Tankstelle kaufte Britta drei Handys für ihre Kämpfer, sie legten gültige Personalausweise vor und achteten darauf, dass der Tankwart die Daten korrekt übertrug, damit sie sich darauf verlassen konnten, von jetzt an lückenlos überwacht zu werden. Zurück im Auto, gab Britta Anweisung, die Geräte stets bei sich zu tragen und angeschaltet zu lassen. In knappen Worten informierte sie die Truppe darüber, dass es aufgrund äußerer Umstände zu einer Planänderung gekommen sei, veränderte Einsatzverläufe, neuer Auftraggeber, für Djawad und Julietta sofortiger Übergang in Stufe 12. Marquardt strahlte, Djawad sagte »Auf Jeden, Frau Britta«, dann schwiegen sie, und Britta liebte sie dafür.

Jetzt sitzen sie auf Klappstühlen entlang der Wand, blättern in den ausliegenden Magazinen oder betrachten Ordner voll laminierter Seiten mit verschiedenen Motiven, vom Tribal bis zur bunten Meerjungfrau. Das Studio scheint sich in einem toten Winkel des Universums zu befinden, hier ist die Zeit stehen geblieben, aus den Boxen unter der Decke stöhnt Kurt Cobain »Come as you are«, an den Wänden hängen Werbeplakate für Erotikmessen aus den neunziger Jahren des letzten Jahrhunderts, es riecht nach Cannabis und Patchuli, ein Aroma, das Britta zurück in die eigene Kindheit schickt. Sie sieht die zu großen Hosen und zu kleinen T-Shirts ihrer Mutter, die zerrissenen Jeans und ausgelatschten Turnschuhe ihres Vaters, sie sieht den eckigen VW-Bus, mit dem sie nach der Wende nach Krakau und Prag gefahren sind, und denkt verwundert, dass sie damals glücklich waren, dass es tatsächlich ein Jahrzehnt gab, in dem die Menschen so etwas wie Glück empfanden.

Julietta hält die Augen geschlossen, während sie dem Tätowierer ihren Arm hinstreckt. Sie hat ihr schwarzes Langarmshirt ausgezogen und sitzt im Unterhemd auf dem Drehhocker. Ihr magerer Körper zeigt jede Rippe, vor allem die Rippenbögen stehen hervor wie Henkel, an denen man sie hochheben und wegtragen könnte. Ein Mann mit ergrautem Pferdeschwanz hat sich ihren Unterarm aufs Knie gelegt. Sein Bauch ruht auf den Oberschenkeln, während er sich vorbeugt, um besser sehen zu können. Britta hat ihm gesagt, dass es eilt, pro Person nicht mehr als sechzig Minuten, und er hat erwidert, dass das zu schaffen sei, sofern es sich um eine großflächige und einfarbige Angelegenheit handele. Britta denkt, dass es bei allem, was ihnen ab jetzt bevorsteht, eher aufs Großflächige und Einfarbige ankommen wird. Auf Juliettas Arm ist der Schriftzug bereits konturiert, zum Ausfüllen wechselt der Grauhaarige die Nadeln, »breiter Pinsel für die Innereien«, sagt er, und ihm ist anzusehen, dass seine Kunden an dieser Stelle normalerweise lachen.

Britta rückt sich auf dem Stuhl zurecht und gibt dem Bedürfnis nach, die Augen zu schließen. Noch drei Stunden bis zum Treffen mit »Herz«. Sie hat die Koordinaten des Treffpunkts im Internet überprüft; sie bezeichnen die Firmenräume der *Brücke*, was Britta ebenso dreist wie genial findet. Für den Moment ist sie mit allem einverstanden. Das Bauchweh ist verschwunden, und Britta ist ziemlich sicher, dass es nicht mehr wiederkommt. Sie hatte vergessen, dass es einen Zustand jenseits des Schmerzes gibt. Man nennt ihn Paradies.

Sie sieht Veras Gesicht und vernimmt ihre Stimme: »Bamm! – Problem gelöst.« Mega-Melanie und Mega-Martin kreiseln in einem Wirbel umeinander. Eine graue Katze schwebt auf Britta zu, sie scheint tot, hebt dann aber den Kopf und winkt ihr mit der Pfote. Du trägst es in dir. Hör einfach zu.

»Okay. Der Nächste, bitte.«

Die Stimme des Tätowierers lässt Britta hochschrecken. Als Julietta sich erhebt und ihre Zigaretten aus der Tasche fischt, folgt Britta ihr vor die Tür. Eine Weile blicken sie stumm den vorbeifahrenden Autos nach, und es ist der schönste Anblick, den es gibt. Dann beginnt Britta zu reden. In kurzen Worten erklärt sie ihren Plan, und es dauert nicht länger als eine Zigarettenlänge, um klar zu machen, was sie vorhat. Julietta nickt gelegentlich, zieht an ihrer Zigarette und sagt mehrmals »Okay«. Sie wirkt weder überrascht noch enttäuscht. Sie ist ein erstaunliches Mädchen, denkt Britta, spürt warme Zuneigung und zugleich jähen Schmerz beim Gedanken an das Bevorstehende.

Sie muss sich zurückhalten, um Julietta nicht zu umarmen.

»Ich musste vorhin an meine Eltern denken«, sagt sie stattdessen. »An die neunziger Jahre. Wir sind damals häufig nach Osteuropa gefahren. Meine Eltern waren ganz heiß darauf zu sehen, was sich hinter dem Eisernen Vorhang befand. Ich war noch ein Kind, aber ich kann mich gut an die langen Autofahrten erinnern. An die Musik, die fröhliche Stimmung. An den Zauber des Worts Europa.«

»Wie schön.« Julietta schnippt die Zigarette fort und zündet sich eine neue an. »Ich würde viel geben für solche Erinnerungen.«

»Damals gab es ein Leuchtfeuer, das sämtliche Horizonte erhellte. Europa, Weltfrieden, Demokratie. Meine Eltern glaubten, dass sich alles zum Guten wenden würde. Dass die Epoche von Weltkrieg und Wettrüsten zu Ende sei und sie in eine bessere Zukunft aufbrächen. Aber bald nach der Jahrtausendwende haben sie aufgehört, davon zu sprechen. Sie sind regelrecht verstummt.«

Julietta beobachtet mit zusammengekniffenen Augen den Verkehr und hört zu. Eine Gruppe Sport-ist-öffentlich-Jogger läuft vorbei und wirft dem rauchenden Mädchen grimmige Blicke zu. Britta bekommt Lust, sich ebenfalls eine Zigarette anzustecken.

»Plötzlich gab es keine bessere Zukunft mehr, keinen Ort, an den wir gemeinsam aufbrechen könnten. Es gab nur noch die Möglichkeit, sich einzumauern und zu hoffen, dass es nicht ganz so schlimm kommen wird.«

Julietta nickt, während sie den Joggern den Mittelfinger zeigt. Britta muss lächeln.

»Mir ist das wie ein Stein in den Magen gesunken.«

»Was?«

Britta überlegt. »Die Demokratie. Ich habe nie BBB gewählt, nie auf Europa und Die-da-oben geschimpft, niemals an einem Shitstorm teilgenommen. Ich habe einfach entschieden, mein eigenes Ding zu machen. Jahrelang war ich mir zu fein für das Verfolgen der Nachrichtenportale.« Sie schüttelt den Kopf und streicht sich mit beiden Händen das Haar zurück. »Leute wie ich tragen Schuld an den Zuständen, nicht die Spinner von der BBB. Regula Freyer ist an den Urnen gewählt worden, während meine beste Freundin ihr Wahlrecht im Geiste gegen eine Waschmaschine eingetauscht hat. Selbst auf diese Entscheidung habe ich noch heruntergeschaut, weil ich glaubte, meine Hände mit besseren Argumenten in den Schoß zu legen.«

»Und jetzt?«

»Jetzt weiß ich, dass richtig und falsch erst existieren, nachdem man sich entschieden hat. Vorher sind alle Anstrengungen zum Vermeiden von Fehlern nur eine Scharade, nicht sinnvoller als ein Fußballspiel ohne Ball.«

Julietta nickt und vollführt eine Geste, als würde sie zuschlagen, mit geschlossener Faust, vielleicht mit einem Stein, aber möglicherweise hat sich Britta da auch getäuscht.

»Diejenigen, die Freyer und Konsorten ins Amt gebracht haben, sollen sie auch wieder abwählen«, sagt Britta. »Wir sind noch immer eine Demokratie.«

»Alles klar«, sagt Julietta. »Ich bin dabei.«

»Es widerspricht allem, was du wolltest.«

»Da irrst du dich.«

Julietta wendet den Kopf und schaut ihr in die Augen. Ein zutiefst ernster, durch und durch erwachsener Blick.

»Mir kommt es auf die gute Sache an. Das ist eine.«

»Woher weißt du das?«, fragt Britta.

»Ich weiß es nicht, ich fühle es. Hatz liegt falsch.«

»Sollen die Arschlöcher von der BBB nicht weg?«

»Doch. Aber nicht so.« Julietta lächelt. »Es ist gut, dass du dich entschieden hast, Britta. Jetzt bist du wieder ein Mensch.«

Sie sehen sich an. Und Britta nimmt sie nun doch in den Arm. Sie halten sich fest, minutenlang, sie wissen, es ist das letzte Mal.

Kurz vor achtzehn Uhr parkt Britta den Hilux auf der Rückseite des Kurt-Schumacher-Blocks und geht, gefolgt von Julietta, Marquardt und Djawad, die vertrauten Schritte zur Praxis. An Sonntagen wirkt die Passage noch ausgestorbener als sonst, selbst das ewige Dentallabor gegenüber ist geschlossen, der blonde Roboter nicht am Platz. Den Betonplatten des

Pflasters ist anzusehen, dass sie seit Stunden von keiner Schuhsohle berührt worden sind. Hier ist etwas zu Ende gegangen. Als sei nicht nur die *Brücke*, sondern die ganze Passage, das ganze Stadtviertel in einen neuen Zustand eingetreten, in ein Danach, eine Endzeit, in der nicht mehr der menschliche Wille regiert, sondern nur noch der langsame Atem der Dinge.

Die Tür ist angelehnt. Schon ein erster Blick ins Zwielicht der Räume zeigt, dass niemand das Ladengeschäft in ihrer Abwesenheit betreten hat. Dafür mag Britta die Stadt; in Berlin oder Hamburg wäre ein unverschlossenes Büro längst von Halbstarken geplündert worden, danach hätten Junkies darin übernachtet und Abiturienten eine Lagerfeuerparty veranstaltet.

Die Praxis wirkt einfach nur museal. Lassie fehlt, Babaks Pünktchenbild ist verschwunden. Übrig bleibt ein verstaubtes Stillleben aus abgegriffenen Möbeln und nutzlosen Gegenständen. Als hätte man der *Brücke* das Herz entfernt. Die Räume fangen bereits an, unbewohnt zu riechen.

Julietta, Djawad und Marquardt lassen sich in die Sitzgruppe fallen. Djawad hat sich den Schriftzug auf Schultern und Nacken tätowieren lassen und sitzt leicht vorgebeugt, weil er sich nicht anlehnen kann. Auf Juliettas und Marquardts Unterarmen treten die Buchstaben reliefartig hervor, *Empty Hearts*, geschwollen und von entzündeter Haut umgeben, glänzend vom Fett der Vaseline.

Britta geht nach unten, um Kaffee zu kochen. In

den schmutzigen Tassen in der Spüle sind die Kaffeereste zu einer lackartigen Schicht getrocknet, die sich nicht mehr entfernen lässt; der Zucker klumpt, die Milch im Kühlschrank ist sauer. Britta weiß nicht genau, wie viele Tage vergangen sind, seit sie hier zum letzten Mal einen Schalter gedrückt oder einen Schrank geöffnet hat. Unfassbar, wie schnell einem die Gegenstände den Rücken zukehren, wenn man aufhört, sich mit ihnen zu beschäftigen.

In den Schränken findet sie keine sauberen Tassen; auch der Boden der Kanne ist von eingetrocknetem Kaffee bedeckt. Früher hätte sie bei diesem Anblick gewürgt, jetzt nimmt sie einen Schwamm und scheuert beherzt an der Kanne herum, nimmt schließlich die Fingernägel zu Hilfe, bis ihr klar wird, dass es nichts bringt und sie nur weitermacht, weil sie nicht weiß, was sie mit ihren Kämpfern reden soll, weil sie Angst davor hat, das Schweigen zu ertragen. Sie gibt sich einen Ruck, stellt das Wasser aus und geht die Wendeltreppe hinauf.

»Leider kein Kaffee.«

Niemand reagiert. Die drei wirken angespannt wie eine Musikband vor dem Auftritt. Britta lässt sich im Sessel nieder und versucht, auf ähnlich beherrschte Weise zu schweigen.

Um Punkt sechs geht die Tür auf, Enrico Stamm kommt herein, mit einer Selbstverständlichkeit, als betrete er einen Gemüseladen. Ihm folgen zwei Getreue, von denen Britta sofort weiß, dass sie ihnen noch nie begegnet ist. Das müssen Neue sein, zwei der Namen aus Babaks Pünktchenbild, und Britta ist beeindruckt, weil Stamm darauf geachtet hat, keine ehemaligen Kandidaten mitzunehmen, um seine Männer nicht mit ihrer früheren Anführerin zu konfrontieren. Gewiss besitzt Britta noch immer Macht über einige von ihnen, und sei es nur, weil sie sie hassen. Die beiden jungen Männer sind nicht älter als zwanzig und wesentlich unsicherer als Stamm. Dem einen prangt die Tätowierung auf dem rasierten Hinterkopf. Trotz der sommerlichen Temperaturen tragen beide Jacken, woraus Britta schließt, dass sie bewaffnet sind, eine Tatsache, die sie in diesem Fall eher beruhigt als verstört. Je mehr Waffen, desto konkreter der Plan; desto schneller wird alles gehen.

Äußerlich hat sich Stamm nicht verändert, neu ist nur die Tätowierung im Ausschnitt seines offenen Hemds. Wie früher bewegt sich sein aufgeblähter Körper etwas mühsam, als stünde ihm die eigene Kraft im Weg, während der kleine Kopf mit den flinken Augen in ständiger, ruckartiger Bewegung ist. Blitzschnell hat er die Lage sondiert, und was er vor sich hat, scheint ihm zu gefallen. Beim Anblick der frischen Tätowierungen beginnt er unwillkürlich zu nicken.

»Britta, wie geht's?«

»Bestens«, sagt Britta und freut sich darüber, wie sehr ihre Antwort der Wahrheit entspricht.

»Hatte Guido wohl recht. Er wollte von Anfang an mit euch reden.«

Stamm spuckt auf den teppichbelegten Boden, gezielt zwischen Couchtisch und Sofa. Daran, dass es sie nicht im Geringsten stört, erkennt Britta, wie viel sich geändert hat.

»Ich habe dir meine drei besten Kandidaten mitgebracht«, sagt sie. »Marquardt hat die Evaluierung vollständig durchlaufen, Julietta und Djawad sind noch nicht ganz fertig, aber definitiv bereit.«

»Scheiß auf deine Evaluierung.« Stamm spuckt noch einmal. »Wir sind eine Armee, wir wollen kämpfen.«

»Das wollen meine Leute auch.«

»Dann sind sie willkommen.«

Erst jetzt nimmt Stamm die drei genauer in Augenschein, bedenkt den drahtigen Marquardt mit einem anerkennenden, den etwas schwammigen Djawad mit einem eher abschätzigen Blick und wendet sich dann Julietta zu.

»Die ist ja der Hit.«

Julietta schaut ihn von unten herauf an, die Haare fallen ihr ins Gesicht, die Augen darunter glühen wie bei einem Raubtier.

»Sie gehört an die vorderste Front.«

»Das ist meine Entscheidung.«

Stamm beugt sich vor, streicht Juliettas Haare zur Seite und betrachtet ihr Gesicht, als wäre sie ein Gegenstand, den er vielleicht kaufen will. Juliettas Miene bleibt unbewegt. Britta könnte nicht sagen, was sie über Stamm und sein Auftreten denkt; vermutlich ist er ihr völlig egal. Sie macht sich nicht einmal die Mühe, seine Hand wegzuschieben, während er ihre Haare befühlt.

»Sie wird dir maximale Aufmerksamkeit in den Medien bringen.«

»Ach, Britta. Du glaubst immer noch, dass du die Einzige bist, die weiß, wie der Hase läuft.«

Stamm wendet sich ab und spricht ein paar leise Worte mit seinen Männern, die nicken und dabei die Kiefer bewegen, als hätten sie plötzlich Kaugummi im Mund.

»Du kannst jetzt gehen«, sagt Stamm zu Britta.

Das ist immer noch mein Büro, will sie rufen. Ich zahle die Gewerbemiete, der Teppich, auf den du spuckst, ist meiner. Nimm deine dreckigen Finger von Julietta, die gehört auch mir.

Ein paar Augenblicke sitzt sie starr wie im Schock. Erst jetzt begreift sie, dass es zu Ende ist. Eine Kette von letzten Momenten. Ein letzter Blick auf Djawad und Marquardt. Ein letztes Lächeln von Julietta, die aufmunternd nickt. Die letzten Sekunden auf diesem Sessel, die letzten Schritte durch die Praxis zur Tür. Nichts und niemanden in diesem Raum wird sie jemals wiedersehen.

Es kostet enorme Anstrengung. Britta bewegt sich mit Mühe, als wäre ihr Körper plötzlich tonnenschwer. Sie zwingt sich, niemandem ins Gesicht zu schauen. Sich nicht zu verabschieden. Stamms Genugtuung zu ignorieren.

Alles fühlt sich falsch an, die Uhrzeit, der Wochentag, das Wetter. Ein trüber Wintermorgen mit depressivem Licht sollte es sein, mit feuchtkalter Luft, die einem unter die Kleidung kriecht. Aber es ist ein strahlender Sonntagabend, wie geschaffen für einen langen Spaziergang, für eine laue Nacht im Biergarten oder ein Grillfest mit Freunden.

Britta geht. Sie gibt ihrem Körper Befehle, die Hände öffnen die Tür, die Beine treten auf die Passage hinaus. Sie dreht sich nicht noch einmal um. Als sie am Dentallabor vorbeiläuft, sind ihre Wangen tränennass.

29

Knut und Janina kommen um sechs.

Cora und Vera umarmen sich quiekend, als hätten sie einander monatelang nicht gesehen, dabei hat Vera fast jeden Nachmittag der letzten Tage bei Cora verbracht. Janina trägt eine Schüssel Nudelsalat im Arm, der gemeinsam mit einer Tüte Veggie-Frikadellen als Abendessen dienen wird. Richard steht in der Küche und versucht sich an einer Crème brulée. Am Tisch sitzt Babak vor einem Glas Bier, dessen Schaumkrone zusammengefallen ist, ohne dass er davon getrunken hätte, und sieht aus wie ein Mensch, der sich wünscht, ein wenig Gemüse schneiden zu dürfen. Als er sich erhebt, um Knut und Janina zu begrüßen, stößt er mit dem Knie ans Tischbein, entschuldigt sich murmelnd und gerät mit Janina aneinander, die ihn umarmen will, während er ihr die Hand entgegenstreckt. Obwohl Babak die anderen kennt, benimmt er sich, als wäre er versehentlich in das Familientreffen hineingeraten.

»Kinder! Schreit doch nicht so!«

»Was machst du da?«

»Entscheidend ist, dass die Karamellschicht absolut perfekt wird. Brauner Zucker eignet sich dafür nicht, der verbrennt zu schnell.«

»Er zitiert das Internet. Er macht das zum ersten Mal.«

»Mensch, Britta!« Mitten in der Küche zieht Janina sie an sich und umarmt sie lang und fest. »Ich hab dich so vermisst.«

Britta erwidert die Umarmung. Berauscht vom Glück, wieder zu Hause zu sein, hebt sie die Freundin in die Luft und dreht sich mit ihr im Kreis, als wäre sie ihre persönliche Retterin. Danach ist sie ein wenig verlegen und macht sich daran, den Nudelsalat in eine große Keramikschüssel umzufüllen, die außen und innen mit Ameisen, Kellerasseln und anderen Insekten bemalt ist.

»Nimm dir ein Bier«, sagt Richard zu Knut. »Gieß den Mädels einen Prosecco ein.«

Knut öffnet den Kühlschrank, nimmt eine Dose heraus, die er sofort aufreißt, und stellt eine Flasche Prosecco auf den Küchentisch.

»Hast du gehört, dass Freyer den Import ausländischer Biersorten verbieten will?« Knut senkt das Kinn und trifft die Sprechweise der Kanzlerin ziemlich genau: »Deutsches Bier ist deutsche Tradition.«

»Dann ist Schluss mit Staropramen.«

»Oder du musst es auf dem Schwarzmarkt kaufen.«

»Prost.« Sie stoßen an und strecken ihre Dosen

auch Babak entgegen, der schnell sein Glas hebt und an der schal gewordenen Flüssigkeit nippt.

»Wie war dein Urlaub?« Janina hat sich zu Britta an den Tisch gesetzt, während die Männer an der Arbeitsplatte stehen. Die Mädchen sind in Veras Zimmer verschwunden und spielen ein Spiel, das Britta noch nicht kennt, irgendwie hat es wohl damit zu tun, sich gegenseitig zu schlagen, man hört klatschende Geräusche mit anschließenden Aua-Schreien und Gelächter. Britta verteilt Prosecco auf die Gläser, prostet den anderen zu, leert ihr Glas in einem Zug und schenkt sich nach.

»Bitter nötig«, sagt sie, woraufhin Janina zustimmend lacht.

Sie hat Richard erzählt, dass sie zusammengebrochen sei, wahrscheinlich Burnout, eine Art Nervenzusammenbruch, letztlich genau, wie Hatz es vorhergesagt habe. Von einem Moment auf den anderen sei es nicht mehr weitergegangen, sie habe eine Auszeit gebraucht, schnell weggemusst, raus aus allem, um Zeit zum Nachdenken zu haben und zu sich selbst zurückzufinden.

Richard hat das hingenommen. Er hat nicht gefragt, warum sie nicht einfach angerufen hat, um das zu erklären. Warum auf dem Zettel stand, sie sei beruflich unterwegs. Auch ihre abgerissenen Klamotten, die ungewaschenen Haare sowie die Tatsache, dass sie acht Kilo abgenommen hat, erwähnt er mit keinem Wort. Nur in seiner reservierten Haltung kommt zum Ausdruck, dass er ihr nicht glaubt. Sie rechnet es ihm hoch an, dass er nicht versucht, die Wahrheit aus ihr herauszuholen. Sie weiß, dass er unerträgliche Ängste ausgestanden hat, die er unterdrücken musste, um Vera nicht zu beunruhigen, und dass er fast so erschöpft ist wie sie selbst. Dass sie trotz allem nicht streiten, sondern stillschweigend vereinbart haben, mit einer Lüge zu leben, weil Richard ganz selbstverständlich davon ausgeht, dass Britta ihre Gründe hat – diese Tatsache beweist ein weiteres Mal, dass alle Entscheidungen, die sie zum Schutz ihrer Familie getroffen hat, richtig waren.

»Wo warst du denn?«

»In einem kleinen Ort bei Celle, gar nicht weit weg. Eine familiär geführte Pension mit wenigen Zimmern, ich war der einzige Gast. In der Nähe gibt es ein Wellness-Spa und ein paar Wanderrouten, aber ich war nur auf meinem Zimmer und habe nicht mal den Fernseher angemacht. Keine Ahnung, wie die Zeit vergangen ist. Anscheinend braucht sie keine Hilfe dabei.«

Knut und Janina lachen. Je öfter Britta die Geschichte erzählt, desto glaubwürdiger klingt sie in den Details.

Babak schaut sie mit freundlicher Zustimmung an, er ist froh, wenn er nicht reden muss.

»Warum hast du Richard gesagt, dass du auf Geschäftsreise bist?«

»Ich wollte keine Fragen beantworten. Ich wollte nicht, dass er sich Sorgen macht.«

»Ein paar Sorgen habe ich mir schon gemacht«, sagt Richard und zielt mit dem Candyman spielerisch auf Knut, der ihm mit einem Messer droht und »Viel zu lernen du noch hast, kleiner Yedi« ruft.

»Und wie geht's dir jetzt?«

Britta lächelt. »Viel besser.« Sie leert das zweite Glas Prosecco und schenkt nach. »Es sind ein paar Entscheidungen gefallen.« Mit einem Mal entsteht erwartungsvolles Schweigen, alle Blicke richten sich auf Britta, als wäre das mehr als ein typisches Kommt-ihr-zum-Essen-na-klar-Treffen, als wären sie zusammengekommen, weil Britta etwas verkünden will.

»Ich gebe die Praxis auf.«

Verblüfft starren Knut und Janina sie an. Ein paar Sekunden sind sie zu überrascht, um etwas zu sagen. Grinsend sitzt Britta zwischen ihren Freunden. Der Coup ist gelungen.

»Ist nicht dein Ernst!«

»Willst du uns verarschen?«

»Wieso das denn?«

»Ich fasse es nicht.«

»Es ist einfach der richtige Moment.« Brittas Blick trifft sich mit Babaks, sie nicken einander zu. »Die Zeit ist reif für eine Veränderung.«

Knut und Janina ist anzusehen, dass sie sich Britta ohne ihre Praxis nicht vorstellen können. Ihre Gesichter spiegeln eine Frage, die sie sich selbst seit Tagen stellt: Was bleibt übrig von ihr, wenn die *Brücke* nicht mehr existiert?

»Solange Richard beruflich so eingespannt ist, werde ich erst einmal kürzertreten. Danach sehen wir weiter. Mir wird schon was einfallen.«

»Na, dann.« Knut hebt zögernd sein Glas. »Herzlichen Glückwunsch. Oder ist das falsch?«

»Goldrichtig.«

Sie stoßen an. Während Britta ihr drittes Glas Prosecco austrinkt, spürt sie mit jeder Faser, dass tatsächlich alles goldrichtig ist. Obwohl sie ihr Exil erst vor fünf Tagen verlassen hat, richtet sie sich bereits in ihrem neuen Leben ein, und es fühlt sich gut an. Sie hat Henry gekündigt und genießt das Privileg, selbst für Sauberkeit im Haus zu sorgen. Morgens steht sie früh auf, macht Frühstück für die Familie, bringt Vera zur Schule und widmet sich anschließend in aller Ruhe der Hausarbeit. Gegen halb elf hupt der Hilux vor der Haustür, und Britta steigt bei Babak ein, um ihre tägliche Tour nach Wiebüttel zu machen, um, wie sie sagen, »die Katze zu füttern«.

Als sie ihn das erste Mal aufsuchten, fing er an zu brüllen, kaum, dass sie ihm das Klebeband abgenommen hatten. Babak versuchte, ihm die Wasserflasche an die Lippen zu setzen, aber er schrie so laut, dass ihnen nichts anderes übrig blieb, als ihm den Knebel wieder in den Mund zu stopfen.

»Lass uns einfach abwarten«, sagte Britta. »Vierundzwanzig Stunden ohne Wasser, und er wird sich ohne Widerstand versorgen lassen.«

Eine Weile beobachteten sie die spastischen Zuckungen, die Hatz am Boden vollführte und die schwächer wurden, je mehr sein Zorn verrauchte und wieder in dumpfe Verzweiflung überging.

Am nächsten Tag ging es besser, und inzwischen rastet er gar nicht mehr aus, wenn sie den Knebel entfernen. Im Gegenteil, inzwischen wartet er auf sie, schaut ihnen entgegen und schluckt stumm und gierig alles, was sie ihm an die Lippen halten. Aus einem Stuhl ohne Sitzfläche haben sie ein Klo gebaut, sie schieben einen Eimer darunter und lassen Hatz mit gefesselten Beinen Platz nehmen. Wenn er fertig ist, entsorgen sie seine Exkremente. Eine unangenehme Tätigkeit, aber noch unangenehmer sind die täglichen Dialoge, die sich nach dem immer gleichen Muster wiederholen. Weil er ihnen leidtut, lügen sie ihn an, auch wenn es sinnlos ist.

»Was habt ihr vor?«

»Es läuft alles in Ihrem Sinn. Julietta und zwei weitere Kämpfer haben sich den *Empty Hearts* angeschlossen. Die *Brücke* beendet alle eigenen Operationen und zieht sich aus dem Geschäft zurück.«

»Warum haltet ihr mich dann hier fest?«

»Zu Ihrer eigenen Sicherheit.«

»Das ist doch Schwachsinn!« An dieser Stelle redet sich Hatz jedes Mal in Rage. »Das ergibt keinen Sinn! Meine Leute werden mich finden! Sie holen mich hier raus!«

»Fragt sich nur, wann«, sagt Britta.

Um Zeit zu gewinnen, sorgt Babak dafür, dass der

Hilux regelmäßig bewegt wird. Von Hatz' Cryptofon schreibt er Nachrichten an »Herz« sowie an zwei weitere Nummern, von denen sie glauben, dass es sich um Kontaktleute bei den Diensten handelt. »Alles unter Kontrolle«, oder: »Alles nach Plan«, »Neuzugänge dem Kommando von Herz unterstellt«. Julietta, Djawad und Marquardt haben Anweisung, ihre neuen Handys stets bei sich zu tragen und von Zeit zu Zeit Nachrichten an das Cryptofon von Hatz zu senden, in militärischer Kürze, »in HQ eingetroffen«, »Befehle erhalten«, »mit Aufnahme des Equipments begonnen«. Letztere stammt vom Vortag, weshalb Britta weiß, dass es nun nicht mehr lange dauern kann. Julietta hat Anweisung, den Zeitpunkt der Aktion selbst zu bestimmen. Es gibt nur ein Kriterium: zu früh. Die Spannung steigt von Tag zu Tag, es ist wie damals, als sie auf ihre erste Operation warteten.

»Und was ist mit …« Janina bricht ab und errötet.

»Mit Babak?«

»Ehrlich gesagt, dachte ich an unser Haus.«

Britta legt ihr eine Hand auf den Arm.

»Keine Angst. Der Deal steht.«

Janina versucht, nicht allzu erleichtert auszusehen. Britta versucht, sich nicht vorzustellen, wie sie eines Tages an diesem Ort des Grauens Kaffee trinken wird, in der Küche, auf dessen Fußboden sie die schlimmsten Stunden ihres Lebens verbracht hat. Sie stellt sich vor, dass Hatz auf ewig im Keller sitzen wird, zusammengeschrumpft, hospitalistisch, während die Mäd-

chen durchs Haus toben und Janina selbst gebacke-
nen Möhrenkuchen serviert.

»Babak fängt bei *Swappie* an«, verkündet Richard.
»Er wird den Algorithmus entwickeln, der uns zu
Marktführern macht.«

Verlegen winkt Babak ab, während Knut und Janina applaudieren und mit viel »Ah!« und »Oh!«
zum Ausdruck bringen, dass Babaks Zukunft natürlich genauso wichtig ist wie die der anderen. Babak
und Britta tauschen ein inniges Lächeln. Sie haben
viel geredet in den letzten Tagen, von den alten Zeiten, aber auch davon, wie jetzt alles werden wird.
Dass sich nicht groß was ändern muss, dass sie sich
trotzdem ständig sehen werden, dass Babak durch
die Arbeit bei Richard gewissermaßen in der Familie bleibt. Sie haben sich an den Händen gehalten und
häufig umarmt. Sie wissen genau, dass etwas zu Ende
geht und dass nichts in der Welt ersetzen wird, was
die *Brücke* für sie war.

Durch Babaks Anwesenheit sind sie heute Abend
zu siebt, weshalb Richard den Tisch im Essbereich
auszieht. Vera und Cora kommen herbeigestürmt und
wollen beim Tischdecken helfen, ein sicheres Zeichen,
dass sie Hunger haben. Unter Brittas Aufsicht vertei-
len sie das Geschirr aus der Insekten-Serie, Teller mit
Ohrenkneifern, Tassen mit Tausendfüßlern, Schüssel-
chen mit Kakerlaken.

»Perfekt!«, ruft Richard in der Küche. »Einfach
perfekt!«, und Britta freut sich, dass ihm die Crème

brulée gelungen ist, so sehr, als handele es sich dabei um ein Orakel.

Das Essen verläuft unbeschwert. Sie plaudern über dies und das, machen Witze über das drohende Bier-Embargo, Knut parodiert ein weiteres Mal Regula Freyer, und alle lachen. Es stört Britta nicht mehr, über Politik zu sprechen. Die Mädchen vertilgen ihren Nudelsalat in Sekundenschnelle und fragen, ob sie eine Folge von »Megamania« sehen dürfen, die freitags vor den Nachrichten im Fernsehen kommt. Als Britta zustimmt, stürzen die beiden mit lautem Geschrei in die Fernsehecke, woraufhin Richard ihnen hinterherbrüllt, dass sie nicht so laut sein sollen.

Janina erzählt von einer Lehrerin, die zu singen beginnt, wenn sie wütend wird, vermutlich, um sich selbst vom Schreien abzuhalten.

»Setzt euch hi-hin, setzt euch hi-hin, seid mal ruhig, seid mal ruhig«, singt Janina zur Melodie von »Frère Jacques, dormez-vous?«, während sich die anderen vor Lachen biegen. Danach unterhalten sie sich eine Weile nur noch singend, »gib mir mal das Sa-halz, gib mir mal das Sa-halz, danke schön, danke schön«, und fallen dabei von einer Lachattacke in die nächste. Es tut gut, so zu lachen, sinnlos, albern, angetrieben von ein paar Gläsern Prosecco und dem Zusammensein mit Menschen, die nichts weiter wollen, als fröhlich zu sein.

»Krass, Alter!«

»Hubschrauber!«

»Ey, guck mal da. Ist das ein Panzer?«

»Ganz viiiiele!«

»Mami, komm doch mal!«

Es ist Babak, der sich als Erster erhebt.

»Was ist los?«

»Die haben die Serie unterbrochen«, sagt Vera.

Das Regierungsviertel in Berlin. Wäre der Beitrag in Schwarz-Weiß, könnte man ihn für eine historische Aufnahme halten, Weltkrieg, Mauerbau, irgendwas aus dem 20. Jahrhundert. Ein Konvoi aus gepanzerten Fahrzeugen fährt durch den Tiergarten. Soldaten rennen geduckt über die Grasfläche vor dem Reichstag, sie umzingeln das Gebäude, während Hubschrauber in der Luft kreisen. Als das Bild wechselt, sieht man eine schwarz gekleidete Sondereinheit die Parteizentrale der BBB am Savignyplatz stürmen.

»Wie durch ein Wunder scheint niemand verletzt außer den Attentätern selbst«, sagt die Stimme der Nachrichtensprecherin. »Nach Polizeiangaben haben wir es mit drei Toten zu tun, einer Frau und zwei Männern.«

»Was ist denn passiert?«, fragt Richard.

Gedrängt stehen sie auf dem sternförmigen Muster des Teppichs, fünf Erwachsene, die auf den Bildschirm starren, während die beiden Mädchen begeistert auf der Couch herumhüpfen.

»Eine Anschlagsserie in Berlin«, sagt Britta. »Anscheinend wurden verschiedene Regierungsgebäude angegriffen, aber ohne Erfolg.« Babak, der direkt neben ihr steht, stupst sie in die Seite, um sie daran zu erinnern, dass sie nicht mehr wissen darf als der Fernseher.

»Das gibt's doch nicht.«

»Wie heftig ist das denn.«

»Das ist doch ein verdammter Film, oder was.«

Knut, Janina und Richard überbieten sich im Ausdruck von Fassungslosigkeit, in die sich bereits eine Spur Gier mischt, nach mehr Information, mehr Unerhörtem, mehr Skandal.

»Aus zuverlässigen Quellen hören wir, dass es sich um einen Putsch gegen die BBB-Regierung gehandelt haben soll.«

»Putsch?«, ruft Janina.

»Was ist ein Putsch?«, fragt Cora.

»Ein Angriff auf die Chefs«, sagt Knut im Tonfall der Eltern-Maschine, die darauf konditioniert ist, Kinderfragen zu beantworten.

»Mark Zudowski in Berlin, was können Sie uns Genaues über die Ereignisse sagen?«

»Das war bestimmt Herr Meyer«, kräht Vera.

»Wer ist Herr Meyer?«, fragt Richard.

»Der Mathelehrer«, sagt Britta.

»Bamm!«, ruft Cora. »Problem gelöst!«

»Ruhe! Oder ihr geht ins Bett!«

»Es gibt Hinweise auf einen umfassenden Plan«, sagt Mark Zudowski, der eine runde Brille trägt, obwohl er bestimmt nicht kurzsichtig ist. »Die drei Täter trugen Tätowierungen, die auf eine größere Gruppierung verweisen.«

Da sind sie. Die Bilder hat Britta beim Tätowierer aufgenommen; Babak hat sie ins Netz gestellt, damit die Sender etwas zum Senden haben. Die Redaktion hat sich nicht die Mühe gemacht, die Gesichter zu verpixeln, vielleicht, weil die Zeit nicht gereicht hat, oder weil tote Terroristen kein Persönlichkeitsrecht besitzen, oder weil Juliettas Gesicht einfach zu schade zum Verpixeln ist. Sie sieht großartig aus, die Haare wild, der Blick durchdringend. Marquardt blickt ausdruckslos in die Kamera, den Hemdkragen so weit geöffnet, dass man Teile der frischen Tätowierung sieht. Djawad wurde von der Seite aufgenommen, um auch seine Tätowierung zu zeigen, er guckt absichtlich etwas grimmig, und nur, wenn man ihn kennt, sieht man, dass er Spaß daran hat, den Terroristen zu spielen.

»*Empty Hearts* ist der mutmaßliche Name einer mutmaßlichen terroristischen Vereinigung, deren mutmaßliches Ziel in einem Großangriff auf Regierungseinrichtungen zu bestehen scheint.«

»Mark Zudowski, was ist denn schiefgegangen bei dem Plan der Terroristen?«

»Darüber liegen uns noch keine genauen Erkenntnisse vor. Vielleicht kam es zur Spaltung der Gruppe oder schlicht zu einem operativen Missverständnis. Eben erreicht uns die Meldung, dass die Polizei eine Großrazzia durchführt.« Zudowski legt zwei Finger aufs Ohr, um sich den Sender seiner Funkeinheit tiefer in den Gehörgang zu drücken. »Es ist bereits zu Verhaftungen gekommen.«

Zudowskis Bild wird von einem Foto ersetzt: ein Mann mit mächtigen Schultern und einem auffallend kleinen Kopf, die Augen zusammengekniffen, als blendete ihn die Sonne.

»Das ging fix!«, ruft Babak, und diesmal ist es Britta, die ihn anrempelt.

»Die zeigen einfach Fotos von Verdächtigen?«, fragt Knut.

»Sind doch Staatsfeinde«, sagt Janina.

»Wie konnten die Hintermänner so schnell gefasst werden?«, fragt die Nachrichtensprecherin, während Zudowski seinem Ohrsender weitere Informationen entnimmt.

»Anscheinend operierten die Attentäter recht unvorsichtig«, berichtet Zudowski. »Bei allen dreien wurden Handys gefunden, deren Bewegungsprofile direkt ins Hauptquartier der Bewegung wiesen.«

Heimlich fassen sich Babak und Britta an den Händen, nur einen Augenblick, um sich gegenseitig die Finger zu drücken, dann lassen sie gleich wieder los.

»Wie kann man so blöd sein«, murmelt Richard.

»Was hast du gesagt?«, fragt Britta.

»Stell dir mal vor, die hätten Erfolg gehabt.« Knuts Gesicht ziert ein breites Grinsen. »Die hätten die ganzen BBB-Freaks weggemacht.«

»Schöne Vorstellung«, sagt Richard. »Du wachst morgens auf, und die Spinner sind weg.«

»Platz für einen Neuanfang«, sagt Janina.

»Dann kommen die alten Kräfte zurück!« Begeistert hebt Knut einen Zeigefinger. »Hundertprozentig stecken die Geheimdienste dahinter. Da sitzen nach wie vor Merkels Leute.«

»Das wäre toll«, schwärmt Janina. »Mal wieder eine richtige Regierung zu haben.«

»Hört ihr euch eigentlich selber zu?«, fragt Britta. Mit einem Schlag wird es so still, dass wieder die Stimme von Zudowski zu hören ist, der gerade Fotos der Waffen zeigt. »Erst geht ihr jahrelang nicht wählen, und dann findet ihr es super, wenn das Regierungsviertel in die Luft gejagt wird?«

Das betretene Schweigen dauert an. Mark Zudowski hat weitere Informationen über Julietta gefunden, Name, Alter, Herkunft, Bildungsweg. Er nennt sie »die hübsche junge Frau« und bastelt Parallelen zu Ulrike Meinhof und Gudrun Ensslin.

»Ist vielleicht nur eine verlockende Phantasie«, meint Richard schließlich.

Britta schweigt und guckt. Alles nimmt sie in sich auf, wechselnde Bilder, wechselnde Berichterstatter. Kommentare, Hintergrundinformationen. Appelle an die Bevölkerung. Analysen, Interpretationen, Prognosen. Spekulationen und Hypothesen. Die anderen reden weiter darüber, was passiert wäre, wenn sich die Attentäter weniger dumm angestellt hätten. Diskutieren, ob es demokratische Umstürze geben kann. Wann politische Gewalt gerechtfertigt ist. Britta kennt die Szenarien, die sie entwerfen. Sie hat selbst davon geträumt. Jetzt löst die Diskussion nichts mehr in ihr aus. Je länger sie den anderen zuhört, desto sicherer ist sie, richtig gehandelt zu haben.

Irgendwann gehen Knut, Janina und Cora nach Hause, irgendwann bringt Richard Vera zu Bett. Noch eine Weile sitzen sie zu dritt vor dem Fernseher, bis auch Richard zu gähnen beginnt und sich verabschiedet.

»Morgen um elf?«, fragt er, und Babak bestätigt, dass er zu einer ersten Konzeptbesprechung in die Firma kommen wird.

»Macht nicht mehr so lang«, sagt Richard, bevor er verschwindet.

»Wir müssen daran denken, Hatz freizulassen«, sagt Babak, als alle weg sind.

»Morgen früh fahren wir hin.«

»Wird man ihn verhaften?«

Britta zuckt die Achseln, dann schüttelt sie den Kopf. »Leute wie Hatz gehen nicht in den Knast.«

Sie bleiben sitzen. Wechseln durch die Kanäle, gucken Nachrichten, die nur noch immergleiche Informationen wiederholen.

»War sie ... zufrieden?«, fragt Babak irgendwann.

»Sie war glücklich.«

»Aber es ist nicht das, was sie ursprünglich wollte.«

»Trotzdem.« Britta streichelt ihm den Rücken. »Sie hat uns geliebt. Auf ihre Weise.«

Da beginnt Babak zu weinen. Erst leise, dann immer heftiger. Britta hält ihn fest. Nach einer Weile wird das Schluchzen schwächer, und er hebt den Kopf.

»Dir ist klar, dass die BBB gestärkt aus dem Putschversuch hervorgehen wird?«

Britta nickt.

»Bei der nächsten Wahl wird niemand eine Chance gegen Freyer haben.«

Britta nickt wieder.

»Ich bin nicht sicher, ob ich verstehe, warum du das getan hast.«

Britta lächelt. Sie denkt an die graue Katze, sagt aber nichts. Sie sprechen nicht mehr. Gucken die nächste Analyse, einen weiteren Bericht. Sie warten darauf, Juliettas Bild noch einmal zu sehen. Noch einmal, und noch einmal.